Merch Ar-lein

NEB OND FI

Person creadigol ar-lein o Brighton yn Lloegr yw Zoe Sugg. Mae ganddi filiynau o ddilynwyr i'w flogiau harddwch, ffasiwn a steil ar YouTube, gyda'r nifer o wylwyr yn cynyddu bob mis. Enillodd Zoe y Teen Choice Award for Fashion and Beauty yn 2014 a 2015, yn ogystal ag ennill y Nickelodeon Teen Awards ddwywaith. Yn ystod haf 2016, cafodd ei chlwb llyfrau hynod lwyddiannus gyda WHSmith ei lansio.

Addasiadau Eiry Miles o lyfrau Zoe Sugg

MERCH AR-LEIN

MERCH AR-LEIN: AR DAITH

MERCH AR-LEIN: NEB OND FI

Dilynwch Zoe ar Twitter, Facebook,
Instagram a Snapchat
@ZoeSugg
www.zoella.co.uk
www.girlonlinebooks.com

Merch Ar-lein

NEB OND FI

ZOE SUGG

Addasiad EIRY MILES

ISBN 978-1-84967-092-0

Cyhoeddwyd yn wreiddiol yn Saesneg fel *Girl Online: Going Solo*
gan Penguin Books Ltd. London

Cyhoeddwyd gan Rily Publications Ltd
Rily Publications, Blwch Post 257, Caerffili CF83 9FL

Mae'r cyhoeddwyr yn cydnabod cefnogaeth ariannol Cyngor Llyfrau Cymru.

Argraffwyd a rhwymwyd ym Mhrydain
gan CPI Group (UK) Ltd, Croydon, CR0 4YY

www.rily.co.uk

I'm gwylwyr, darllenwyr a chefnogwyr
hyfryd, diolch am eich cefnogaeth ac am
rannu fy nghariad i tuag at Penny a'i stori.
Gobeithio y gwnewch chi ddilyn eich
breuddwydion nes iddyn nhw ddod yn wir.
Os alla i wneud hynny, fe allwch chi!

15 Medi

Ble mae Noah Flynn?

Sori am dawelwch y blog 'ma'n ddiweddar!

Os wyt ti wedi bod yn darllen *Merch Ar-lein* yn rheolaidd, byddi di'n gwybod 'mod i'n dwlu ateb dy gwestiynau di, naill ai yn y sylwadau neu drwy e-bost. Er bod y rhan fwyaf o ddilynwyr y blog yn anhygoel o cŵl ac yn gofyn am bethau fel y flwyddyn newydd yn yr ysgol a sut dwi'n paratoi ar gyfer gwaith cwrs a dedleins arholiadau ... mae fy mewnflwch yn orlawn o gwestiynau am Noah Flynn. Yn fwy penodol: Ble mae e? Beth mae e'n wneud? Pam y gadawodd e daith fyd-eang The Sketch?

Nawr, mae hyn yn digwydd nid yn unig yma ar y blog, ond hefyd ar bob cyfrif cyfryngau cymdeithasol sy gyda fi, a hyd yn oed yn fy mywyd go iawn! Felly dwi'n teimlo bod angen i fi roi gwybod i bawb beth sy'n digwydd.

Os nad wyt wedi darllen fy mlog i eto, falle nad wyt ti'n gwybod bod Noah a minnau'n arfer mynd mas gyda'n gilydd (gyda phwyslais ar yr 'arfer'). Bydd llawer o ddarllenwyr yn ei nabod e fel 'Bachgen Brooklyn', ac er 'mod i heb sgrifennu amdano *fe* ers sbel – na *ni* chwaith, a dweud y gwir – mae'r tawelwch diweddar wedi achosi tipyn o benbleth i bobl.

Felly, gydag anadl ddofn, dyma'r gwirionedd: Dwi ddim yn gwybod chwaith. Dwi'n gwybod cymaint â ti, a'r cyfan y galla i obeithio yw ei fod e'n iawn ac yn hapus, beth bynnag mae e'n 'i wneud. Dyma'r datganiad ddaeth oddi wrth ei reolwyr:

'O ganlyniad i bwysau gwaith mawr ynghyd â materion personol, mae Noah wedi penderfynu gadael taith fyd-eang The Sketch fis yn gynnar. Mae'n ymddiheuro o waelod calon i'w ffans am eu siomi ac yn diolch iddyn nhw am eu cefnogaeth gyson.'

A dyna'r cyfan ges i. Yn anffodus, dyw bod yn ffrind i Noah ddim yn golygu'n awtomatig bod gyda fi GPS yn ei ddilyn e, felly alla i ddim mewngofnodi i ryw ap ar fy ffôn a gweld ble mae e (er 'mod i'n siŵr bod Mam yn gwneud hynny i fi a 'mrawd). Y cyfan galla i ddweud wrthot ti yw 'mod i'n nabod Noah, ac yn gwybod i'r penderfyniad hwn fod yn anodd iddo. Ond mae e hefyd yn berson cryf iawn, a dwi'n siŵr y bydd e 'nôl ymhen dim o dro.

Gobeithio y bydd hyn yn ateb dy gwestiynau di ac y gallwn ni ailgydio yn *Merch Ar-lein* yn ôl yr arfer.

Ac i unrhyw un sy'n gwybod dim yw dim am hyn oll ... Sori, ha ha! Hefyd, Noah, os wyt ti'n darllen hwn, wnei di ateb fy nhecst, neu falle bydd rhaid i fi hala ditectif i chwilio amdanat ti.

Merch Ar-lein, yn mynd oddi ar-lein xxx

Pennod Un

Yn syth ar ôl gorffen fy mlogbost, dwi'n rhoi 'ngliniadur i Elliot. 'Ti'n credu'i fod e'n ddigon da?'

Mae'i lygaid yn sganio'r sgrin a dwi'n ffidlan â darn o ewin rhydd sy'n hongian o flaen fy mys bach.

'Mae'n edrych yn iawn i fi,' yw'i ateb, ar ôl rhai eiliadau poenus.

Gyda'r cadarnhad hwnnw, dwi'n cipio 'ngliniadur 'nôl ac yn taro'r botwm 'cyhoeddi' cyn i fi newid fy meddwl. Yn syth, teimlaf faich yn codi oddi ar f'ysgwyddau. Dwi wedi gwneud nawr. Alla i ddim tynnu'r geiriau'n ôl. Mae ''natganiad' mas yn y byd mawr, er bod yr angen i wneud 'datganiad' yn beth hollol hurt yn y lle cynta. Galla i deimlo gwrid yn 'y mochau wrth sylweddoli bod y sefyllfa hon yn 'y ngwneud i'n ofnadwy o grac ...

Mae Elliot yn pesychu – yn swnllyd – gan dorri ar draws fy llif meddyliau. Mae'i wefusau wedi'u plethu'n dynn, dynn, sy'n gwneud i 'nghalon i suddo. Mae hynny'n arwydd 'i fod e'n pryderu am rywbeth. 'Wyt ti wir heb glywed oddi wrth Noah ers mis Awst?'

Codaf f'ysgwyddau. 'Na'dw.'

'Dwi ddim yn gallu credu'r peth. Mae Bachgen Brooklyn wedi'n siomi ni.'

Codaf f'ysgwyddau eto. Dyna'r unig symudiad y galla i'i wneud. Os meddylia i'n rhy galed am y peth, bydd yr holl emosiynau sy'n ffrwtian y tu mewn i fi'n siŵr o ffrwydro i'r wyneb.

'Y cyfan sy 'da fi yw'r tecst 'ma.' Estynnaf fy ffôn a dangos y neges iddo. 'Ti'n gweld?'

Sori, Penny. Aeth y cyfan yn ormod i fi.
Dwi'n gadael y daith ac yn cymryd gwyliau.
Gysyllta i 'da ti cyn hir. Nx

Dwi ddim yn siŵr beth yw diffiniad Noah o 'cyn hir', ond mae dros fis ers hynny nawr a dwi heb glywed smic oddi wrtho fe. Dwi hefyd wedi hala llwyth o decsts, negeseuon twitter ac e-byst, heb unrhyw ateb. Dwi ddim chwaith eisiau edrych fel rhyw hen gariad despret sy'n 'i gwrso fe, felly daeth hynny i stop yn ddiweddar. Ond bob tro y bydda i'n cofio'i fod e'n dal heb f'ateb i, mae'n hala poen – fel saeth – trwy fy stumog.

'Wel,' medd Elliot eto, 'ti wedi gwneud y peth iawn yn dweud dy stori di wrth bawb. Ddylai hynny stopio pobl rhag dy boeni di o hyd. Does neb isie drama fel 'na, nag oes e?'

'Yn union.' Llithraf i lawr i waelod y gwely, a chydio yn y brwsh gwallt sydd ar 'y nesg. Mae fy llygaid yn crwydro dros yr hunluniau sydd wedi'u gludo ar y drych wrth i fi frwsho trwy ddrysni clymog o wallt coch, sy'n euraid ar ôl teithiau'r haf. Mae lluniau ohona i yno gyda Leah Brown, Elliot ac Alex, a hyd yn oed gyda Megan. Ond mae'r rhan fwyaf ohonyn nhw o'r golwg dan fy hoff ffotograffau o gylchgronau – ysbrydoliaeth ar gyfer 'y mhortffolio – ac amserlen adolygu fy nghyrsiau Lefel A, sydd mewn cod lliw arbennig fel 'mod i'n gwybod yn union beth sydd angen i fi wneud. Mae Mam yn tynnu 'nghoes i – yn dweud 'mod i'n treulio mwy o amser yn creu'r cod lliw nag yn adolygu, ond mae'n help i fi deimlo fod popeth dan reolaeth. Mae popeth arall yn 'y mywyd y tu hwnt i 'ngafael i – Noah, 'y ngyrfa ffotograffiaeth, hyd yn oed fy ffrindiau ... Mae pawb yn paratoi am fywyd y tu hwnt i'r chweched. Er i'r profiad gwaith gyda François-Pierre Nouveau – un o ffotograffwyr enwocaf y byd – roi hwb mawr, dwi'n teimlo fel tasen i'n aros yn f'unfan tra bod pawb arall yn rhedeg o 'nghwmpas i. I ble'r af i o'r fan hyn?

'Ti'n credu'i fod e wedi dod o hyd i rywun arall?' Mae Elliot yn rhythu arna i dros ymyl 'i sbectol gydag ystum cyfarwydd iawn: yr wyneb 'fydd Penny ddim yn hapus o glywed hyn' sy'n cael 'i ddefnyddio bob hyn a hyn.

'Elliot!' Dwi'n taflu'r brwsh ato, ond mae'n symud o'r ffordd mewn pryd. Mae'n taro cefn y wal ac yn glanio ar bentwr o ddillad brwnt.

'Beth? Mae e'n sengl, ti'n sengl. Mae'n bryd i ti fynd *mas 'na*, Pen. Mae mwy i fywyd na Brooklyn.' Mae'n rhoi winc enfawr i fi, a dwi'n rholio fy llygaid. Os oes unrhyw beth yn gwneud i fi deimlo'n fwy pigog na thawelwch Noah, meddwl am Noah gyda rhywun arall yw hwnnw.

Mae'n bryd newid y pwnc, felly dyma holi Elliot, 'Sut mae Alex, ta beth?'

Mae Elliot yn codi'i ddwylo i'r awyr. 'Perffaith, fel mae e bob amser.'

Gwenaf. 'Chi'ch dau'n rhy ciwt, os nad braidd yn gyfoglyd.'

'Wedes i wrthot ti'i fod e wedi gorffen yn y siop *vintage*? Mae'n gweithio mewn bwyty nawr.' Mae Elliot yn wên o glust i glust. 'Alla i ddim aros i orffen yn y chweched er mwyn i ni allu symud i fyw gyda'n gilydd. Man a man i ni wneud 'ny, gan 'mod i wastad draw gydag e, os nad ydw i fan hyn gyda ti, wrth gwrs.'

Gwena, ond dyw'r wên ddim yn cyrraedd 'i lygaid. Pwysaf ymlaen a chydio yn 'i law. 'Bydd dy rieni di'n siŵr o gallio, wir nawr ...' Ers wythnosau, does dim byd ond cweryla di-baid wedi bod yn digwydd yng nghartre teulu'r Wentworth. Weithiau dwi'n gallu eu clywed nhw'n gweiddi drwy waliau tenau fy stafell wely yn yr atig; mae'r nosweithiau hynny braidd yn lletchwith.

Tro Elliot yw codi'i ysgwyddau nawr. 'Yn 'y marn i, ddylen nhw jyst rhoi stop ar yr anhapusrwydd 'ma. Bydden ni i gyd yn hapusach tasen nhw jyst yn gwahanu am byth.'

'Penny!' Mae llais Mam yn atseinio lan y grisiau i'm stafell.

Edrychaf ar fy ffôn a sylwi ar yr amser. 'O na! Dere, Elliot – byddwn ni'n hwyr! Alla i ddim colli 'ngwers gynta.' Dwi'n cropian oddi ar y gwely ac yn dechrau taflu llyfrau i mewn i 'mag. Wrth gael cip cyflym ar fy wyneb yn y drych, dwi'n sylweddoli mai dim ond un ochr o 'ngwallt wnes i frwsho cyn taflu'r brwsh at Elliot. Does dim amdani ond cydio mewn lastig a stwffio 'ngwallt – yn glymau i gyd – yn fynsen anniben ar dop 'y mhen. Bydd rhaid i hynny wneud y tro.

Mae gallu Elliot i droi cwmwl du yn heulwen bob amser yn fy syfrdanu i, ac wrth i fi droi i edrych arno, mae'i wyneb yn ddisglair ac yn hapus braf unwaith eto. Mae'n rhoi'i fraich yn 'y mraich ac yn gwenu arna i. 'Ras am *croissant* siocled?'

'Dwi'n barod.'

Ry'n ni'n llamu i lawr y grisiau ddau ar y tro, gan chwerthin a tharo yn erbyn ein gilydd.

'Beth y'ch chi'ch dau'n neud nawr, y ffyliaid dwl?' Mae Mam yn twt-twtian wrth i ni neidio dros y gris olaf cyn cipio *croissant* siocled dwym yr un o'i dwylo. 'Cofiwch nawr – gartre erbyn saith ar gyfer pen-blwydd Tom.'

'Dim problem!' atebaf, hanner ffordd mas drwy'r drws, heb boeni taten 'mod i braidd yn hen – yn un ar bymtheg oed – i fwyta *croissant* siocled yn wyllt, fel tase 'na ddim fory. Fyddwn i byth wedi anghofio pen-blwydd 'y mrawd, ond dwi'n gwybod pam y gwnaeth Mam f'atgoffa i. Dwi wedi dechrau treulio amser ar ôl ysgol gydag Elliot o gwmpas Brighton, yn tynnu lluniau ohono ar gyfer 'y mhortffolio. Mae e'n fodel perffaith: mor hyderus fel nad yw e byth yn poeni am sefyll ar osgo ddoniol yng nghanol y stryd, hyd yn oed pan fydd pobl yn cerdded heibio. 'Falle ddylwn i ddechre blog,' meddai wrtha i un diwrnod. 'Wedyn gallwn i ddangos y lluniau 'ma i bawb. Mae hyd yn oed y rhai gwaetha'n anhygoel.'

'Fe ddylet ti,' atebais. 'Byddai hynny'n grêt o ran dy waith ffasiwn hefyd.'

'Feddylia i am y peth,' oedd 'i ateb, ond mae e'n dal heb fwrw ati. Dwi'n amau bod y syniad o gael blog yn fwy apelgar i Elliot na'r syniad o'r holl waith sydd ynghlwm â hynny. Mae e wastad yn rholio'i lygaid arna i o 'ngweld i ar 'y ngliniadur unwaith eto, ond mae e hefyd yn gwybod bod angen gweithio'n galed i gadw'r blog i fynd. Ac ar ôl f'absenoldeb hir o'r blog y llynedd, dwi'n fwy penderfynol fyth o lwyddo.

Y tu fas, mae ias yn yr awyr sy'n f'atgoffa fod yr hydref ar 'i ffordd, er mai dim ond mis Medi yw hi. Dyma fy hoff adeg o'r flwyddyn; mae'r dail yn troi'n euraid ac yn crebachu ar ôl eu gwaith caled drwy'r haf, a'r haul yn tywynnu'n fwy disglair heb darth yr haf i'w bylu. Mae popeth yn edrych yn fwy llachar ac yn fwy ffres – llechen lân ar gyfer blwyddyn newydd yr ysgol. Llechen lân. Dyna'n union sydd 'i angen arna i.

Dwi'n cwtsho'n nes at Elliot ac yn rhoi 'mraich yn 'i fraich. 'Bydd rhaid gorffen ein sesiwn fodelu'n gynnar heno,' meddaf. 'Yr unig beth gwael am Alex yn gadael y siop *vintage* yw ein bod hi'n methu benthyg rhagor o wisgoedd cŵl!'

Meddyliaf am fy hoff ffotograff o Elliot: roedd e'n gwisgo'i ddillad arferol (jîns tyn, crys-T lliw gwin a chardigan drwchus drosto) ond gyda het môr-leidr â phluen fawr. Roedd e'n cydbwyso ar un goes ar fwced ben-i-waered welson ni ar y traeth creigiog. Roedd e'n edrych fel brenin môr-ladron Brighton – brenin â steil hollol unigryw ac arbennig.

''Nôl â ni i wardrob dy fam 'te!' medd Elliot, gan ebychu'n ddramatig. Chwarddaf. Mae'n wir: mae gan Mam lwyth o wisgoedd gwych a gwallgo ers 'i chyfnod fel actores.

Dwi'n ffarwelio ag e ger yr orsaf fysiau ac mae'n plannu dwy gusan fawr, dros-ben-llestri, ar 'y moch – arferiad bach a ddechreuodd ym Mharis, ac a ddatblygodd yn ystod 'i gyfnod profiad gwaith gyda chylchgrawn CHIC.

'Wela i di wedyn, siwgr candi,' medd, cyn dweud yn dawel bach, 'a phaid poeni gormod am Noah, ti'n addo?'

Gwridaf. 'Addo.'

Does ond rhaid cerdded ychydig gamau o'r ysgol i'r orsaf fysiau, ond dwi'n gweld eisiau cwmni Elliot yn syth. Pan nad yw e wrth f'ochr i, dwi'n teimlo fel taswn i wedi colli braich neu goes. Dwi'n hiraethu amdano, ac mae hynny'n boenus. Dwi ddim yn gwybod beth wnaf i os aiff e ac Alex i fyw i Lundain y flwyddyn nesa. Mae meddwl am hynny'n codi cyfog arna i, a'r *croissant* siocled yn corddi yn fy mola.

Mae fy ffôn yn suo, a dwi'n anghofio f'addewid yn syth, ac yn meddwl falle mai Noah sydd yno. Ond na. Kira sy 'na.

'Ble wyt ti?' hola'r tecst. Wedyn edrychaf ar yr amser. Dim ond pum munud sydd i fynd tan 'y ngwers gynta – a dwi'n gwneud cyflwyniad yn y wers hanes gyda Kira. Wps!

Cyflymaf 'y nghamau a dechrau rhedeg, gan rasio lan y grisiau a thrwy ddrysau dwbl yr ysgol. Y tu mewn, mae dwy ferch newydd Blwyddyn Saith yn gwyro dros eu ffonau, yn chwerthin ar ben rhywbeth ar *Celeb Watch*. Yn syth, daw ton o bryder i lenwi fy meddwl; beth os mai clebran amdana i y maen nhw – ond dydyn nhw ddim. Mae'n debyg bod Hayden o The Sketch wedi gorffen â'i gariad, Kendra. Mae un o'r merched yn edrych lan arna i ac yn gwgu – ond does dim arwydd yn 'i llygaid 'i bod yn f'adnabod i. Gwgu y mae hi achos bod golwg ryfedd arna i, yn rhythu arnyn nhw. Brysiaf heibio, a 'nghalon yn curo fel drwm yn 'y mrest. Dwi ddim hyd yn oed yn troi pennau pobl bellach.

Ebychaf yn uchel, gan adael i'r pryder bylu a diflannu. Newyddion ddoe ydw i a Noah erbyn hyn. Dim ond merch gyffredin ydw i, yn byw bywyd cyffredin mewn ysgol gyffredin. Dyna oedd 'y nymuniad i ar ôl diwedd y daith dramor.

Ife?

'Penny! IYFFACH, ti 'ma o'r diwedd!' Daw Kira ataf, gan chwalu fy meddyliau cyn i fi ddechrau pendroni. Mae hi'n rhoi crynodeb o'r cyflwyniad, a dwi'n gadael iddi fy llusgo drwy gynteddau'r ysgol, a 'nôl i realiti.

Pennod Dau

'Dal sownd – un bach arall.'

'Penny, mae'n bum munud i saith ...'

'Dwi'n gwbod, ond mae'r golau'n berffaith ...' Tynnaf un llun arall o Elliot, a'i amlinell yn eglur yn erbyn awyr y gwyll. Y tro hwn, dy'n ni ddim wrth y traeth ond ym Mharc Blakers, yn agos i gartref a rhes o dai pastel ciwt. Am ein bod ni'n byw ar ben bryn, o'n stafelloedd gwely yn yr atig mae gyda ni olygfa wych o'r parc a'r môr y tu ôl iddo. Mae tŵr cloc yn y parc, ac mae Elliot a fi wedi treulio sawl prynhawn hir, heulog wrth 'i droed, yn darllen ac yn tynnu lluniau. Mae Elliot yn gwneud stumiau doniol â'i gorff, yn gwneud naid seren neu'n plygu'n ôl mewn siâp pont. Dwi ar 'y mola yng nghanol y glaswellt, yn tynnu llun o ongl isel. Os na fyddech chi'n gwybod mai Elliot oedd e, falle na fyddech chi hyd yn oed yn 'i adnabod yn y lluniau hyn. Dwi'n llwyddo i gipio'r haul yn machlud dan fwa'i gefn, a'r pelydrau'n meddalu pob manylder – ond mae'n gwneud iddo edrych yn arallfydol, fel tase'r goleuni'n tasgu mas ohono fe.

'Iawn, dyna ddigon,' meddaf, gan roi'r camera ar y llawr. Eisteddaf lan ac edrych ar fy ffôn – does dim negeseuon pryderus oddi wrth Mam, felly dwi'n cymryd bod Tom fwy na thebyg yn hwyr.

'Dere i fi gael gweld,' medd Elliot, sy'n disgyn o'i siâp pont, i lawr ar y glaswellt. Pwysaf 'mlaen i'w dangos iddo. 'O, Penny, mae'r rhain yn anhygoel! Y gorau eto. Bydd rhaid i'r rhain fynd i'r oriel.'

'Bydd – hwn fydd y canolbwynt! Dwi'n mynd i'w alw e'n *Elliot a'r Pelydrau Hud*.'

'Falle bod isie i ti weithio ar dy deitlau, Pen.'

'Digon teg.'

Ffantasi Elliot yw 'ngweld i'n agor arddangosfa anferth rhyw ddydd – sioe unigol, nid fel y tro y cafodd fy ffotograffau eu harddangos gyda gweddill gwaith dosbarth Ffotograffiaeth TGAU yr ysgol. Bydd e bob amser yn dychmygu bod yr oriel yn rhywle crand – fel Llundain neu Efrog Newydd, neu hyd yn oed yn rhywle pell i ffwrdd, fel Shangai neu Sydney. Dwi'n gwenu wrth feddwl am 'i syniadau mawreddog, ond hefyd yn teimlo'n bryderus. Ar ddiwedd 'y mhrofiad gwaith anhygoel gyda François-Pierre Nouveau, dywedodd e wrtha i y gallwn i arddangos set o fy lluniau yn 'i oriel – *dim ond* pe baen nhw'n cyrraedd 'i safonau uchel. Ro'n i wedi bod yn anfon rhai o fy lluniau o Elliot at Melissa, rheolwr swyddfa F-P Nouveau. Ro'n ni'n dwy wedi dod yn dipyn o ffrindiau. Dywedodd hi wrtha i fod fy lluniau'n dda iawn, ond bod rhywbeth bach ar goll. 'Dwi ddim yn dy weld *di* yn y lluniau hyn,' meddai Melissa wrtha i. 'Ti bron yna. Mae isie i ti ddarganfod rhywbeth rwyt ti'n angerddol amdano – testun rwyt ti'n 'i garu – a byddi di'n taro'r hoelen ar 'i phen. Mae'n rhaid i dy ffotograffau di gael llais. Rhywbeth ... unigryw i Penny.'

Dwi ddim eisiau'i siomi hi, felly fy nod yw ymarfer, ymarfer, ymarfer, nes i fi ddarganfod y peth sy'n 'unigryw i Penny'. Mae

’mreuddwydion i mor fawr ac uchelgeisiol â breuddwydion Elliot ar ’y nghyfer i. Dwi eisiau tynnu lluniau am weddill f’oes. Dwi erioed wedi bod mor benderfynol o wneud i hynny weithio ag ydw i nawr.

Trwy gil fy llygad, caf gip ar rywbeth sy’n dal fy sylw, a dwi’n craffu’n fanylach. ‘Noah?’ sibrydaf, cyn i fi fedru stopio fy hunan.

‘Beth? Ble?’ Mae Elliot yn dilyn trywydd fy llygaid, ond does neb yno. Mae pwy bynnag oedd yno wedi diflannu i lawr y bryn.

‘Gallwn i daeru ...’ Ond beth welais i? Het *beanie*, wedi’i thynnu’n isel dros wallt hir tywyll. Ro’dd rhywbeth cyfarwydd yn ’i symudiad ling-di-long. Gallai fod yn unrhyw un. ‘Dim ots,’ atebais.

Does dim modd twyllo Elliot. ‘Mae’n iawn, Penny. Dwi’n hiraethu amdano fe hefyd. Ond rhywun sy’n *bendant* yma yw Tom. Beth am i ni fynd ’nôl, ife?’

‘Yn bendant.’ Dwi’n gwybod ’mod i’n hurt – mae Noah fwy na thebyg yn Efrog Newydd, neu falle yn LA – unrhyw le ond Brighton. Ond dwi’n ysu i wybod rhywbeth amdano fe – ble mae e, a beth mae e’n wneud. Wedyn gallwn i o leia stopio fy hunan rhag mynd yn dwlali.

‘Dere ’mlaen, Dwmplen Malwoden!’ gwaedda Elliot arna i. Dwi’n llusgo y tu ôl iddo fe wrth i ni ddringo’r bryn ’nôl adre. Dyna’r broblem gyda Brighton – mae’r lle’n llawn rhiwiau serth, ac mae ein cartrefi ni ar ben un o’r rhai mwyaf.

‘Dwi’n clywed bod Dad yn gwneud un o’i *lasagnes* enwog heno!’ meddaf, wrth ddal i fyny ag e.

Ebycha Elliot. ‘O iyffach, beth mae e’n mynd i’w roi ynddo fe’r tro ’ma?’

‘*Dim* syniad. Ti’n cofio’r tro ’na roddodd e binafal yn un o’r haenau er mwyn gwneud *lasagne* Hawaiaidd?'

'O, dyna beth oedd blasus! Ond meddwl o'n i am y tro 'na y clywodd e fod pobl Mecsico'n rhoi siocled mewn sawsiau, felly dyma fe'n toddi bar o Dairy Milk i mewn i'r *bolognese*!'

'Ie, ffiaidd,' cytunaf. 'Falle y dylen ni ddweud wrtho fe am gadw at wneud brecwast.'

'Na, ti'n gwbod 'mod i'n dwlu ar arbrofion dy dad, hyd yn oed os nad y'n nhw bob amser yn gweithio. Pwy arall fydde wedi meddwl rhoi creision ar ben *lasagne* i'w wneud e'n flasus ac yn grensiog? Am rysáit wych! Anghofia am Jamie Oliver!'

Gyda'r holl siarad am fwyd, mae amser wedi hedfan, ac mewn chwinciad ry'n ni'n ôl o flaen fy nhŷ i. Dyw Elliot ddim hyd yn oed yn edrych ar ddrws ffrynt 'i gartre, ond yn 'y nilyn i'n syth i mewn trwy ein drws ni. Daw arogl perlysiau a chig yn ffrio i'n cyfarch.

'Ma rhywbeth yn arogli'n anhygoel!' medd Elliot o'r tu ôl i fi.

Daw Dad i'r golwg yn y cyntedd, yn gwisgo het *chef* sy'n gwyro i un ochr.

'Heno, *lasagne* Groegaidd sy gyda ni! Feta, oregano, cig oen, wylys!'

'Felly ife *moussaka* yw e?'

'O nage.' Mae Dad yn pwyntio sbatwla ata i. '*Lasagne* fydd e o hyd. Ac arhoswch i weld beth sy ar y top ...'

'Plis, plis, dim olifau!' crychaf fy nhrwyn.

'Hyd yn oed gwell ... ansiofis!'

Mae Elliot a minnau'n griddfan.

'Helô, bobol!'

'Tom!' Trof a gwichian yn gyffrous wrth i 'mrawd agor y drws a'i gariad, Melanie, wrth ei sodlau. 'Pen blwydd hapus!'

'Diolch, Pen-Pen!' Mae'n taflu'i fraich o 'nghwmpas ac yn rhwbio 'mhen.

'Hei, stopia,' meddaf, a'i wthio i ffwrdd. Af draw yn sionc at Melanie a rhoi cwtsh mawr iddi hi. 'Helô, Mel, sut ma pethe?'

'Grêt diolch, Penny. Alla i ddim aros i flasu bwyd dy dad.'

Chwarddaf. 'Dylai fod yn ddiddorol, fel mae e bob amser!'

Mae'r oriau nesa'n gymysgedd o fwyd a chwerthin – fel rhyw flanced gynnes yn cael 'i lapio amdana i, mor gysurlon â hen gardigan wlanog Mam. Bydda i'n mynd â honno gyda fi bob tro yr af i ar awyren. Roedd y *lasagne* Groegaidd yn berffaith (er i fi dynnu'r pysgod bach seimllyd i gyd a'u rhoi nhw i Tom) ac mae pawb nawr wedi ymlacio o gwmpas y bwrdd: Mam yn siarad â Melanie am 'i phriodas nesa (digwyddiad â thema gabare yn Soho), Tom ac Elliot yn chwerthin ar un o jôcs Dad.

Yn sydyn, dwi'n cael syniad. Llithraf o'm sedd a throedio'n dawel bach i'r cyntedd i nôl fy nghamera, oedd ar bwys 'y mag.

Wrth ddod 'nôl, trof y lens ar fy nheulu – gan ddal yr holl wenu a'r chwerthin. Mae hyn yn rhywbeth 'unigryw i Penny'. Pawb dwi'n eu caru, mewn un stafell.

Edrychaf i lawr ar y ffotograff eto. Wel ... *bron* pawb.

17 Medi

Gweld Ysbrydion

Diolch i bawb am eu cefnogaeth wedi'r blog diwethaf. Sori am gau'r sylwadau – roedd pethau'n dechrau mynd dros ben llestri. Ond falle, er hynny, y gallwn ni ddod trwy hyn gyda'n gilydd? Ry'ch chi'n wych am roi cyngor i fi.

Ar hyn o bryd, y peth anoddaf i fi ddelio ag e yw'r ysbrydion. Nid ysbrydion go iawn dwi'n 'i feddwl (o leia, gobeithio nad dyna ydyn nhw) ond cysgodion – olion – y person coll sydd i'w gweld ym mhobman yn 'y mywyd bob dydd, yn barod i neidio mas yn ddirybudd a stopio curiad 'y nghalon.

Bob tro dwi'n troi cornel, mae rhywbeth arall yn ymddangos i'm hatgoffa i ohono fe. Er 'mod i'n siŵr 'i fod e'n bell, bell oddi wrtha i, alla i ddim peidio â meddwl 'mod i'n 'i weld e yng nghanol torf o bobl o 'mlaen i. Unwaith, wnes i hyd yn oed ddilyn rhyw fachgen, druan, i lawr y stryd, a phan drodd e – nid fe oedd e, wrth gwrs. Rhywun arall â gwallt tywyll.

Ydw i'n mynd yn dwlali? Wyt ti wedi clywed y dywediad 'na, ein bod ni'n cael croen gŵydd pan fydd rhywun yn cerdded dros ein beddau ni? Dyna'r teimlad dwi'n 'i gael – ias oer, ac ychydig o ofn – ac mae e wastad yn gwneud i fi deimlo braidd yn druenus. Beth alla i wneud i hala'r ysbrydion i ffwrdd a theimlo'n normal eto?

Merch Ar-lein, yn mynd oddi ar-lein xxx

Pennod Tri

Ar ôl cyhoeddi'r blogbost ddeuddydd yn ôl, yng nghanol yr holl sylwadau roedd tri chyngor arbennig o dda:

1. Amgylchyna dy hunan â theulu a ffrindiau – dwi'n gwneud hynny.
2. Cadw dy hunan yn brysur: cer mas a gwna bethau mwy diddorol, nes bod yr atgofion amdano'n dechrau pylu – mae eisiau i fi wneud mwy o hynny.
3. Symuda ymlaen – Ie, dyna yw prif gyngor Elliot hefyd. Ac eto, rywsut, dwi ddim yn credu bod hynny am ddigwydd.

Felly penderfynais roi cynnig ar rif dau. Ac, er mwyn i fi drio ymbellhau oddi wrth y sefyllfa, derbyniais wahoddiad sydd wedi bod yn eistedd yn fy mlwch negeseuon testun ers rhai wythnosau nawr. Mae Megan wedi bod yn gofyn i fi ymweld â hi yn Llundain, yn Ysgol Gelfyddydau Madame Laplage, lle mae hi yn y chweched dosbarth. Mae gan y lle enw da, felly dwi'n falch iawn ohoni am gael 'i derbyn yno. Roedd 'i llwyddiant yn beth mor fawr nes i'w hanes gael sylw yn y papur newydd lleol, hyd yn oed, dan y pennawd: MERCH YSGOL LEOL YN ENNILL LLE YN ACADEMI'R SÊR. Mae llu o actorion enwog wedi graddio oddi yno ('Dyw Megan byth yn anghofio atgoffa neb o hynny', yw sylw Elliot), ond mae'r ysgol yn enwog am bethau heblaw drama. Mae cerddorion, dawnswyr, artistiaid – hyd yn oed ambell ffotograffydd – yno hefyd. Rhaid iddi fyw ar y campws, felly mewn ffordd mae hi fel tase hi eisoes wedi mynd bant i'r brifysgol. Er 'i bod hi'n gallu bod braidd yn boncyrs a ffroenuchel, dwi'n hiraethu amdani.

'DERE I 'NGWELD I,' bloeddiodd un o'i negeseuon mwyaf diweddar. 'Byddet ti'n dwlu ar y lle.'

Rholiodd Elliot 'i lygaid wrth weld 'i geiriau. 'Isie brolio wrth rywun am 'i "phrif ran" yn *Les Mis* neu ba bynnag ddrama maen nhw'n wneud y mae hi, siŵr o fod.'

'*West Side Story*,' atebaf, gan 'i gywiro. Rhoddodd Megan neges ar Facebook yn gynharach y diwrnod hwnnw i ddweud mai hi fyddai'n actio Maria yn sioe fawr gynta yr ysgol adeg Calan Gaeaf.

'Mae'r ymarferion yn ddwys iawn,' sgrifennodd ataf, 'ond os dei di lan rhyw ddydd Sadwrn ar ôl un ar ddeg, gallwn ni ymlacio yn y lolfa a galla i dy gyflwyno di i bawb.'

Iawn – fe wna i hynny

Roedd Elliot yn twt-twtian, ond gallwn i weld 'i fod e, hyd yn oed, yn falch 'mod i'n mynd mas ac yn gwneud rhywbeth gwahanol i'r arfer a thipyn bach yn fentrus.

Waaaa! Wela i di ddydd Sadwrn!

Dydd Sadwrn yw hi nawr, ac mae'n un o'r dyddiau llachar, hardd hynny ym mis Medi sy'n gwneud i Lundain ddisgleirio fel tase rhywun wedi sgwrio'r adeiladau'n lân. Wrth i fi gamu oddi ar y trên, alla i ddim peidio â meddwl mor bell dwi wedi dod dros y misoedd diwetha. Fyddwn i byth wedi mynd ar drên i Lundain ar 'y mhen fy hunan cyn yr haf yma, heb sôn am drên a siwrne ar y tiwb, ond nawr mae gyda fi strategaethau bach yn 'y mhoced gefn sy'n help i gadw'r gorbryder dan reolaeth. Ddim yn llwyr – dwi'n gwybod y bydd e gyda fi mewn rhyw ffordd weddill f'oes. Ond cyhyd â 'mod i'n rheoli, herio a derbyn 'y ngorbryder – ac nid fel arall – dwi'n gwybod y bydda i'n iawn.

Mae Ysgol Madame Laplage ar lan afon Tafwys, a daw Megan i gwrdd â fi wrth orsaf tiwb Embankment er mwyn i ni gerdded yno gyda'n gilydd.

'Penny!' Mae hi'n codi un llaw arna i o'r tu fas i Starbucks, ac yn dal 'i choffi yn y llaw arall. Dwi erioed wedi'i gweld hi'n yfed unrhyw beth heblaw milcshêcs neu Coke, ond dyma Megan 'yr oedolyn' nawr. 'Gobeithio bod dim ots 'da ti 'mod i wedi prynu diod i'n hunan. Ti ddim yn lico coffi, nag wyt ti?'

Siglaf 'y mhen. 'Dwi'n iawn, diolch.'

'Grêt.' Mae hi'n rhoi'i braich yn 'y mraich ac yn f'arwain dros y bont wrth yr orsaf. Gwelaf Gadeirlan San Paul a'r afon yn nadreddu i'r ochr; mae'n rhaid i fi stopio i dynnu llun. Mae Megan yn llithro i'r ffrâm ac yn pwyso dros y rheilen.

'Aros – tynna lun ohona i o flaen y National Theatre,' meddai, gan bwyntio at yr adeilad concrit mawr ger yr ysgol. 'Falle, rhyw ddydd, pan fydd 'da fi brif ran mewn drama arbennig yn y National, galli di werthu'r llun 'ma am filiynau.' Mae hi'n crechwenu mewn ffordd sy'n codi cywilydd arna i, braidd, felly dwi'n tynnu'r llun. 'Dere â fe 'ma.'

Trof y camera i ddangos y ffotograff yn y sgrin fach. Mae hi'n gwichian yn llawn cyffro. 'O iyffach, Penny, mae hwnna mor dda! Falle ddylet ti wneud fy *headshots* i.'

Gwenaf 'nôl arni gan adlewyrchu'i gwên lydan, ond mae rhyw deimlad anghysurus yn dod drosta i. Dyw hyd yn oed Megan ddim fel arfer mor fywiog a llawn cyffro â hyn. Falle'i bod hi wedi cael gormod o goffi, ond dwi ddim yn credu bod hynny'n esbonio'r cyfan.

'Sut mae popeth yn mynd yn yr ysgol?' holaf, ar ôl i ni groesi'r bont.

'O, mae'r ysgol yn hollol *anhygoel*. Oeddet ti'n gwbod bod cwpwl enwog o Hollywood yn mynd i anfon eu plant yma? Mae popeth yn gyfrinachol yn ôl *Celeb Watch*, ond Madame Laplage yw'r unig le i hyfforddi i actio Shakespeare o ddifri. Ac mae'r darlithwyr yn hollol ryfeddol. Oeddet ti'n gwbod bod 'da nhw arbenigwr monologau, hyd yn oed? Ddylet ti weld y dawnswyr hefyd ... dwi erioed wedi gweld cymaint o fechgyn golygus mewn un lle.' Mae'n gwenu arna i.

Wrth iddi fynd yn 'i blaen, gan barablu wrth gerdded, sylwaf nad yw hi wedi ateb 'y nghwestiwn. Dwi'n gwybod popeth am yr ysgol yn barod. Dwi jyst ddim yn gwybod sut mae pethau'n mynd *iddi hi*.

Adeilad teras Edwardaidd enfawr yw Ysgol Madame

Laplage, y math o adeilad a fyddai wedi cael 'i rannu'n nifer o dai cul, tal, amser maith yn ôl. Ond mae llawer o'r waliau wedi'u tynnu i lawr erbyn hyn a'r myfyrwyr celf wedi peintio murluniau llachar a thrawiadol ar y rhai oedd yn weddill. Wrth edrych drwy banel gwydr un drws, galla i weld llawr pren sgleiniog a waliau gwydrog stiwdio ddawns.

Aiff Megan yn 'i blaen, gan siarad fel melin bupur wrth i ni ddringo set o risiau. Stopiwn ar y trydydd llawr y tu fas i ddrws a'r geiriau LOLFA'R ADRAN DDRAMA arno.

'Nawr, paid â chynhyrfu, Penny, ond mae rhai o'r merched 'ma'n gwbod amdanat ti a Noah ac maen nhw i gyd yn ofnadwy o genfigennus, ocê? Paid â phoeni – wnân nhw ddim dy boeni di, fe wna i'n siŵr o hynny – ond does dim angen i ti wneud môr a mynydd o'r peth.'

'Ym ... wna i ddim,' meddaf, gan wgu. 'Cred ti fi, y peth diwetha dwi isie'i drafod yw Noah.'

'Da iawn. Bant â ni 'te ...' Mae hi'n anadlu'n ddwfn, fel tase hi'n nerfus. Yna, mae'n agor y drws.

Y peth cynta sy'n dod i'm meddwl i yw bod y lolfa'n f'atgoffa o stafelloedd cefn llwyfan mewn cyngherddau. Yn sicr, mae llawer mwy yn digwydd fan hyn nag yn ein lolfa chweched dosbarth ni yn yr ysgol. Mae'r un awyrgylch hamddenol: bechgyn yn gorweddian ar hen soffas, merched yn hongian eu coesau dros freichiau cadeiriau. Mae un o'r bechgyn hyd yn oed yn dal gitâr, ac wrthi'n 'i thiwnio yn y gornel. Ac mae pawb yn olygus dros ben. Tybed ydw i rywsut wedi camu ar set y rhaglen deledu Glee?

Yn wir, dyna'n union sut y disgrifiodd Megan y lle – bydd rhaid i fi fynd 'nôl a dweud wrth Elliot nad oedd hi'n brolio o gwbl. Mae'r lle mor greadigol a gwallgo a rhyddfrydig ag y dwedodd hi.

Mae Megan yn aros i fi gael cyfle i edrych o'm cwmpas yn iawn, cyn cydio yn fy llaw. Cerddwn draw at grŵp o ferched sy'n eistedd wrth ford yn adrodd llinellau wrth 'i gilydd. Dy'n nhw ddim yn sylwi'n syth ein bod ni'n sefyll yno. Edrychaf yn chwilfrydig ar Megan, gan bendroni pam nad yw hi'n dweud helô, ond mae hi'n canolbwyntio ar un o'r merched.

'O helô, Megan.' Daw merch bengoch, dal a'i gwallt wedi'i glymu'n gynffon uchel ar 'i phen atom. Prin y mae hi'n codi'i llygaid i edrych ar Megan, ac mae'i gwefusau'n llinell syth, dynn.

'Haia, Salena,' ateba Megan. Mae'i llais mor uchel nes 'i bod hi bron yn gwichian. Dwi erioed wedi'i gweld hi fel hyn o'r blaen. 'Dyma'r ffrind ro'n i'n sôn amdani. Ti'n gwbod ... Penny Porter.'

Mae Salena'n troi tuag ata i gan wenu. Mae'r wên yn trawsnewid 'i hwyneb, gan wneud iddi ymddangos yn gyfeillgar ac yn ddymunol.

'Penny!' Mae hi'n estyn y tu ôl iddi ac yn cydio mewn cadair, ac yn 'i gosod wrth 'i hochr. 'Licet ti eistedd?'

'Ym, o ...' edrychaf ar Megan, sy'n 'y ngwthio i lawr i mewn i'r gadair. 'Iawn ... diolch!' meddaf, gan chwerthin yn lletchwith. Mae Megan yn gwibio ar draws y stafell i nôl yr unig gadair wag arall ac yn 'i llusgo draw at y ford.

Mae Salena'n rhythu arna i. 'Dyma Lisa a Kayla. Maen nhw ym Mlwyddyn 1 Drama, fel fi.'

'Fel Megan!' meddaf yn hapus.

Mae hi'n nodio. 'Felly, gynta i gyd, rhaid i fi ddweud, dwi'n *dwlu* ar dy flog.'

Gwridaf, gan deimlo 'mochau'n twymo. Mae'n dal yn anodd i fi feddwl am bobl go iawn yn darllen fy mlog, er bod y rhifau a'r ystadegau ar gyfer fy nhudalen yn dangos bod hynny'n wir.

'Diolch ... dwi 'di bod wrthi ers sbel nawr.'

'Dwi'n gwybod! Ti mor ... mor... naturiol.'

Wrth f'ochr, mae Megan yn nodio'i phen yn frwdfrydig i bopeth mae Salena yn 'i ddweud.

'Ac wrth gwrs, ry'n ni mor siomedig am ... ti'n gwbod,' medd Kayla o ochr arall y ford. Mae'i llygaid yn enfawr ac yn grwn, a'i gwallt wedi'i dorri'n fyr iawn.

'Diolch,' meddaf eto, heb wybod yn iawn beth i'w ddweud. 'Chi'n edrych 'mlaen at *West Side Story*?' holaf, gan obeithio newid y pwnc. 'Mae Megan yn gantores mor anhygoel. Ddwedodd hi wrthoch chi am gynhyrchiad ein hysgol ni o *Romeo a Juliet*?'

Mae Salena'n agor 'i cheg, ond mae Megan yn codi'n gyflym ar 'i thraed. 'Wel, well i fi fynd â Penny o gwmpas gweddill yr ysgol. Welwn ni chi wedyn.'

Codaf ar fy nhraed cyn ffarwelio â nhw. 'Braf cwrdd â chi. Hwyl nawr.'

'Braf cwrdd â tithe hefyd, Penny. Cofia fod croeso i ti fan hyn unrhyw bryd. Ddwlen i bigo dy frêns di am 'y mlog i.'

'Unrhyw bryd, wrth gwrs,' atebaf. 'O!' Mae Megan yn tynnu 'mraich wrth fy llusgo o'r gadair, nes 'mod i'n taro 'mhen-glin ar y ford. Mae hi'n fy llusgo i ganol y stafell. 'Hei, beth sy'n bod?' holaf.

'Do'n i ddim isie siarad mwy â'r merched 'na; ro'n nhw braidd yn ddiflas. Ddwedes i hynny wrthot ti – dy'n nhw'n gwneud dim ond clebran am Noah a'r blog.'

'Do'n nhw ddim cynddrwg â 'ny ...'

'Ta beth, mae lot mwy o bobl i ti gwrdd â nhw, a mwy o'r ysgol i ti weld hefyd. *Rhaid* i ti weld ein prif lwyfan a'r stafell newid a fy stafell i.'

Ry'n ni ar fin gadael pan deimlaf law ysgafn ar f'ysgwydd, gan wneud i fi neidio. Trof o 'nghwmpas, a gweld bachgen golygus yn syllu arna i. Dwi'n meddwl i ddechrau mai eisiau Megan y mae e, ond wrth i fi gamu i'r ochr mae e'n estyn 'i law ac yn cyffwrdd â 'mraich i.

'Esgusoda fi, ond ... ife ti yw Penny Porter?'

Pennod Pedwar

Gwenaf ar weledigaeth o brydferthwch pur o 'mlaen. Chwe throedfedd o daldra. Llygaid siâp almwn, yn ddisglair fel ewyn y môr. Gwallt yn donnau euraid, yn disgyn yn gelfydd i'r ochr. Mae'n gwenu arna i gan ddangos dannedd claerwyn, yn aros i fi ymateb, ond wrth i'w wên bylu dwi'n sylweddoli 'mod i wedi bod yn rhythu arno fe. Yn fwy penodol, yn rhythu ar 'i fest lac sy'n dangos cyhyrau ar ben cyhyrau.

'Feshdneis,' mwmialaf. Dyw f'ymennydd ddim wedi deall y cwestiwn y mae e newydd 'i ofyn i fi felly dwi newydd fwmblan rhywbeth hollol hurt. Fest neis ro'n i'n trio'i ddweud. Mae fy meddwl yn sgrechian nawr. *Meddylia am eiriau, Penny, GEIRIAU OEDOLYN SYNHWYROL.* 'Ti ddim yn oer?'

'Na'dw, ond ti'n swnio fel fy mam-gu.' Mae'n chwerthin yn annwyl ac yn dal 'i law allan i gyflwyno'i hun. Mae gyda fe rhyw acen Albanaidd ysgafn sy'n swnio mor swynol nes 'mod i bron â diflannu i freuddwyd bell. 'Callum ydw i. Braf cwrdd â ti. Penny ... ife?'

Daliaf 'i law a sylwi ar ei llyfnder rhyfeddol, ac ar siâp perffaith 'i ewinedd.

Ymhen hir a hwyr, llwyddaf i wenu'n gall. 'Ie, dyma fi. Penny!

Ydw i'n dy nabod di?' Gwgaf, gan stryffaglu i gofio a o'n ni wedi cwrdd ag e o'r blaen. Dwi'n siŵr y byddwn i'n cofio rhywun sy'n edrych fel rhywbeth y byddai angylion wedi'i gerfio o greigiau cadarn yr Alban.

'Dy'n ni ddim wedi cwrdd, ond dwi'n dy nabod di. Wel ... dwi'n nabod dy luniau di. Ro'n i wir isie mynd ar brofiad gwaith gyda FPN ond ti gafodd y cyfle. Ro'dd yn *rhaid* i fi edrych ar dy waith i weld pwy gafodd y gorau arna i. Mae dy luniau di'n arbennig.'

Alla i ddim peidio â gwrido wrth dderbyn y fath ganmoliaeth. Mae Callum yn gwybod pwy ydw i trwy fy ffotograffiaeth? Do'n i ddim yn credu bod hynny'n bosib.

'Beth wyt ti'n neud fan hyn, ta beth?' hola eto. 'Wyt ti'n astudio 'ma? Dwi ddim yn credu 'mod i wedi dy weld di yn un o'n seminarau ni.'

Erbyn hyn, mae Megan yn anniddig ac yn cicio'i sodlau; yn amlwg, doedd sgwrs rhwng Callum a fi ddim yn rhan o'i chynllun mawr ar gyfer y daith. 'Na, dyw Penny ddim yn astudio 'ma. Ond dw *i*'n astudio 'ma. Megan dwi, braf cwrdd â ti.' Mae hi'n neidio rhyngom ni ac yn estyn 'i llaw at Callum, gan chwipio'i gwallt sgleiniog am yn ôl yr un pryd. Cymera yntau ei llaw a gwenu'n gwrtais. Cyn i fi gael cyfle i ateb Callum, neidia Megan i mewn eto. 'Dwi wrthi'n mynd â hi ar daith rownd yr ysgol. Gobeithio y gwnaiff hi ymweld â fi'n aml tra bydda i'n astudio 'ma. Pan nad ydw i'n rhy brysur yn ymarfer, wrth gwrs.'

'Wrth gwrs!' Gwenaf ar Megan, ond caiff fy llygaid eu denu'n ôl at lygaid Callum, fel tasen nhw'n ddwy fagned. 'Ti'n astudio ffotograffiaeth fan hyn, felly, dwi'n cymryd?' meddaf, cyn i Megan gael cyfle i ddweud unrhyw beth arall.

'Yn yr ail flwyddyn – mae'n lle da,' ateba, gan suddo'n ôl yn erbyn un o'r soffas. Am ennyd, mae'r byd i gyd yn pylu, heblaw am 'i lygaid gwyrddlas. Mae fel tase neb ond Callum a minnau'n bodoli, yn syllu'n ddwfn i lygaid ein gilydd, a phopeth arall yn symud yn araf bach. Ond dim ond chwarter eiliad oedd y foment honno, mae'n rhaid, gan fod popeth yn gwibio'n ôl i'w le nawr, wrth i un o'r myfyrwyr cerddoriaeth chwarae alaw dwi'n 'i nabod yn syth. 'Elements', oddi ar albwm diwethaf Noah.

Dyna pryd mae'r peth yn fy mwrw i. Drwy'r holl amser (iawn, drwy'r funud gyfan) y bues i'n siarad â'r bachan 'ma, wnes i ddim meddwl am Noah o gwbl. Mae popeth yn teimlo'n drydanol, a do'n i byth yn meddwl y byddwn i'n teimlo fel hyn eto, ar ôl i Noah a minnau wahanu. Sylwaf hefyd fod camera'n hongian ar 'i ysgwydd ar strap ledr wedi'i addurno â sticeri a sgribls. Mae'n wên o glust i glust wrth sylwi arna i'n edrych ar 'i offer.

'Mae'n gamera neis, on'd yw e? Hen un.' Mae'n 'i droi ar 'i ysgwydd er mwyn i fi gael gwell golwg arno. Gydag ambell 'ww' ac 'aa', dwi'n llawn edmygedd.

'Mae'n rhaid bo' ti'n gwbod dy stwff!' meddaf.

'Dwi'n dwlu ar ffotograffiaeth, ond, hei, dim ond y goreuon sy'n cael mynd at gwmni François-Pierre Nouveau, ontyfe?' Mae'n rhoi pwt fach chwareus ar 'y mraich, ac mae fy wyneb yn chwilboeth. Mae e'n chwerthin, a dwi'n ymuno'n nerfus. Sut mae Callum McCiwt yn gallu gwneud i fi deimlo fel hyn? Dwi fel croten dair ar ddeg eto. Ceisiaf gael gwared ar y teimlad ac ymddwyn yn fwy cŵl. Galla i hefyd deimlo bawd troed Megan yn pwyso'n drwm ar 'y nhroed, a dwi'n gwybod 'i bod hi'n bryd i ni fynd.

'Ta beth,' meddaf, 'braf cwrdd â ti. Dwi'n siŵr o dy weld di o gwmpas y lle rywbryd. Fe ddweda i wrth François-Pierre Nouveau dy fod ti'n dweud helô.' Dyma fi'n troi ar fy sawdl a dechrau cerdded i ffwrdd, gan fachu braich Megan wrth fynd.

Chwerthin wna Callum a chynnig salíwt wrth i ni gerdded i ffwrdd.

Oedd troi'n lwmpyn o jeli ar ôl cwrdd â Callum yn ymateb normal? Falle bod hynny'n arwydd 'mod i'n dechrau anghofio am Noah? Falle bod 'y nghalon i'n barod i ddod i lawr o'r silff, a mentro eto i fyd brawychus cariad a bechgyn?

Mae sawl *falle* yn y frawddeg 'na, ond mae hynny'n well na dweud byth. Dim ond byth sydd wedi bod yn fy meddwl i'n ddiweddar.

Mae Megan yn f'arwain ar hyd un coridor ar ôl y llall, gan basio dosbarthiadau canu, celf a bale. Dwi'n gegrwth wrth weld faint o adnoddau sydd ar gael 'ma. Stafelloedd ymarfer, offerynnau cerdd, stiwdios, llyfrgelloedd. Brolio neu beidio, mae Megan wir wedi cyrraedd yr uchelfannau nawr.

Ry'n ni'n croesi'r campws ac mae hi'n mynd â fi i mewn i'w neuadd breswyl. Nid dyma ro'n i'n disgwyl: mae'n fach a'r nenfwd yn isel, a does dim llawer o olau. Dyw e ddim yn lle da i dynnu lluniau. Mae Megan yn rhannu'i stafell 'molchi a'i chegin gyda dwy ferch arall. Dawnswraig o'r Eidal yw un ohonyn nhw, ac mae'r llall yn dod o San Francisco ac yn astudio Celfyddyd Fodern.

Mae'n mynd â fi i'w stafell wely, sy'n edrych hyd yn oed yn waeth na f'un i – dillad wedi'u taflu i bob cyfeiriad a phosteri theatr dros bob wal.

'Ydy'r merched sy'n rhannu gyda ti'n neis? Chi'n ffrindiau da?' Eisteddaf i lawr ar waelod gwely Megan, sydd wedi'i wasgu'n dynn yn erbyn 'i desg. Mae hi'n tynnu'i chadair swyddfa allan, ac yn eistedd wrth f'ymyl.

'Ydyn. Wel, dyw Mariella ddim yn siarad lot o Saesneg felly mae ein sgyrsiau ni braidd yn lletchwith. Ond mae hi'n astudio dawnsio creadigol felly dwi'n aml yn dangos beth dwi'n trio'i ddweud trwy ddawns, sy'n helpu dwi'n credu.'

Druan â Mariella. Alla i ddychmygu Megan yn dawnsio, yn llawn rhwystredigaeth, gan chwifio'i breichiau a'i choesau wrth geisio cynnig paned o de i Mariella, ac alla i ddim peidio â chwerthin.

Mae Megan yn estyn 'i gliniadur ac yn dechrau edrych trwy'i thudalen Facebook. 'Dwi ddim wir yn gweld y ferch arall rhyw lawer. Mae hi'n hoffi miwsig *indie*, yn treulio llawer o amser yn Shoreditch, ac mae'i ffrindiau hi i gyd yn farfog ac yn gwisgo *man buns*. Dwi braidd yn amheus o'r *man buns*. Beth maen nhw'n trio'i guddio ynddyn nhw?!'

'Cyfrinachau?' mentraf, gan gael cip dros sgrin Megan. Mae hi'n hofran 'i llygoden dros 'i negeseuon, er nad oes unrhyw beth newydd yno. Rhyfedd. Fel arfer mae Megan yn derbyn llwyth o negeseuon o bob cyfeiriad, ar bob dyfais. Mae hi'n synhwyro 'mod i'n edrych, ac yn cau'r gliniadur yn glep.

'Beth am i ni fynd 'nôl i'r lolfa i gael tamed i fwyta a sgwrs iawn? Sdim llawer i'w wneud fan hyn; mae'n rhy dawel.' Mae hi'n cydio yn 'i bag ac yn 'i daflu dros 'i hysgwydd, cyn siglo'i gwallt a thaenu mwy o lipstic ar 'i gwefusau.

'Iawn,' atebaf. Dwi'n synnu wrth deimlo pilipalod yn hedfan yn fy stumog wrth feddwl am un peth: *Falle bod Callum yn dal yno.*

Mae bwrlwm mawr 'nôl yn y lolfa – ond dim Albanwr golygus. Mae pobl ifanc hardd wedi heidio o gwmpas y bwrdd pêl-droed, ac yn chwarae'r gêm yn syndod o dda. Rhyfeddaf wrth glywed dau grŵp o bobl yn canu caneuon *a cappella* mewn harmonïau prydferth, fel golygfa o Pitch Perfect. Mae'r cyfan yn gwneud i fi deimlo allan o le, a braidd yn anghyfforddus. Yn sydyn iawn, mae'r soffa dwi'n eistedd arni fel tase hi'n 'y nhynnu'n ddyfnach ac yn ddyfnach i grombil 'i chlustogau. Tybed ydy hi'n rhy hwyr i adael?

Ond yna, daw Callum 'nôl i mewn, gydag un o'i ffrindiau. Mae'i ffrind hefyd yn dal ac yn ddeniadol, gyda llond pen o gyrls tywyll, trwchus, ond does 'da fe ddim hanner y dynfa ag sydd 'da Callum. Eisteddaf â 'nghefn yn syth, wrth iddo lanio ar y soffa wrth f'ymyl. Mae'i ffrind yn eistedd gyferbyn â fi, ar bwys Megan.

'Do'n i ddim yn credu y byddwn i'n dy weld di 'to mor glou.' Mae'n taflu'i fag oddi ar 'i ysgwydd ar y bwrdd coffi o'n blaenau ni, gan setlo i'w sedd. Iyffach, mae'i acen e'n anhygoel. Dwi isie tynnu fy ffôn mas a'i recordio a'i ddangos i Elliot, gan y bydde fe'n dwlu ar yr acen hefyd.

Gwenaf. 'Ro'dd Megan isie i ni gael rhywbeth bach yn y caffi cyn i fi fynd. Dwi 'di clywed bod y *toasties* caws a Marmite yn fendigedig.' Daliaf 'y mrechdan yn yr awyr, cyn sylweddoli bod dal brechdan wedi hanner 'i bwyta o flaen wyneb rhywun ddim yn beth normal i'w wneud. Mae'i geg yn troi wrth iddo frwydro i beidio chwerthin, a dwi'n trio cael gwared ar y lletchwithdod drwy stwffio gweddill y *toastie* i 'ngheg.

Yn anffodus, y cyfan mae hynny'n 'i wneud yw rhoi bochau bochdew anferth i fi, wrth i fi drio bwyta gweddill y *toastie* heb agor 'y ngheg, i osgoi dangos pelen anferth ffiaidd o gaws a Marmite. Pert iawn.

Dwi'n ddiolchgar iddo fe am droi i ffwrdd am eiliad, gan adael i fi adfer f'urddas. Dwi'n cnoi cyn gynted â phosib, gan lyncu gweddill y frechdan. Llwyddaf i oeri fy wyneb fflamgoch rywfaint cyn iddo fe droi'n ôl i edrych arna i. Ar 'i gôl mae'i bortffolio ffotograffiaeth a ffolder A4 o ffotograffau du a gwyn sy'n edrych fel tasen nhw wedi cael eu datblygu mewn stafell dywyll. Dwi'n credu 'mod i hyd yn oed yn gallu arogli'r cemegau datblygu arnyn nhw.

Mae lefel y sŵn yn y stafell yn codi'n uwch wrth i Callum droi'i lygaid i gwrdd â'm llygaid i. Anadlaf yn ddwfn. *Paid â gadael i orbryder sbwylio hyn. Plis.*

'O, sori, oes ots 'da ti?' hola Callum, gan feddwl 'mod i'n grac, yn hytrach nag yn orbryderus. 'Ry'n ni ar fin cyflwyno prosiect mawr a dwi'n moyn iddo fe fod yn berffaith.'

'Na, plis, cer 'mlaen,' meddaf, yn falch o gael rhywbeth i dorri'r tensiwn. O leia dyw Callum ddim yn edrych arna i am foment, gan roi amser i fi ddod ata i fy hunan.

Canolbwyntiaf ar ffotograffau mae e'n eu gosod dros 'i gôl. Portreadau ydyn nhw, ac maen nhw mor oeraidd a brawychus nes bod ias yn saethu i lawr f'asgwrn cefn. Dwi erioed wedi gweld manylder fel hyn mewn ffotograff.

'Beth ti'n feddwl?' hola. 'Dwi ddim yn credu'u bod nhw'n *hollol* iawn eto.'

'Galle rhai o'r rhain roi hunllefau i ti!' atebaf, gan chwerthin.

Mae'n gwrido. 'Dwi'n gwbod, maen nhw'n eitha gothig, ond â bod yn deg, rhai ar gyfer arddangosfa Calan Gaeaf o'n nhw. Pa lens wyt ti'n ddefnyddio ar gyfer portreadau?' Gwena, ac mae'i ddannedd mor syth ac mor wyn nes eu bod nhw bron â 'nallu i. Uwchben bwa'i wefus, mae brycheuyn haul bach, a dwi'n toddi hyd yn oed yn fwy wrth sylwi arno. Mae'n anodd peidio sgrechian: Pwy *yw'r* bachan 'ma ac o ble mae e wedi dod? Mae'n *rhaid* nad yw e'n fod dynol? MAE'N AMHOSIB!

Canolbwyntia, Penny. Ffotograffiaeth. Galla i wneud hyn. 'Dwi'n defnyddio lens *prime* ar gyfer portreadau. Mae'r manylder gei di'n anhygoel, heb fod mor galed â lens macro, yn enwedig os wyt ti'n saethu ar analog. Ti'n saethu â ffilm neu'n ddigidol?'

'Y ddau; dwi'n credu y galli di gael *shots* da gyda'r ddau gyfrwng.' Mae'i dafod yn hongian o ochr 'i geg wrth iddo weithio'i ffordd o gwmpas y dudalen, glud yn y naill law a ffotograffau yn y llall. 'Mae e wir yn dibynnu ar ba ongl wyt ti isie, dwi'n credu. Mae rhai o fy hoff luniau wedi'u tynnu â chamera saith punt pwyntio-a-saethu wnes i 'i ddatblygu yn Boots. Y cyfan dwi isie yw cipio'r foment.'

'O, cytuno'n llwyr.' Nodiaf yn frwdfrydig, ond yna daw saeth o euogrwydd i'm stumog i. Ry'n ni wedi bod yn siarad fel dau gîc am ffotograffiaeth, gan anwybyddu Megan yn llwyr. Fydd hi ddim yn hapus. Edrychaf lan, ac er mawr ryddhad i fi, dwi'n sylwi'i bod hi'n sgwrsio'n ddwys â ffrind Callum am barti mewn tŷ yn adeilad 4B. Byddai mam Megan yn cael haint tase hi'n sylweddoli bod 'i merch yn bwriadu mynd i barti gyda bechgyn golygus dwy ar bymtheg oed, ond dyw e ddim yn fy synnu i o gwbl.

Ar ôl goresgyn f'euogrwydd, ymlaciaf 'nôl i'r sgwrs gyda Callum. 'Sut byddet ti'n disgrifio'r llun 'ma?' hola, gan ddangos llun du-a-gwyn o hen wraig yn dal 'i llaw at 'i hwyneb. Galla i weld manylder cain wyth modrwy aur ar 'i bysedd. Mae golwg drist yn 'i llygaid, ond mae arlliw o wên ar 'i gwefusau. Mae hanner 'i hwyneb yn dywyll, a'r hanner arall mewn goleuni tanbaid.

'Dwi'n meddwl ... 'i bod hi'n dweud, "Dwi wedi byw bywyd hir a dwi ddim yn difaru'r un eiliad."' Dwi'n edrych ar y ddelwedd drawiadol ac yna'n edrych 'nôl ar Callum. Mae ein llygaid yn cwrdd ac mae'r crychau o gwmpas 'i lygaid 'nôl wrth i wên ledu ar draws 'i wyneb.

'Foneddigion a boneddigesau, cymeradwyaeth os gwelwch chi'n dda i'r llinell fwya ystrydebol erioed?' Gwena, gan guro'i ddwylo.

'Hei, ti ofynnodd!' Dwi'n codi f'ysgwyddau ac yn gwenu'n ôl arno.

'A'r dadansoddiad dwfn ac ystyrlon yna yw'r rheswm, 'nghariad i, 'mod i'n astudio fan hyn, a bo' ti ddim.' Mae'n wincio'n chwareus arna i, a dwi'n edrych arno'n gegagored, yn esgus 'mod i'n grac.

'Falle nad ydw i'n gallu sgrifennu dadansoddiadau clyfar, ond all hyd yn oed ysgol fel hon ddim rhoi talent i neb.' Saethaf 'nôl, gan synnu wrth glywed y geiriau'n dod o 'ngheg. Dwi ddim fel arfer yn ffraeth wrth dynnu coes. Pwy yw'r Penny newydd 'ma?

'Digon gwir, Penny Porter,' cytuna. Wrth iddo symud ychydig, mae'i goes yn pwyso'n erbyn 'y nghoes i. Falle ein bod ni'n gwisgo jîns, ond mae'r cyffyrddiad pitw bach yna'n ddigon i saethu gwefr drydanol drwy 'nghorff. Dwi ddim yn gwybod a yw e'n synhwyro hyn hefyd, ond mae smotiau bach pinc ar 'i fochau wrth iddo fe ganolbwyntio'n ddifrifol ar 'i ffotograffiaeth. Falle nad dim ond fi sy'n teimlo rhywbeth ...

Daw ton o bryder drosta i, fel tswnami. Alla i ddim dal f'anadl, gan fod y don yn 'y mwrw mor gyflym. Mae popeth oedd yn gyffrous ac yn llawn hwyl yn troi'n frawychus. Mae'r canu *a cappella* yn uchel ac yn wichlyd yn fy nghlustiau. Mae'r awyr yn drwchus ac yn dwym, fel tasen i'n anadlu mêl.

Mae fy llygaid yn chwilio'n lloerig am ffordd mas – ac wrth weld drws, dwi'n cydio yn 'y mag ac yn rhedeg. Dwi ddim yn meddwl am Callum, 'i ffrind, na Megan. Dwi'n gwneud dim ond rhedeg i lawr y cyntedd, troelli o gwmpas corneli, trwy ddrysau tân, nes cyrraedd y tu fas a llenwi f'ysgyfaint ag awyr iach.

Ar ôl eiliad neu ddwy mae Megan wrth f'ochr, a'i braich o gwmpas 'y nghefn. Mae hi wedi gweld hyn o'r blaen, ac er 'i beiau i gyd, dwi'n falch nad yw hi byth yn gwneud ffys mawr am hyn. Mae hi yno, yn gefn i fi.

Ar ôl i fi ddechrau anadlu'n bwyllog, mae hi'n mentro gofyn. 'Beth ddigwyddodd? Wedodd Callum rywbeth?' Mae'i thalcen yn grychau crac.

'Naddo, dim byd. Dwi'n meddwl ... dwi ddim yn credu. Jyst aeth popeth yn ormod. Bydda i'n iawn.' Dwi'n gorfodi gwên ar fy wyneb, ac mae Megan yn gwasgu fy llaw.

'Mae'n iawn, ti'n gwbod, i hoffi rhywun arall.' Mae 'nghalon yn neidio wrth i Megan daro'r hoelen ar 'i phen. Dyna yw ffynhonnell 'y mhryder. Achos, yn ddwfn y tu mewn i fi, mae 'na lais arall yn dweud wrtha i, *Na'dy. Dwi ddim mor siŵr o hynny.*

Pennod Pump

Tra 'mod i'n eistedd ar wal ac yn canolbwyntio ar anadlu, mae Megan yn pwyso yn erbyn ochr yr adeilad yn tapio'i ffôn. Wrth deimlo fy hun yn llonyddu, rwy'n gwylio pawb yn mynd a dod. Llifa cwestiynau trwy fy meddwl, un ar ôl y llall. *Beth y'ch chi'n neud? I ble wyt ti'n mynd â'r bag anferth 'na? Teithio'r byd wyt ti? A'r pâr 'na sy'n dal dwylo – ai mynd ar ddêt cynta maen nhw? Neu drydydd?*

Mae newid fy ffocws a chanolbwyntio ar yr hyn sy'n digwydd i bobl eraill yn rhywbeth y soniodd fy therapydd amdano fel dull o reoli 'ngorbryder. Dim ond ar ôl dod 'nôl o'r daith y dechreuais i weld therapydd, ac mae hi wedi rhoi hwb mawr i fy hyder i'n barod. Mae hi wedi fy helpu i ddysgu, er bod gorbryder yn rhan o 'mywyd, does dim rhaid iddo 'niffinio i. Mae triciau bach, fel gwylio pobl eraill, yn fy rhwystro rhag canolbwyntio'n ormodol ar feddyliau negyddol a'r symptomau corfforol sy'n meddiannu 'nghorff bob tro y byddai'n dechrau teimlo panig. Galla i eisoes deimlo curiad 'y nghalon yn arafu a'r chwys oer ar gledrau 'nwylo'n anweddu.

Edrychaf dros f'ysgwydd. 'Megan, dwi'n credu y bydda i'n iawn nawr. Os nad oes ots 'da ti, licen i damed bach o amser ar 'y mhen fy hunan i glirio'r meddwl yn llwyr cyn dod 'nôl i mewn.' Galla i ddweud 'i bod hi wedi synnu: mae hi'n gwenu ar fideo feiral o gi bach yn llithro ar iâ sy'n cael 'i chwarae'n ddi-baid ar 'i ffôn, ond yna mae hi'n 'i diffodd ac yn nodio'i phen.

'Wrth gwrs, Penny. Bydda i yn y lolfa. Ti'n meddwl y galli di ffeindio dy ffordd?'

'Gallaf,' atebaf.

'Cŵl. Wela i di wedyn 'te.' Mae hi'n cerdded 'nôl i mewn i'r adeilad, a 'ngadael i'n eistedd ar y wal.

Dwi'n dal i wylio'r olygfa o 'mlaen i, ac mae fy llygaid yn cael eu tynnu at ferch ifanc sy'n eistedd ar fainc gyferbyn â fi, yn gorffen galwad ffôn yn grac ac yn sychu dagrau. *Tybed gyda phwy roedd hi'n cweryla? Rhiant? Ffrind? Partner?* Pethau bach fel hyn sy'n f'atgoffa fod pawb yn gorfod delio â 'stwff' – pethau maen nhw'n ymgodymu â nhw neu'n gorfod delio â nhw o hyd.

Yn sydyn, dwi'n cael braw wrth weld dagrau'r ferch yn troi'n grio afreolus. Mae hen fag rhwng 'i daps du ar y glaswellt wrth y fainc ac mae'i gwallt du, gloyw wedi'i glymu'n ddwy fynsen daclus ar 'i phen. Yna mae hi'n edrych i fyw fy llygaid, a dwi bron â chwympo oddi ar y wal. Nawr mae hi'n gwybod 'mod i'n eistedd yno'n edrych arni.

Daw lwmpyn mawr i 'ngwddf. Mae hi'n codi'i llygaid eto ac yn sychu'i dagrau, yn amlwg yn ymwybodol 'mod i'n 'i gwylio hi. Sylwaf ar fathodyn Madame Laplage ar 'i bag a sylweddoli'i bod hi, fwy na thebyg, yn fyfyrwraig 'ma. Llithraf oddi ar y wal. Alla i 'mo'i hanwybyddu hi nawr, gan 'i bod hi'n gwybod 'mod i wedi bod yn 'i gwylio. Falle mai gweiddi a dweud wrtha i am fynd i grafu am fod mor fusneslyd wnaiff hi, ond man a man i fi drio. Os yw hi eisiau siarad â rhywun, gall dieithryn caredig fod yn well na neb weithiau.

Mae hi'n edrych lan wrth glywed y graean yn crensian dan fy sgidiau Converse. Er bod 'i hwyneb yn smotiau coch i gyd ar ôl iddi fod yn crio, galla i weld 'i bod hi'n syfrdanol o bert. Mae'i llygaid siâp almwn yn frown tywyll cyfoethog, ac wrth iddi wenu, daw pantiau bach i'r golwg yn 'i bochau.

Dwi'n cymryd bod y wên yn ganiatâd i fi fynd ati hi. 'Sori am fusnesu, ond, ti'n iawn?' Llithraf at y fainc wrth 'i hochr. Mae hi'n gryndod i gyd, fel pilipala bregus sydd ar fin hedfan i ffwrdd.

'Dwi mor *embarrassed*!' medd. Mae hi'n sychu'i thrwyn â'r lwmpyn o hances bapur sy'n 'i llaw. 'Mae'n gas 'da fi grio o flaen pobl. A dwi wir yn casáu crio yn yr ysgol. Bydd pawb yn siŵr o wbod nawr.'

'Licet ti fynd am dro? Mynd o 'ma am sbel fach?' holaf, ac mae hi'n nodio'i phen.

Cerddwn yn dawel o gyfeiriad yr ysgol, 'nôl tuag at y South Bank. Dwi'n meddwl bod rhywbeth cysurlon iawn am ddŵr bob amser. Mae'n well 'da fi olwg y môr ar draeth Brighton, ond mae afon Tafwys yn well na dim. Mae'r ferch yn sniffian yn swnllyd. 'Dwi ... dwi ddim wedi dy weld di yn unrhyw wersi, ond plis paid â dweud wrth unrhyw un yn yr ysgol am hyn.'

'O, dwi ddim yn mynd i ysgol Madame Laplage,' atebaf.

'Nag wyt ti?'

'Na'dw – yma'n ymweld â ffrind ydw i. Drycha, Penny ydw i. Sori am dy wylio di, ond ti'n edrych yn ofnadwy o drist. Wyt ti wedi cweryla gyda rhywun?'

Mae hi'n edrych arna i, a'i llygaid yn craffu i fyw fy llygaid. Mae'n rhaid 'mod i wedi pasio'i phrawf hi gan 'i bod hi'n nodio eto'n dawel. 'Posey ydw i,' ateba. 'Posey Chang. Ac ydw – dwi wedi cweryla â rhywun ... Gallet ti ddweud hynny! Mam yw fy ffrind gorau, ond mae hi'n rhoi cymaint o bwysau arna i. Dyw hi jyst ddim yn deall. Ro'n i'n trio esbonio wrthi hi 'mod i ddim isie chwarae rhan amlwg yn y sioe achos 'mod i'n methu diodde'r syniad o fod yn ganolbwynt i'r holl sylw.' Mae hi'n sychu'i thrwyn yn swnllyd ac yn gollwng yr hances i'r bin. Wrth iddi ddechrau siarad eto, mae'i llais mor dawel nes 'mod i'n gorfod ymdrechu'n galed i'w chlywed hi dros sŵn y brain yn crawcian a'r twristiaid yn parablu y tu ôl i ni. 'Dwi'n gwbod y dylai cael rhan fawr fel 'na fod yn fraint. Dwi'n astudio theatr a cherddoriaeth, wedi'r cyfan, a dwi wastad wedi dwlu ar berfformio, ond mae hi mor anodd i fi wneud 'ny o flaen cynulleidfa, a does neb wir yn deall! Ddwedodd Mam wrtha i 'mod i'n ddwl a bod angen i fi dynnu fy hunan at 'i gilydd, a pheidio â meiddio newid fy rhan. Hi sy'n iawn wrth gwrs. Os na wna i hyn, falle na chaf i arian f'ysgoloriaeth eleni. A bydd yr holl waith caled i gael lle yn yr ysgol 'ma'n wastraff.' Dechreua sniffian eto ac mae deigryn bach yn llifo i lawr 'i boch.

'Pa ran sy 'da ti? Mae fy ffrind i, Megan, yn y cynhyrchiad hefyd; *West Side Story*, ife?'

'Ie, dyna ti! Fi sy'n actio Maria, y BRIF RAN.'

Daw cryndod dros 'i hysgwyddau. 'Ro'dd *rhaid* i bawb gael clyweliad ac ro'n i'n gobeithio cael rhan fach, gan fod hynny'n helpu dy raddau di, ond do'n i *wir* ddim yn meddwl y byddwn i'n cael y brif ran. Nawr dwi'n ysu i gyfnewid y rhan am rywbeth llai brawychus.' Mae'n cnoi'i hewinedd yn nerfus – er mai ychydig iawn o'i hewinedd sydd ar ôl.

'Mae'n rhaid dy fod ti'n arbennig o dda i gael y brif ran,' mentraf, gan geisio cuddio 'nryswch. Dyw fersiwn Posey o'r sefyllfa ddim yn cyd-fynd â fersiwn Megan, ond dwi ddim eisiau anghytuno â hi a hithau'n mor ddigalon. 'Ac eto, dwi'n deall yn llwyr ynglŷn â d'ofn di.' (Y peth agosa dwi erioed wedi'i gael i ofn ar lwyfan yw'r tro 'na dangosais i fy nicers i'r ysgol i gyd – trwy ddamwain wrth gwrs – ond dwi'n gwybod nad yw hyn yr un peth. Ofn gwirioneddol oedd hwnnw. Ofn yr ebychu, y braw a'r cywilydd o gofio 'mod i'n gwisgo hen bâr o nicers rhacslyd.) Mae'n swnio fel tase ofn Posey o fynd ar lwyfan yn beth llawer dyfnach. Teimlo'r ddyletswydd i berfformio, ond ofni mynd ar lwyfan, yn hytrach na gwirioni ar y profiad. 'Y rheswm 'mod i mas fan hyn,' meddaf wrthi, 'yw 'mod i'n diodde o byliau panig a gorbryder ofnadwy.'

'Wir? Beth sy'n dy helpu di?' hola, a'i llygaid mawr brown ar agor led y pen.

'Wel, pan fydda i'n teimlo'n bryderus wrth deithio, dwi'n gwisgo hen gardigan Mam – mae hi fel blanced ddiogelwch. Ond dwi'n deall na alli di fynd â blanced ar y llwyfan gyda ti!'

Diolch byth, mae hi'n chwerthin. 'Na, fyddai hynny ddim yn gweithio – oni bai ein bod ni'n perfformio *Les Miserables*, a 'mod i'n gallu esgus mai dillad carpiog y'n nhw.'

Yna, er mawr syndod i fi, mae hi'n cau'i llygaid ac yn dechrau canu llinellau agoriadol 'On My Own' o *Les Miserables*, a'i llais swynol yn llifo dros y dŵr. Mae hi'n bwrw pob nodyn yn berffaith, ond mae cryndod bregus yn 'i llais sy'n saethu emosiwn y gân yn ddwfn i 'nghalon. Teimlaf ddagrau'n cronni yn fy llygaid.

Mae'i llais yn cryfhau bob eiliad nes iddi daro'r *crescendo*, heb oedi i anadlu. Prin y galla i anadlu o glywed llais mor bwerus yn dod o gorff mor bitw bach. Ar ôl iddi orffen, â'r nodyn ola'n hofran yn yr awyr, mae'n rhaid i fi gymeradwyo. Ac nid fi yw'r unig un – y tu ôl i ni mae torf fechan wedi ymgasglu ac maen nhw'n cymeradwyo'n wyllt.

Mae Posey'n troi, a'i hwyneb yn goch fel betysen, ond mae hi'n moesymgrymu ac yn rhoi gwên fach i'r gynulleidfa.

Yn raddol, mae pawb yn gwahanu ac ry'n ni ar ein pen ein hunain eto.

'Posey, ro'dd hwnna'n anhygoel! Dwi'n gwbod nad wyt ti'n hapus am y peth, ond ... galla i weld pam mai ti gafodd y brif ran.'

Mae'i gwên fach yn pylu. 'Diolch, Penny. Ro'n i'n arfer dwlu ar ganu i bobl – ar 'y mhen fy hunan, gyda meicroffon a phiano falle. Fel 'ny, tasen i'n gwneud cawlach, dim ond fi fyddai'n diodde. Ond os gwna i gawlach o'r sioe 'ma, bydda i'n sbwylio'r peth i bawb arall. Mae myfyrwyr cerddoriaeth yn y gerddorfa, myfyrwyr dawns yn y corws, y myfyrwyr celfyddydau technegol yn gwneud y sain a'r goleuo – heb sôn am yr holl actorion eraill ar y llwyfan. Byddwn i'n gwneud cawlach i bob un ohonyn nhw. Felly does dim amdani ond mynd 'nôl i Fanceinion.'

'Dwi'n deall,' meddaf. 'Dwi'n credu mai dyna pam dwi'n hoffi ffotograffiaeth. Dim ond fi a'r camera.'

Mae hi'n edrych arna i ac yn gwenu. 'Diolch am ddeall – mae hi mor braf siarad â rhywun sy ddim yn dweud wrtha i am stopio ffysian a gwneud y rhan. Ddwedest ti bo' ti'n ymweld â rhywun. Rhywun yn y ddrama?'

Nodiaf fy mhen. 'Ie ... Megan yw'i henw hi.'

'Megan Barker?'

Nodiaf eto.

Mae Posey'n cnoi'i gwefus isaf. 'Dwi ddim yn 'i nabod hi'n dda iawn, ond cafodd hi glyweliad da. Ti'n 'i nabod hi o gartre?'

'Ydw, dwi'n dod o Brighton.'

Mae llygaid Posey'n pefrio. 'O, dwi wedi clywed lot am Brighton a dwi wastad wedi bod isie mynd yno, ond heb gael cyfle.'

'Mae braidd yn bell o Fanceinion,' meddaf gan chwerthin.

'Digon gwir!' Edrycha Posey i lawr ar 'i wats. 'Gwell ... i fi fynd 'nôl. Gwell i fi ffonio Mam 'to, siŵr o fod. Bydd hi'n poeni amdana i.' Mae hi'n codi'i bag ac yn troi i ffwrdd.

'Dal sownd. Allwn ni gyfnewid cyfeiriadau ebyst? Wedyn, os byddi di isie siarad ag unrhyw un eto ...'

Mae'n nodio'i phen ac yn estyn 'i ffôn o'i phoced. 'Byddai hynny'n grêt.' Teipiaf fy nghyfeiriad ebost a fy rhif i'w ffôn er mwyn i ni allu cysylltu trwy WhatsApp.

'Unrhyw bryd, cofia,' meddaf wrthi.

Mae Posey'n llamu tuag ata i ac yn rhoi cwtsh gynnes i fi. Gwasgaf hi'n dynn, ac yna, awn ni'n dwy 'nôl i gyfeiriad ysgol Madame Laplage.

Pennod Chwech

Pan gyrhaeddaf i'r lolfa, mae Megan yn aros amdana i y tu fas i'r drws. Mae hi'n edrych i lawr ar 'i ffôn ond galla i weld bod 'i llygaid hi'n pefrio fel sêr. Os yw hi wedi sylwi 'mod i wedi bod mas ers sbel, dyw hi ddim yn dangos hynny.

'Popeth yn iawn?' holaf, wrth nesu ati.

'Ti'n jocan? 'Rioed 'di bod cystal. Mae Luke, y pishyn, newydd ofyn am fy rhif ffôn i *ac* mae e wedi 'ngwahodd i barti yn 'i fflat e, penwythnos nesa!' Mae hi'n troi'i ffôn tuag ata i a dangos llun o Luke – heb grys – a'i gyfeiriad ac amser oddi tano.

'Waw,' meddaf, heb fod yn hollol siŵr sut i ymateb.

'Yn hollol. Mae e *mor* ffit. Bydd pob merch yn fy nosbarth i mor genfigennus. Megan Barker fydd ar y top unwaith 'to!' Mae hi'n rhoi'i braich yn 'y mraich ac yn gorffwys 'i phen ar f'ysgwydd wrth i ni gerdded 'nôl tuag at 'i stafell. 'Penny, mae heddi 'di bod yn ddiwrnod ffantastig. Diolch.'

'Ym ... croeso? Wnes i ddim byd!'

Mae hi'n dawnsio'i bysedd i fyny 'mraich. 'Nid fi yw'r unig un lwcus.'

'Beth ti'n feddwl?'

'Gofynnodd Callum am dy rif di hefyd! Gobeithio bod dim ots 'da ti 'mod i wedi'i roi e iddo fe.'

'Beth? Megan!'

Mae hi'n taflu'i phen 'nôl gan chwerthin yn wyllt, a rhyw sglein drygionus yn 'i llygaid. Nawr, dyma'r Megan dwi'n 'i nabod. 'Hei, mae e'n dy lico di a ti'n amlwg yn joio'i gwmni e. Clywais i'r ddau ohonoch chi'n clebran fel dwy hen fenyw am ffotograffiaeth – lensys ac onglau a dwli fel 'na. Wnaiff e ddim drwg. Os wnaiff e dy ffonio di a gofyn i ti fynd mas 'da fe, galli di wastad ddweud "na".'

Dwi'n cnoi 'ngwefus, ond yn y pen draw yn codi f'ysgwyddau. 'Dwi ddim yn siŵr.'

'Wrth gwrs! Ond fydden i ddim yn dweud "na" tasen i'n ti. Dwi wedi clywed bod Callum McCrae nid yn unig yn bishyn ond yn bishyn â lot fawr iawn o arian. Mae'i rieni'n berchen stad enfawr yn yr Alban. Mae'n rhaid 'i fod e'n *laird* neu rywbeth.'

Dwi'n gwgu. 'Ody e wir? Wel hyd yn oed os yw hynny'n wir, 'na reswm arall i *beidio* â mynd mas gydag e! Mae e siŵr o fod yn real llo.'

'Ac wedi dyweddïo â rhyw arglwyddes,' medd Megan eto, gan droelli'i llaw o'i blaen fel tase hi'n moesymgrymu. 'Ooo, falle'i fod e'n nabod y selébs i gyd? Sori, Penny. Dwi ddim yn credu wnaiff e ffonio. Dwyt ti ddim wir ar 'i *lefel* e.' Mae hi'n 'y mhrocio i'n ysgafn â'i bys, ond mae'r ergyd yn taro'n ddwfn.

Wedi i ni gyrraedd 'i stafell, mae Megan yn bownsio ar y gwely, ac yn dal i rythu ar y llun o Luke. Dwi'n eistedd ar 'i chadair swyddfa, yn syllu o gwmpas 'i stafell. Alla i ddim peidio â meddwl am Posey. Nid yn unig am 'i llais ingol o brydferth, ond hefyd am 'i rhan yn y sioe.

'Megan, ga i ofyn rhywbeth i ti?'

'Wrth gwrs!' medd, gan ochneidio'n freuddwydiol.

'Pam oedd heddi'n ddiwrnod da? Ar wahân i'r ffaith bod Luke wedi gofyn i ti fynd mas 'da fe.'

Mae hi'n rholio ar 'i bola i'm hwynebu i, 'i choesau yn yr awyr y tu ôl iddi. Mae hi'n pwyso'i gên ar 'i dwylo ac yn craffu arna i. ''Dw i ddim wir yn gwbod pam ... ond mae dy gael di yma wedi bod yn help mawr. Dyw pethe ddim wedi bod yn rhwydd i fi.'

'Beth ti'n feddwl?' holaf yn bwyllog. Mae Megan fel arfer mor gyndyn o ddangos gwendid gan ddawnsio o gwmpas pethau lletchwith fel balerina.

'O, wel, ti'n gwbod, mae pob un o'r merched yma'n real hwch ...'

'Megan ...'

Mae hi'n llyncu'i phoer, cyn troi ar 'i chefn. Mae bysedd 'i thraed yn troedio'r wal, ond mae'i llygaid ar gau. 'Does gen i ddim gwir ffrindiau 'ma. Ddim fel gartre, ble ro'dd 'da fi lwyth. Ac mae pawb mor uffernol o dalentog. Weithie ... weithie dwi'n credu mai fi yw'r person mwya didalent yn y lle 'ma.'

Anadlaf yn ddwfn. 'Er i ti gael rhan enfawr yn *West Side Story*?'

Mae hi'n ysgwyd 'i phen. 'Dwi heb gael rhan fawr, go iawn.' Mae hi bron yn sibrwd wrth ddweud y geiriau hyn, ac mae'n rhaid i fi adael y gadair i eistedd lan ar y gwely wrth 'i hochr hi. 'Dim ond canu yn y corws ydw i.'

'Pam ddwedest ti gelwydd? Does 'da ti ddim byd i'w brofi i ni, ti'n gwbod. Ti 'di cael lle mewn ysgol hollol ffantastig. Mae pawb yn meddwl bo' ti'n anhygoel.'

'Dwi'n gwbod. Do'n i jyst ddim isie i bobl gartre 'ngweld i fel methiant llwyr gan 'mod i'n teimlo fel methiant llwyr yn barod.' Mae'i llygaid yn agor ac yn edrych i fyw fy llygaid i. 'Hefyd, dwi'n eilydd ar gyfer y rhan fawr – rhan Maria. Mae'r ferch gafodd y rhan yn llygoden fach sy'n ofni'i chysgod 'i hunan –

mae hi'n siŵr o dynnu mas – felly do'n i ddim yn meddwl bod unrhyw beth o'i le mewn dweud ambell gelwydd golau.'

'Llygoden fach?' holaf. Doedd y Posey welais i ddim yn llygoden – dim ond ychydig yn ddryslyd.

'Mae ofn bod ar lwyfan neu rywbeth arni hi. Ysgoloriaeth ddaeth â hi yma, felly bydd Madame Laplage yn 'i gorfodi hi i adael, siŵr o fod, os na fydd hi'n cymryd y rhan. Ond os na alli di ymdopi â'r pwysau fan hyn, sut ddiawl wnei di ymdopi yn y byd go iawn? Dyna fyd actio, ontyfe?'

'Ond dim ond ysgol yw hon ... all neb 'i helpu hi i ddelio â'r peth?'

Mae Megan yn gwgu. 'Ti ddim yn moyn i fi gael y rhan 'ma?'

'Dwi ddim yn credu bod cosbi rhywun oherwydd gorbryder yn deg.'

Gyda hynny, mae Megan yn meddalu. 'Dim dyna ro'n i'n feddwl. Sori, Penny.'

'Felly mae Madame Laplage yn berson go iawn?' holaf eto. 'Dim enw'n unig?'

'O ydy, mae hi'n hollol real. Ac mae hi'n *frawychus*. Dy'n ni ddim yn 'i gweld hi o gwmpas rhyw lawer, ond os gweli di hi, naill mae rhywun mewn trafferth mawr neu mae rhywun ar fin bod yn seren enfawr. Hi yw y sgowt ar gyfer pobl ifanc talentog ar draws llwyth o feysydd.'

'Waw! Ti erioed wedi'i gweld hi?'

Mae Megan yn ysgwyd 'i phen. 'Dyw myfyrwyr y flwyddyn gynta bron byth yn 'i gweld hi. Ta beth, mae'n fwy na jyst pwy sy'n cael rhannau yn y sioeau a'r dramâu. Ti'n cofio'r merched gwrddaist ti â nhw gynnau? Mae blogs mawr 'da nhw i gyd. Mae pawb yn yr ysgol yn eu darllen nhw, ac maen nhw mor greadigol. Felly dechreuais i sgrifennu blog, ond does bron neb yn darllen f'un i. Dwi ddim yn gwbod beth dwi'n wneud o'i le.'

'Ga i weld?' holaf. Doedd geiriau Megan am Posey ddim yn garedig iawn, ond dwi'n deall 'i bod hi'n mynd trwy amser anodd.

'Iawn.' Mae hi'n troi at 'i chyfrifiadur ac yn llwytho'i blog. Fel ro'n i'n 'i ddisgwyl gan Megan, mae e wedi'i ddylunio'n hyfryd a'r ffotograffau a'r ffasiynau ynddo wedi'u trefnu'n dda.

'Ma hwn yn edrych yn dda iawn!' meddaf wrthi'n onest.

'Diolch ... ond does braidd neb yn edrych arno fe.'

'Ti'n edrych ar eu blogs nhw?'

'Ydw ...'

'Ac yn gadael unrhyw sylwadau neu rywbeth arall?'

Mae hi'n gegrwth. 'Wrth gwrs na'dw i! Dwi ddim isie iddyn nhw wbod 'mod i wedi bod yn cripian o gwmpas ar eu blogs nhw pan nad ydyn nhw'n trafferthu i edrych ar f'un i.'

'Ti'n gweld, Megan? Dyna dy broblem di. Falle taset ti'n agor lan tamed bach, ac yn gadael i bobl wbod bod gyda ti ddiddordeb ynddyn nhw, a bo' ti isie iddyn nhw gymryd diddordeb ynot ti, falle gwnân nhw gymryd sylw. Mae blogio'n gymuned, ac mae'r ysgol 'ma fel cymuned fach hefyd. Mae'n rhaid i chi helpu'ch gilydd. A weithie, mae'n rhaid i ti gymryd y cam cynta. Os wyt ti'n hoffi rhywbeth maen nhw wedi blogio amdano, *dwed wrthyn nhw*. Falle y gwnân nhw ddod draw i weld beth sy ar dy flog di wedyn. Mae isie rhoi help llaw i'ch gilydd, ti'n deall?'

'Fetia i nag wyt ti byth yn rhoi sylwadau ar flogs pobl eraill, nawr bo' ti'n flogiwr byd-enwog gyda Merch Ar-lein.'

Fy nhro i oedd bod yn gegrwth nawr. 'Ti'n jocan! Rhoi sylwadau ar flogs ffrindiau yw un o'r pethe dwi'n hoffi'u gwneud fwya! Os nad unrhyw beth arall, mae'n dangos 'mod i'n gwerthfawrogi faint o amser ac ymdrech maen nhw'n 'i roi i'w blogbyst – achos 'mod i wedi cymryd amser i ymateb.'

'Hmmm, falle bod hynny'n gwneud synnwyr,' medd Megan.

'Rho gynnig arni. Fetia i y gweli di fwy o draffig ar dy flog, a falle gwnei di fwy o ffrindiau yr un pryd hefyd.'

Mae Megan yn gwenu. 'Diolch am ddod 'ma, Penny. Dwi wir yn gwerthfawrogi hynny.'

'Unrhyw bryd.'

22 Medi

Sut i dynnu sylw at eich blog

Ar ôl oriau o chwysu dros y gliniadur yn perffeithio blogbost, mae peidio â chael ymateb gan neb yn deimlad braidd yn ddigalon. Ry'n ni i gyd wedi bod yna: does neb yn dechrau blog gyda chynulleidfa eiddgar, ac mae hynny'n rhan o'r hwyl. Yn ddiweddar, penderfynodd ffrind i fi ddechrau blog a gofyn i fi am ychydig o gyngor. Felly, meddyliais i y byddai'n syniad da i fi sgrifennu rhestr fach o'r cynghorion roddais i iddi hi, gan obeithio y bydd hynny'n help i rai o ddarllenwyr y blog yma hefyd.

Felly, os wyt ti'n chwilio am ychydig o arweiniad neu gefnogaeth, dyma 'marn i:

1. Agora'r drafodaeth. Mae'n syniad da gorffen y blog gyda chwestiwn sy'n gysylltiedig â'r hyn buest ti'n sgrifennu amdano, a bydd hynny'n annog pobl sy'n darllen i adael ymateb.

2. Bydd yn rhan o fyd y blogiau. Cer ar Twitter a chymera ran mewn trafodaethau blogio gan ddefnyddio hashtags arbennig. Hyrwydda dy flog ymysg blogwyr eraill a gwna ffrindiau newydd. Bydd rhywbeth yn gyffredin rhyngot ti a llawer o flogwyr eraill, felly bydd wastad rhywbeth 'da chi i'w drafod.

3. Rho sylwadau ar flogiau rwyt ti'n eu hoffi. Bydd pobl sy'n gadael sylwadau'n gweld dy sylwadau di ac yn gwybod bod blog 'da ti hefyd. Ac wrth gwrs, i fynd yn ôl at y pwynt uchod, mae'n dda bod yn rhan o fyd y blogiau.

4. Hyrwydda dy flog ar y cyfryngau cymdeithasol. Defnyddia Instagram a rho ddolen ar lun sy'n arwain at dy flog. Mae llawer o draffig ar Instagram, ac os gwnei di ddefnyddio hashtags mae pobl yn chwilio amdanyn nhw, mae 'na siawns reit dda y dôn nhw o hyd i dy flog di. Mae Pinterest yn wych hefyd!

5. Bydd yn naturiol. Paid â hala spam at bobl, na thrydar dolenni 24/7. Does neb yn hoffi rhywun sy'n trio'n rhy galed – mae'n ddigon i ddiflasu pawb. Yn lle hynny, gwna beth sy'n naturiol i ti. Mwynha, a phaid â phoeni gormod am y niferoedd. Mae'r pethau hyn yn cymryd amser, ond gydag ychydig o amynedd a thrwy rannu ar y cyfryngau cymdeithasol, bydd darllenwyr 'da ti ymhen dim!

Gobeithio bydd y sylwadau hyn yn help i ti mewn rhyw ffordd. Does dim ots am niferoedd y darllenwyr mewn gwirionedd, cyhyd â dy fod ti'n mwynhau sgrifennu am bethau sy'n ddiddorol i ti. Hyd yn oed tase 'nghyfrif i'n cwympo i bum darllenwr dros nos, byddwn i'n dal i sgrifennu achos 'mod i'n dwlu gwneud 'ny. Dyma 'nihangfa fach i, ac mae'n fy ngwneud i'n hapus dros ben! Dyna sy'n bwysig.

Wyt ti wedi dechrau blog yn ddiweddar? Fyddi di'n defnyddio rhai o 'nghyngorion i? (Wyt ti'n gweld beth dwi'n wneud fan hyn? Gweler pwynt 1 – ha ha!)

Merch Ar-lein, yn mynd oddi ar-lein xxx

Pennod Saith

Fore trannoeth, wrth ymlwybro tuag at orsaf y Tiwb, mae fel tase'n sgwrs ni heb ddigwydd. Mae Megan 'nôl i'w harfer, yn taflu'i gwallt ac yn clebran fel pwll y môr am y dêt sydd ar y gweill gyda Luke. Dim ond ar ôl i ni ddod i stop mae hi'n codi'r peth eto.

'Plis paid â gweud wrth unrhyw un gartre 'mod i wedi bod yn ... ti'n gwbod ... stryglan fan hyn. Dwi ddim isie sbwylio f'enw da!'

'Wna i ddim, ond – Megan – does dim angen i ti deimlo cywilydd am unrhyw beth. Ti'n gwneud yn wych. Ac fe wnei di lawer mwy o ffrindiau os byddi di jyst yn ti dy hunan.' Dwi'n oedi, cyn ychwanegu, 'Y fersiwn neisa ohonot ti dy hunan.'

Os yw Megan wedi cael 'i brifo gan y frawddeg olaf 'na, dyw hi ddim yn dangos hynny. 'A tithe hefyd. Os wnaiff Callum ofyn i ti fynd mas am ddêt, ddylet ti fynd.'

'Feddylia i am y peth.'

'Mae'n well na phoeni am ysbryd Noah Flynn yn neidio mas arnot ti bob munud.' Mae hi'n pwyntio bys ata i ac yn wincio. 'Dwi'n darllen *Merch Ar-lein* hefyd, ti'n gwbod. A dwi'n mynd i ddilyn dy holl gynghorion blogio di.'

Wrth i ni roi cwtsh i'n gilydd, galla i'i theimlo hi'n gwasgu f'ysgwyddau'n dynn. Dwi erioed wedi teimlo'r fath gynhesrwydd gan Megan. Mae'n rhaid bod hynny'n golygu y bydd hi'n gweld f'isie i. 'Bydda i'n gweld d'isie di hefyd,' mentraf.

'Wela i di ym mis Tachwedd yn y sioe?'

'Wrth gwrs – fyddwn i byth yn colli honna.'

'Ac os galli di feddwl am ragor o ffyrdd i 'ngwneud i'n Miss Poblogaidd eto, rho wybod! Cer, ti'n mynd i golli dy drên.'

Edrychaf i lawr ar fy ffôn i weld yr amser. Mae Megan yn iawn. Ar ôl un cwtsh arall, rhuthraf drwy rwystrau'r cerdyn Oyster, a thaflu fy hun ar y Tiwb cyn i'r drysau gau'n dynn.

Ar ôl eistedd yn fy sedd ar y trên 'nôl i Brighton, rwy'n gwylio maestrefi de Llundain yn gwibio heibio gan feddwl am Megan a Posey – dwy ferch hollol wahanol, sy'n rhannu'r un freuddwyd. Mae'r naill yn meddu ar hyder eithriadol, er bod angen gwella'i gallu technegol. Mae'r llall yn meddu ar ddawn eithriadol a thechneg wych, ond heb unrhyw hunanhyder.

Ers bod ar daith fyd-eang gyda Noah, dwi wedi gweld llawer o sêr yn perfformio ar lwyfan – The Sketch, Leah Brown, ac, wrth gwrs, Noah 'i hunan. Mae gan bob un 'i arddull unigryw, ond mae un peth yn gyffredin i bob un ohonyn nhw, sef hud a lledrith – carisma – a'r gallu i gael pawb arall i hoelio eu sylw arnyn nhw. Hudoliaeth? Yr *X Factor*... ?

Beth bynnag alwch chi fe, dwi wedi'i weld trwy lens 'y nghamera hefyd. A dyw e'n ddim byd i'w wneud ag enwogrwydd: mae gan Elliot lwyth ohono, ond dyw Megan na Posey ddim wedi'i ddatblygu'n iawn eto.

Mae fy ffôn yn sisial, gan ddangos bod e-bost newydd wedi cyrraedd. Er mawr syndod, neges wrth Posey yw e. Rwy'n 'i agor.

Annwyl Penny,

Ro'n i eisiau anfon gair i ddweud diolch o galon am fy helpu i ddoe. Weithiau dwi'n teimlo mor unig yn y lle 'ma, ond rwyt ti wedi gwneud i fi deimlo'n llawer gwell. Rwyt ti'n deall bod fy ofn o fod ar lwyfan yn beth mawr. Alla i ddim 'i anwybyddu ac esgus nad yw e yno. Ti yw'r person cynta i beidio â dweud wrtha i am 'glatsho bant' ac anghofio am y peth, ac mae hynny'n golygu lot i fi.

Dwi'n gwybod na fydd cyfle i ni gwrdd eto, mwy na thebyg, gan y bydda i'n mynd adre, ond ro'n i eisiau diolch i ti ta beth.

Posey xx

Mae darllen y neges e-bost yn gwneud i fi deimlo'n fwy penderfynol nag erioed i'w helpu hi. Yr unig berson dwi'n nabod sydd wedi treulio amser ar lwyfan theatr yw Mam. Dwi'n 'i chofio hi'n dweud wrtha i'i bod hi wedi dioddef yr un ofn (yn ystod y cyfnod mae hi'n 'i ddisgrifio fel 'blynyddoedd coll' ym Mharis) a dwi'n siŵr 'i bod hi'n gwybod am rai strategaethau i ddelio â'r peth. Mae'n ymddangos i fi fod myfyrwyr eraill Madame Laplage yn gallu bod yn eitha calon galed wrth ddelio ag ofnau a phryderon. O leia dwi'n gwybod y bydd Mam yn gwrando, yn llawn cydymdeimlad.

Dwi'n taro 'ateb' ac yn teipio e-bost cyflym at Posey.

Posey! Mor braf clywed oddi wrthot ti.

Wyt ti'n rhydd i gwrdd y penwythnos nesa? Roedd Mam yn actores ym Mharis yn yr 80au. Pam na ddei di lawr i Brighton ar y trên? Galli di gwrdd â hi wedyn. Hefyd, byddai'n grêt cael dy gwmni di. Galla i ddangos Brighton i gyd i ti – y pier a phopeth – a gallwn ni fynd i siopa yn y Lanes.

Penny x

Nawr galla i ond aros a gobeithio y daw hi. Dwi'n gwybod y byddai Mam yn gallu'i helpu hi, petai ond i roi gwybod iddi nad yw hi ar 'i phen 'i hunan.

Ar ôl hala'r e-bost yna, dwi'n pwyso 'mhen yn erbyn ffenest y trên. Mae strydoedd Llundain wedi diflannu, ac yn eu lle gwelaf fryniau gwyrdd cefn gwlad Lloegr. Am unwaith, dyw hi ddim hyd yn oed yn bwrw glaw.

Mae fy meddwl yn crwydro'n ôl i'r pwl o banig ges i'n ddiweddar – a Callum, y lolfa, a bywyd newydd Megan. Beth wnaeth i fi deimlo mor anesmwyth? Y sylw ro'n i'n 'i gael gan Callum? Dwi'n credu mai'r broblem oedd y ffaith 'mod i'n teimlo'n iawn wrth dderbyn sylw Callum. Roedd e'n teimlo'n newydd ac yn gyffrous. Falle 'mod i hyd yn oed wedi fflyrtian tamed bach, a falle bod hynny'n ormod i ddelio ag e. Ydy hyn yn golygu bod bywyd ar ôl Noah? Hynny yw, os nad yw Callum wedi pwdu â fi am redeg bant heb esboniad?

Gofynnodd e am dy rif di, medd llais bach yn 'y mhen.

Neidiaf wrth glywed sŵn neges destun yn cyrraedd fy ffôn. Ife ... allai e fod... ond na, nid Callum sy 'na, ond Mam.

Wyt ti ar dy ffordd adre eto? Syrpréis mawr yn aros amdanat ti pan fyddi di'n ôl!! Xx

Syrpréis mawr ... ydy hynny'n golygu ... Noah?

Gwingaf wrth deimlo 'nghalon dwyllodrus yn neidio o'r naill fachgen i'r llall.

Yn lle hynny, estynnaf fy nghamera a threulio gweddill y daith yn edrych trwy luniau dwi wedi'u tynnu. Mae mwy i fywyd na bechgyn – a bydd y camera yma'n help i fi oroesi.

Pennod Wyth

Wrth gerdded at ein drws ffrynt, dwi'n rhewi yn yr unfan. Mae dol fach yn eistedd yn y ffenest fawr ac yn syllu mas i'r stryd fel tase hi'n aros i rywun ddod adref. Mae ganddi wallt coch tanllyd, gwyllt, ac mae'i dillad wedi newid ers i fi'i gweld hi ddiwethaf; mae hi nawr yn gwisgo twtw pinc a siwmper felen lachar – sy'n hollol wahanol i'r hen ffrog Edwardaidd roedd hi'n 'i gwisgo pan ges i hi gynta. Er hynny, mae'r twtw a'r siwmper yn fwy apelgar i'w pherchennog presennol, sy'n bum mlwydd oed.

Ond os yw'r Dywysoges Hydref yma ...

Gwgaf. *Gall hynny ond golygu ...*

Mae'r drws yn agor led y pen, a daw ffigwr cyfarwydd arall i'r golwg ar dop y grisiau cerrig. 'Penny!' bloeddia, gan wichian yn gyffrous.

'Bella!'

Mae chwaer fach Noah yn rhuthro tuag ata i lawr y grisiau, gan neidio i 'mreichiau. Mae hi'n lapio'i choesau o amgylch fy nghanol a dwi'n 'i dal yn dynn. 'O, mae hi mor braf dy weld di! Ond waw, rwyt ti wedi tyfu'n fawr mewn amser mor fyr!'

'Dwi 'di gweld d'isie di, Dywysoges Penny!'

'A dwi wedi gweld d'isie di'n ofnadwy hefyd.' Dwi'n cusanu'i thalcen wrth 'i rhoi'n ôl i lawr ar y llawr.

Mae hi'n cydio yn fy llaw ac yn dechrau 'nhynnu at y tŷ. 'Brysia! Mae dy dad yn gwneud crempogau â wynebau hapus arnyn nhw!'

'O, dyna'i arbenigedd e!' meddaf, heb allu cuddio'r wên ar fy wyneb, er 'mod i'n teimlo'n ddryslyd dros ben. Dilynaf hi lan y grisiau, ac i mewn i'r tŷ.

O flaen drws ein stafell fyw, saif silwét urddasol Sadie Lee, mam-gu Noah. Wrth fy nghlywed yn agosáu, mae hi'n troi tuag ata i gan wenu'n dwymgalon.

'Penny! Mae hi mor hyfryd dy weld di, siwgr candi. Ti'n edrych yn dda.' Mae hi'n 'y nghofleidio, gan roi cusan ar bob boch. Mae hi wedi torri'i gwallt brith mewn steil bòb smart. Â'i hwyneb cain a'i llygaid disglair, dyma'r fam-gu fwyaf soffistigedig i fi'i gweld erioed.

'Mae hi mor dda eich gweld chi hefyd! Waw! Ody ...' Mae'r geiriau nesa yn sownd yn fy llwnc. Dwi eisiau gofyn *Ody Noah yma?* Ond dwi ddim eisiau swnio'n anniolchgar wrth 'i gweld hi a Bella.

'Na'dy, yn anffodus,' ateba Sadie Lee, gan wyro'i phen i'r ochr yn ymddiheugar wrth ddyfalu beth oedd fy nghwestiwn nesa.

'O,' ochneidiaf. Alla i ddim rhwystro'r siom sy'n tynnu f'ysgwyddau i lawr.

'Dwi'n cymryd bo' ti heb glywed wrtho fe chwaith?'

Siglaf 'y mhen.

Mae hi'n ochneidio. 'O ... bydd e mewn cysylltiad pan fydd e'n barod.'

Wrth sylweddoli nad oedd hi wedi clywed oddi wrtho chwaith, mae ofn yn cydio yn 'y nghalon. 'Ody e'n iawn?' holaf.

Mae hi'n nodio'i phen. 'Gadawodd e neges gyda'i gwmni rheoli newydd, yn rhoi rhif cyswllt brys tase rhywbeth gwirioneddol ofnadwy yn digwydd, ynghyd â chais i bawb barchu'i ddymuniad i gael saib o'i waith creadigol. Ysbryd rhydd fuodd Noah erioed, yn gwneud 'i orau i ddatrys pethau ar 'i ben 'i hun, ac mae angen iddo fe gael preifatrwydd. Dwi'n 'i nabod e'n rhy dda – os awn ni i chwilio amdano, neu gadw golwg arno fe gyda negeseuon ac e-byst, mae e'n siŵr o redeg ymhellach i ffwrdd o'r sefyllfa, beth bynnag yw'r sefyllfa honno. Mae gwir angen llonydd arno fe, ac mae'n rhaid i ni roi hynny iddo fe. Ond ... dwi'n falch ein bod ni'n gallu gweld ein gilydd.'

'A finne.'

Daw Mam i mewn o'r gegin gan ebychu, 'O da iawn, ti'n ôl! Syrpréis, Penny cariad!'

'Dyma'r syrpréis orau erioed!'

Yna mae Mam yn troi at Sadie Lee. 'Ydych chi wedi cael cyfle i ddweud wrthi hi eto?'

'Dweud beth wrtha i?' holaf, yn llawn chwilfrydedd.

Chwerthin wna Sadie Lee. 'Ddim eto! Ond waeth i fi ddweud nawr. Nid dim ond dod ar wyliau i dy weld di a dy deulu yw'n bwriad ni, er mor braf yw eich gweld chi. Mae dy fam a finne wedi penderfynu cynnal digwyddiad arall gyda'n gilydd.'

'O wir?' Curaf fy nwylo, yn gyffro i gyd. 'Fan hyn yn Brighton?'

Mae Mam yn ysgwyd 'i phen. 'Ddim y tro 'ma. Hyd yn oed gwell. Ti'n cofio'r briodas 'na lan yn yr Alban?'

'Yr un dros hanner tymor?' holaf. Dyna'r digwyddiad mwyaf – a drutaf – sydd ar y gweill gan Mam eleni. Bron mor ddrud â'r briodas funud olaf yn Efrog Newydd lle cwrddais i â Noah am y tro cynta. Gan y bydd yn digwydd dros hanner tymor, bydda i ac Alex yno i roi help llaw iddi. Dyma fydd y tro cynta i fi fynd i'r Alban, ac mae Elliot wedi dechrau dewis dillad i ni'n barod ar gyfer y ddawns gyda'r nos – gyda thwtsh bach o dartan, wrth gwrs.

'Dyna ti. Mae Sadie Lee wedi cytuno i wneud yr arlwyo, felly bydd hi a Bella'n dod gyda ni!'

Mae fy llygaid yn llamu o Mam i Sadie Lee. 'Dyna newyddion anhygoel!' meddaf. Mae Sadie Lee'n gogyddes heb 'i hail ac yn enwog am wneud cacennau bendigedig. (Ond mae hyd yn oed 'i brechdanau caws wedi tostio'n rhagorol – mae popeth mae hi'n wneud yn anhygoel o flasus.) Gyda sgiliau trefnu parti Mam, sy'n hollol wych, mae'r ddwy ohonyn nhw'n siŵr o greu tîm di-guro.

'Ond, mae tipyn o waith i'w wneud, felly bydda i'n mynd â Sadie Lee i'r siop yn syth ar ôl brecwast. Alli di ofalu am Bella prynhawn 'ma?'

'Hwrêêêê!' Mae Bella'n neidio lan a lawr ac yn tynnu 'nhrowsus *dungarees* gyda phob llam.

'Wrth gwrs!' meddaf, yn wên o glust i glust. 'Ni'n siŵr o gael amser gwych, on'd 'yn ni, Bel?'

Mae llais Dad yn torri ar 'y nhraws cyn i Bella ateb. 'Crempogau unrhyw un?'

'Fi!' medd hithau gan wichian, cyn rhuthro i ffwrdd i'r gegin. Dim ond ar ôl i Bella adael y stafell mae realiti'r sefyllfa'n 'y mwrw i. Maen nhw *yma!* Mae 'nghalon yn teimlo mor llawn, fel tase hi ar fin ffrwydro. Fel tase gorffen gyda Noah ddim yn ddigon drwg, roedd peidio â gweld 'i deulu'n boenus hefyd. Ro'n i wedi dod i'w caru nhw. Mae gan Bella a Noah yr un llygaid brown dwfn, cynnes, ac mae cael Bella yma'n f'atgoffa i eto am absenoldeb Noah. Er bod hyn yn loes calon i fi, dwi'n falch eu bod nhw'n dal i deimlo'n ddigon cyfforddus i fod yn ffrindiau gyda ni.

Mae meddwl am ffrindiau'n gwneud i fy meddwl neidio'n sydyn at fy ffrind gorau un.

'Mam, fyddai ots 'da ti tasen i'n mynd i weld Elliot? Ro'dd e gyda'i rieni tra o'n i bant gan fod Alex bant hefyd ...' *Ac mae'n rhaid i fi ddweud wrtho fe am fy nydd Sadwrn gwallgo.* Bydd e wedi cyffroi'n lân pan glywith e am Callum. Gobeithio y bydd e'n falch ohona i am gymryd cam i'r cyfeiriad cywir, i ffwrdd oddi wrth Fachgen Brooklyn.

'Ti wedi bwyta?'

'Ydw, ces i frechdan ar y trên.'

'Iawn 'te. Ond dere'n ôl erbyn un ar ddeg. Gall Dad edrych ar ôl Bella tan hynny.'

Rhoddaf gusan ar foch Mam a chwtsh enfawr i Sadie Lee. Anelaf am y drws ffrynt a neidio i lawr dros y grisiau i gyrraedd tŷ Elliot.

'... *Falle* taset ti'n gwrando 'chydig bach mwy!'

'*Fi*? Gwrando? Dwyt ti ddim yn gadael i fi ddweud GAIR!'

Mae 'mysedd yn hofran dros y gloch wrth i'r geiriau crac lithro drwy'r drws tuag ataf. Gwingaf. Mae rhieni Elliot yn cweryla eto. Camaf 'nôl, ac edrych lan ar y ffenest uchaf, rhag ofn bod modd i fi roi arwydd i Elliot, rywsut, heb dorri ar draws 'i rieni.

Yn y diwedd, does dim angen i fi wneud hynny. Mae'r drws yn agor led y pen ac Elliot yn rhuthro mas, nes bron iddo fe 'nharo i'r llawr. 'Elliot!' bloeddiaf. Mae'i ben yn codi ac wrth iddo fe 'ngweld i mae'n taflu'i freichiau amdana i.

'Gawn ni ddianc o 'ma?' sibryda yn fy nghlust.

Cydiaf yn 'i law, ac awn gyda'n gilydd i lawr y grisiau. Dwi'n gwybod yn union ble i fynd.

Pennod Naw

Yn Starbucks, â'n dwylo wedi'u lapio o gwmpas *Pumpkin Spice Latte*, mae Elliot yn gawlach o emosiynau. Mae dagrau'n llifo i lawr 'i fochau ac mae ein barista, druan, yn rhoi joch ychwanegol o surop iddo fe i godi'i galon.

'Alla i ddim cymryd mwy o hyn, Pen. Maen nhw wedi dechrau cweryla ers nos Wener ... drwy'r dydd ddoe ac wedi dechrau 'to ben bore 'ma. Ac wyt ti'n gwbod am beth maen nhw'n cweryla?'

Dwi ddim hyd yn oed eisiau gofyn, ond aiff yn 'i flaen a dweud wrtha i beth bynnag.

'Lliw tei Dad. Yn ôl y sôn aeth e i'r gwaith yn gwisgo'r un anghywir a daeth e'n ôl yn gwisgo un wahanol. Ro'dd Mam isie gwbod pam. Cynigiodd Dad ryw esgus hurt am sarnu cawl drosti amser cinio.'

'Wel ... fe allai hynny fod wedi digwydd.'

'Gallai. Wrth gwrs. Ond does dim ots achos 'dyw Mam ddim yn 'i gredu e. Ac maen nhw jyst yn gweiddi a gweiddi, ac fe wnes i'r camsyniad o ddod lawr staer i wneud afocado ar dost i'n hunan cyn starfo i farwolaeth. Cornelodd Mam fi a gofyn beth ro'n *i'n* feddwl.' Mae e'n cymryd llwnc enfawr o'i goffi.

‘O iyffach, beth wedest ti?’ holaf.

‘Do’dd dim rhaid i fi ddweud unrhyw beth! Sgrechiodd Dad rywbeth fel, “Pam wyt ti’n gofyn iddo *fe* am gyngor ar ein perthynas ni? Does dim croeso i’w berthynas e yn y tŷ ’ma!” ac wedyn sgrechiodd Mam arno fe i beidio â bod mor homoffobig, cyn iddi newid ’i thacteg a gofyn pa liw oedd tei Dad fore Gwener a wedes i ’mod i ddim yn gwbod achos ’mod i gydag Alex. Wedyn, byrstiodd Mam mas i lefen a dweud bod mwy o ots ’da fi am Alex na nhw a ’mod i ddim yn cael treulio rhagor o nosweithiau gydag e. A dyna pryd y rhuthrais i mas – a dyma ni.’

‘O Elliot, dwi mor sori.’

‘Mae’r cyfan mor rhwystredig. Maen nhw wedi newid o fod yn bâr hollol gadarn, tawel, cuddia-dy-deimladau-tan-iddyn-nhw-ffrwydro math o beth, i fod fel hyn – yn bâr sy’n cweryla’n ofnadwy, ac yn gas bob munud. Mae fel tase ugain mlynedd o ddicter wedi ffrwydro’n deilchion. Alla i ddim diodde mwy. Mae’r tensiwn yn yr awyr mor drwchus fel ’mod i’n teimlo’r angen i gael cawod bob tro dwi’n mynd i mewn i’r tŷ.’ Gwinga Elliot, fel tase ias yn mynd i lawr ’i asgwrn cefn. ‘Alex yw f’unig ddihangfa felly dwi *ddim* am fynd ’nôl yna *byth* eto.’

‘Ti ddim yn meddwl ’ny,’ meddaf.

Tu ôl i’w sbectol werdd, mae’i lygaid glas yn pefrio â dagrau. ‘Falle ddim. Falle ’mod i. Mae Ngherdyn Dihangfa Fawr i’n elwa bob tro y bydd Mam yn teimlo’n euog am yr holl gweryla gan ’i bod hi’n rhoi arian i fi. Ti’n gweld – mae’n uffern ar y ddaear.’

Pan fydd Elliot yn siarad am ’i Gerdyn Dihangfa Fawr, dwi’n gwybod bod pethau’n wael. Mae Elliot wastad yn llawn cynlluniau gwych, sydd weithiau’n dechrau ’da ‘Beth am redeg bant i ...' ac yn gorffen gyda sôn am ryw le soffistigedig fel 'Paris!' neu 'LA!' neu hyd yn oed unwaith, 'y syrcas!' (ond dim unrhyw hen syrcas – byddai'n rhaid iddi fod yn Cirque de Soleil). Triais i ddweud wrtho nad o'n i hyd yn oed yn gallu gwneud tro tin-dros-ben, ond doedd hynny ddim yn ddigon o esgus iddo. Fe sylweddolodd rywdro y byddai'n rhaid iddo gael arian tase byth am droi un o'r cynlluniau hynny'n realiti, a dyna fwriad y cerdyn. Cerdyn debyd ar gyfer 'i gynilion 'jyst rhag ofn'. Rhywbeth dwi wastad wedi teimlo'n eiddigeddus iawn ohono, ond erioed wedi bod yn ddigon synhwyrol â'm harian fy hunan i ddechrau arni. Estynnaf i ddal 'i law, a'i gwasgu'n dynn. Mae'n gwasgu'n ôl, gan roi gwên fach.

'Ta beth, dwi isie anghofio am hynny,' medd. 'Dwed wrtha i am dy ddiwrnod gyda Mega-ast.'

'O, dyw hi ddim cynddrwg â 'ny, Wiki. Mae'i hysgol hi'n cŵl. Dwi wir heb weld unrhyw beth tebyg i'r lle. Mae fel rhywbeth mas o sioe deledu. Ond ...' Mae Elliot yn pwyso 'mlaen, gan synhwyro fod clecs ar y ffordd. Dwi ddim am dorri f'addewid i Megan a dweud wrtho fe mor anodd yw bywyd yr ysgol iddi, ond hefyd mae'n rhaid i fi ofyn am gyngor Elliot ynglŷn â Posey. Anadlaf yn ddwfn a dal ati. 'Ces i bwl o banig a buodd rhaid i fi fynd tu fas, a dyna le gwrddais i â'r ferch 'ma sy hefyd yn nosbarth Megan. Mae hi'n gantores *anhygoel*, ond mae ganddi ofn gwirioneddol bod ar lwyfan ac mae hi newydd gael y brif ran yn *West Side Story*.'

'Aros, ro'n i'n credu mai Megan gafodd y brif ran?'

Siglaf 'y mhen. 'Nage, hi yw'r eilydd.'

'Beth? Dweud celwydd mae hi ar Facebook?'

'Wel ... os na all y ferch 'ma berfformio, Megan fydd yn cymryd y brif ran. Felly dwi nawr yn teimlo'n ofnadwy. Dwi wir isie helpu'r ferch 'ma, ond laddith Megan fi os daw hi i wbod.'

'Wel, wel, wel,' medd Elliot, gan siglo'n ôl yn 'i gadair. 'Mae'r seren fawr yn seren ffug.'

'Elliot ...'

Mae'n chwerthin. 'Paid â phoeni, weda i ddim gair.'

'Mae rhywbeth arall hefyd. Rhywbeth, falle, wnaiff newid dy feddwl di amdani hi. Rhywbeth mae'r ddau ohonoch chi'n cytuno arno.'

'Dwi'n amau, ond cer 'mlaen.'

'Wel, yn y lolfa, ro'dd y bachan 'ma, ac fe roiodd Megan fy rhif i iddo fe.'

Pwysa Elliot 'mlaen unwaith eto, a'i ddwylo'n fflat ar y ford. 'STOP! Mae angen manylion arna i. Pa mor dal? Lliw llygaid? Pishyn? Enw? Gwaith? Gwed *bopeth* wrtha i, Penny Porter.'

Chwarddaf. 'Callum yw 'i enw e ac mae'n dod o'r Alban.'

'Dwi'n dwlu arno fe'n barod,' medd Elliot, gan esgus llewygu.

'Myfyriwr ffotograffiaeth yn Ysgol Madame Laplage yw e, ac mae e'n dal, dal a'i lygaid e'n anhygoel o wyrdd, a'i wallt byr, melyn yn eitha tonnog ... mae e'n bishyn, a dweud y gwir!'

'Pishyn rhywiol sy'n caru ffotograffiaeth? Ti'n siŵr nad breuddwyd yw'r boi 'ma?'

Teimlaf fy mochau'n gwrido wrth siarad am Callum.

'Nage, wir – ond ro'dd hi'n od cwrdd â rhywun mae 'da fi gymaint yn gyffredin ag e. Ar yr wyneb, o leia.'

'Dyna pam mae'n *rhaid* i ti fynd ar ddêt gydag e, Penny – i gael gwbod oes 'na unrhyw beth arall 'da chi'n gyffredin, o dan yr wyneb!' Mae'n wincio. 'A dwi'n cymryd 'i fod e'n siarad fel Sean Connery?'

'Beth?'

'Siarad ag acen Albanaidd feddal, defnyddio geiriau gwahanol?

Chwarddaf. 'Ddim *fel 'na*, ond ydy. Weithie mae'n rhaid i fi wrando'n ofalus iawn i ddeall beth mae e'n ddweud! Mae'n swnio fel tase fe'n siarad iaith arall weithiau, ond dwi'n hoffi hynny.'

'O, am ramantus!'

'Paid â rhoi'r cart o flaen y ceffyl – dyw e ddim wedi ffonio na hala neges eto.'

'Mae'n siŵr o wneud.'

'Sut wyt ti'n gwybod?'

'Jyst teimlad. O, Pen, dwi mor hapus drosot ti.'

Nodiaf fy mhen. 'Ond paid â siarad am y peth pan fyddwn ni gartre, iawn?'

'Pam lai? Byddai dy fam a dy dad yn hapus hefyd bo' ti wedi cwrdd â rhywun arall a ddim yn cerdded rownd y lle fel clwtyn llawr.'

'Ocê, yn gynta – dim perthynas yw hon – mae e jyst wedi gofyn am fy rhif i! Ac yn ail – ma Sadie Lee a Bella yn ein tŷ ni.'

'Beth? Pam? Ody –'

'Dyw e ddim 'nôl,' atebaf yn gyflym. 'Sadie Lee fydd yn gwneud bwyd y briodas yn yr Alban, ymhen rhyw bythefnos.'

'A ti'n hapus am hynny?' hola, gan edrych i fyw fy llygaid. Mae'n fy nabod i mor dda.

'Wrth gwrs 'mod i. Dwi'n dwlu ar Sadie Lee a Bella!'

'Ond ...'

Ochneidiaf. 'Ond ... mae'n gwneud i fi feddwl am Noah hyd yn oed yn fwy. A dwi'n poeni amdano fe. Ac yn meddwl tybed beth mae e'n wneud ...'

'Dwi'n gwbod. Ond nawr, mae 'da ti Brosiect Callum a

Phrosiect Myfyrwraig Drama i dy gadw di'n fishi.'

'Gobeithio. Pryd fydd Alex 'nôl?'

'Ddiwedd y bore, diolch byth!'

'Ti'n moyn 'i wahodd e draw? Gallwch chi'ch dau fy helpu i ofalu am Bella.'

'Syniad da. Er, byddwn ni'n siŵr o glywed fy rhieni'n sgrechen ar 'i gilydd trwy'r waliau. Falle bydd angen i ni chwarae'r albwm nawdegau ofnadwy 'na ti'n gadw wrth dy wely.'

'Hei, does dim byd gwell na'r Spice Girls ar noson ddiflas o hydref. Paid poeni, mae 'da fi syniad am rywbeth gallwn ni wneud wedyn i'n tynnu ni mas o'r tŷ 'ma 'to.'

Nodia Elliot, ond yn sydyn, daw golwg ddigalon drosto fe eto. Dwi'n cnoi 'ngwefus waelod. 'O, Elliot, beth ti'n mynd i'w wneud?'

Mae'n codi'i ysgwyddau. 'Dim fi sy'n penderfynu. Mae e lan iddyn nhw. Dwi jyst yn cyfri'r dyddiau nes i fi allu gadael y twll lle 'na.'

Ry'n ni'n ôl gartre erbyn un ar ddeg, ac mae cyfle i Elliot a Sadie Lee gael aduniad.

'O, siwgr candi, bydd rhaid i ni ddala lan yn iawn cyn hir. Mae'n rhaid i ti ddweud wrtha i am dy brofiad gwaith. Falle galli di ddod mas i Efrog Newydd rywbryd? Bydd lle i ti, wastad, yn 'y nghartre i.'

Mae llygaid Elliot yn pefrio – ond y tro hwn, â dagrau o lawenydd, nid dagrau o dristwch. 'Wir? Byddai Efrog Newydd yn BARADWYS i fi. Bydda i fel Heidi Klum ar *Project Runway – auf wiedersehen*!'

'Perffaith! Nawr, mae'n well i ni fynd. Barod, Rob? Iawn, Dahlia?' medd wrth Mam a Dad. 'Amser gweithio nawr i Dahlia a finne, ond fe gewn ni ddigon o amser gyda'n gilydd cyn hir.' Mae Mam a Sadie Lee yn gadael mewn corwynt o gusanau a chwtshys, a Dad yn llusgo'i glybiau golff gydag e, yn barod am gêm y penwythnos.

Ar ôl i bawb fynd, dwi'n pwyso i lawr ar 'y mhengliniau. 'Reit 'te, Bella, ti'n moyn gweld ble mae dreigiau Brighton yn byw?'

Pennod Deg

'Alla i ddim credu 'mod i wedi bod yn byw yn Brighton drwy f'oes a 'mod i erioed wedi bod fan hyn!' ebycha Elliot, a'i wddf yn crymu'n ôl i weld y nenfwd.

Ry'n ni ym Mhafiliwn Brighton, hen blasty hardd – ond rhyfedd – yng nghanol Brighton, ac un o adeiladau mwyaf diddorol y ddinas. Dwi'n cofio dod yma gyda fy rhieni pan o'n i'n blentyn, felly ro'n i'n meddwl y byddai'n lle perffaith i fynd â Bella, ond ro'n i wedi anghofio pa mor rhyfeddol oedd e. Ro'n i'n arfer 'i alw e'n balas Mr Whippy, achos bod 'i dyrau gwynion yn f'atgoffa i o hufen iâ.

Mae'n rhyfedd mor rhwydd y gall rhywun beidio â sylwi ar lefydd anhygoel sydd ar eich stepen drws chi eich hunan. Dwi wedi byw yn Brighton erioed a dwi'n cymryd llawer iawn o'r lle'n ganiataol. Dwi'n addo i fy hunan, yn dawel bach, y gwnaf i werthfawrogi 'nghynefin yn fwy aml o hyn ymlaen.

'Oeddet ti'n gwbod mai ysbyty milwrol i filwyr o India yn ystod y Rhyfel Byd Cyntaf oedd y lle 'ma'n arfer bod?' hola Elliot.

Mae Alex yn taflu'i fraich am wddf Elliot a'i gusanu ar 'i foch. 'Fy nerd bach i! Ti'n gwbod popeth!' cyhoedda.

'Ydw, a ti'n dwlu ar hynny,' saetha Elliot ei ateb 'nôl.

Gwenaf ar y ddau ohonyn nhw. 'O leia mae *rhywun* yn gwerthfawrogi holl wybodaeth Elliot.'

'Ac oeddet ti'n gwbod bod y Frenhines Victoria wedi gwerthu'r lle 'ma i'r dref am swm pitw bach, sef tua hanner can mil o bunnau, gan nad oedd hi'n lico Brighton? Dwi ddim yn gwbod beth oedd 'i phroblem hi ...'

Cerdda Elliot ac Alex yn eu blaenau, law yn llaw, gan ddilyn y gadwyn o raffau melfed sy'n tywys ymwelwyr drwy'r pafiliwn. Dwi mor falch fod Elliot wedi penderfynu maddau i Alex am fod mor ansicr y llynedd – a bod Alex wedi penderfynu bod yn gefn i Elliot. Â'r holl helynt sy'n digwydd ym mywyd Elliot ar hyn o bryd, mae angen cariad cyson a chysurlon Alex arno fe. Diflannodd yr holl densiwn oedd wedi crynhoi yn 'i ysgwyddau y foment y gwelon ni Alex. Dwi ddim yn cael yr effaith yna arno fe nawr. Os buodd 'na erioed ddau sy'n siŵr o fod gyda'i gilydd am byth, Alexiot yw hwnnw.

Ry'n ni'n cerdded trwy wahanol stafelloedd cyn cyrraedd y gegin, lle mae sosbenni copr enfawr yn hongian ar y wal. Alla i ddim peidio â meddwl am yr holl ryfeddodau y gallai Sadie Lee eu creu mewn cegin fel hon.

Yna, wrth i ni gerdded i mewn i'r neuadd wledda, breuddwydiaf am y digwyddiadau gwych y gallai Sadie Lee a Mam eu cynnal yma, tasen nhw fyth yn cael cyfle. Falle y dylwn i awgrymu hynny wrthyn nhw ...

'Penny, edrych!' Mae Bella'n cydio yn ymyl fy nghardigan ac yn 'i thynnu'n galed. Dilynaf linell 'i bys bach tew, sy'n pwyntio tuag at siandelïer aur syfrdanol o hardd, a draig Tsieineaidd yn nadreddu o gwmpas y gadwyn.

Dwi'n wên o glust i glust. 'Ti'n gweld, wedes i fod dreigiau yn Brighton!'

'Waw ...' sibryda, gan gamu'n nes at fy nghoes.

Gwasgaf hi'n dynn. 'Paid â phoeni, dim ond addurniadau ydyn nhw.' Dwi'n ysu i dynnu lluniau, ond does dim hawl gwneud hynny. Rhaid cadw 'nghamera yng ngwaelod fy mag.

Mae Alex yn rhythu ar fwrdd cinio sydd wedi'i osod yn brydferth, a phopeth yn 'i le. 'Y boi 'ma – pwy oedd e 'to?'

'Y Tywysog Siôr, cyn iddo fe fod yn Siôr IV,' yw ateb Elliot, ffynhonnell pob gwybodaeth.

'Roedd 'da fe chwaeth ddiddorol, on'd oedd e,' medd Alex.

'Dwi'n credu mai fe yw f'arwr i,' ychwanega Elliot, yn fyr 'i anadl. 'Mae e dros-ben-llestri'n llwyr ... symudwn i fan hyn fory nesa, o gael hanner cyfle.'

Erbyn i ni orffen crwydro o gwmpas y pafiliwn, ry'n ni'n cyrraedd y stafell de. Mae Bella wedi blino'n lân erbyn hyn, yn enwedig ar ôl y daith hir o Efrog Newydd hefyd. Wedi iddi orffen 'i sudd afal, mae hi'n cropian i 'nghôl yn barod i gysgu. Mae Elliot, Alex a fi wedi archebu te, ac ry'n ni'n giglan wrth 'i sipian.

Mae Elliot yn pwyso 'mlaen dros 'i de chai. 'Dwi'n credu mai ni yw'r unig bobl dan ugain yn y stafell yma i gyd.'

Cymeraf gip o gwmpas y stafell, a mae e'n iawn: mae'r rhan fwyaf o bobl sy'n eistedd fan hyn yn llawer hŷn ... ond mae'r sgons yn gwbl anhygoel, felly dy'n ni ddim yn achwyn.

'Beth am weld ffilm heno?' gofynna Alex i ni.

'Ie, grêt!' meddaf. 'Ond bydd rhaid i fi ofyn i Mam gynta achos bod Sadie Lee yn aros i gael swper gyda ni.'

Gwena Elliot. 'O, byddai ffilm yn wych. Mae 'na ffilm newydd o Sweden gydag isteitlau –'

'Na!' gwaedda Alex a minnau fel parti llefaru. Mae Elliot yn pwdu, ond does dim gobaith iddo fe ennill y ddadl yma.

'Dwi isie gweld y ffilm Avengers newydd,' mynna Alex.

'Dim gobaith!' medd Elliot. 'Dwi ddim am wylio rhagor o sbwriel swnllyd llawn CGI o Hollywood am ryw gomic rhacslyd.'

Ffilmiau, falle, yw'r *unig* beth sy'n achosi ffrae rhwng Elliot ac Alex, hyd yn oed os ydyn nhw'n dwlu 'u gwylio nhw.

Codaf fy nwylo rhyngddyn nhw, fel baner wen, cyn i ni ddechrau dadl enfawr arall am sinema'r byd yn erbyn sinema Hollywood. 'Beth am i *fi* edrych beth sy arno, cyn i ni ddechrau'r Trydydd Rhyfel Byd?' meddaf.

Gan symud yn araf bach rhag i fi styrbio Bella, rwy'n tynnu fy ffôn mas o 'mag. Ond yn hytrach nag agor y peiriant chwilio, dwi'n agor fy ebost yn ddamweiniol, ac yn gweld bod gyda fi ddwy neges newydd.

Mae fy llaw'n tasgu tuag at 'y ngheg. 'Iei!' bloeddiaf, wrth ddarllen y neges gynta.

'Pwy sy 'na?' Mae Elliot yn pwyso tuag ata i ac mae Alex yn codi un o'i aeliau.

'Mae Posey'n dod 'ma y penwythnos nesa! Mae hi'n gallu dod wedi'r cyfan!'

'O, gwych! Felly mae Prosiect Myfyriwr Drama ar fin dechrau!'

Rhoddaf bwt i ysgwydd Elliot. 'Nid prosiect yw Posey; mae hi'n ffrind newydd. A dwi'n siŵr y byddet ti wir yn 'i lico hi. Bydde hi'n dy guro di'n rhacs ar SingStar a phopeth.'

Mae golwg grac ar Elliot. 'Does *neb* yn 'y nghuro i ar SingStar!'

Mae Alex yn chwerthin. 'Achos bod neb yn ddigon dewr i wrando arnat ti!' Mae'n troi ata i. 'Pwy yw Posey, dwed?'

Dwi'n esbonio wrth Alex am f'ymweliad â Megan, ac am ofnau Posey.

'Waw, pwy yw Megan 'to?' hola Alex.

'Yr un sy wastad yn cymryd mantais o Penny a'i chyfeillgarwch,' ateba Elliot yn bigog.

Gwgaf. 'Dyw hi ddim cynddrwg â 'ny ... mae'n rhaid i chi jyst peidio â chymryd sylw o'i ffys a'i ffwdan. Mae hi'n berson neis iawn dan yr wyneb.'

'Ydy siŵr ... yn ddwfn iawn dan yr wyneb,' medd Elliot o dan 'i anadl, 'mor ddwfn i lawr â'r Grand Canyon.'

Tase merch bum mlwydd oed ddim yn cysgu ar fy nghôl, byddwn i wedi rhoi cic iddo fe dan y ford.

'*A dweud y gwir*, mae Ceunant Colca ym Mheriw fwy na dwywaith yn ddyfnach na'r Grand Canyon,' medd Alex yn ddireidus.

'Wel, ti'n gweld?' medd Elliot, gan chwerthin. 'Fyddwn i ddim yn dweud 'i bod hi cynddrwg â 'ny. Ond *nawr* pwy sy'n gwbod popeth?!'

Wrth iddyn nhw siarad, dwi'n ateb Posey yn gyflym.

Newyddion ffantastig!

Arhosa i amdanat ti yn yr orsaf am 11 ddydd Sadwrn. Bydda i'n sefyll ar bwys y piano sy am ddim (ond fydda i'n bendant ddim yn ei gyffwrdd e! Dim sgiliau fel 'na, mae arna i ofn). x

Nawr bod cynllun i weld Posey yn 'i le, dwi'n teimlo'n llawer hapusach. Ond mae rhywbeth bach yn 'y mhoeni i o hyd, sef y syniad ... falle ... y dylwn i ddweud wrth Megan. Ond nid Megan sy'n rheoli pwy yw fy ffrindiau i. 'Allwn ni fynd?' holaf. 'O, anghofiais i fod angen i fi edrych ar amseroedd y ffilmiau!'

'Paid â phoeni, fe wnaethon ni hynny,' medd Alex gan wenu. 'Ac ry'n ni wedi penderfynu ar y ffilm Disney diweddara. Ti'n dod?'

'Ydw! Wna i tsecio 'da Mam.'

Ar fy nghôl, mae Bella'n gwingo ac yn dylyfu gên yn swnllyd.

'Ti'n barod i fynd adre?' holaf, gan symud cudynnau bach o'i hwyneb. Yn sydyn mae'i thebygrwydd i Noah yn fy mwrw fel gordd. Ond mae'n hen bryd i fi beidio â gweld 'i ysbryd e ym mhobman. Mae'n bryd i fi gamu i'r goleuni. Mae 'da fi ffrindiau sy'n 'y ngharu, a ffrindiau newydd y bydda i'n eu caru'n fawr cyn hir.

Ac mae *hynny'n* bwysicach na bachgen unrhyw ddydd.

Pennod Un deg un

Fore trannoeth yn yr ysgol, dwi'n glanhau gweddillion y cemegau oddi ar fy mhrintiau du a gwyn ac yn eu hongian i sychu ar lein yn stafell dywyll yr ysgol. Ro'n i wedi tynnu lluniau o Bella'n chwarae gyda'r Dywysoges Hydref, ond dy'n nhw ddim yn edrych cystal ag ro'n i'n gobeithio y bydden nhw. Diolch byth, felly, 'mod i hefyd wedi tynnu lluniau ar 'y nghamera digidol. Fel arfer, mae'r stafell dywyll yn un o fy llefydd hapus (er y bydda i'n gadael y lle'n aml gydag ewinedd brown ar ôl anghofio gwisgo menig). Ond heddiw, mae pethau'n mynd o chwith.

Ar ôl gweld yr holl waith a wnaeth Callum ar 'i bortffolio, dwi'n gwybod bod angen i fi ymdrechu'n galetach. Mae 'na lais bach diflas yn dweud wrtha i 'mod i ddim yn rhoi digon o amser ac ymdrech i 'nghrefft – os ydw i eisiau gwneud hyn yn broffesiynol. Dwi wedi cael tipyn o lwc hyd yn hyn, ond dwi ddim eisiau llwyddo trwy lwc yn unig. Hefyd, mae'r geiriau 'unigryw i Penny' yn canu yn 'y mhen. Dyw'r lluniau hyn ddim yn agos at hynny. Dwi'n hanner ystyried troi at fy iPhone a defnyddio'r golau i'w dinistrio nhw i gyd. Yn anffodus, mae'n rhaid i fi rannu'r stafell dywyll gyda 'nghyd-ddisgyblion, felly dwi'n rhygnu 'nannedd ac yn gadael i'r printiau sychu.

Mae Miss Mills yn eistedd yn y stafell ddosbarth drws nesa, ac yn edrych yn syn arna i wrth i fi gau drws y stafell dywyll yn glep yn fy rhwystredigaeth. Mae'i llygaid fel soseri. 'Popeth yn iawn, Penny?'

'O, sori, Miss – ydw, dwi'n iawn.' Mae hi'n aros am funud neu ddwy nes i fi gyffesu. 'Jyst ddim yn gallu gwneud i bethe weithio'n iawn gyda chamera ffilm ydw i ar hyn o bryd. Mae popeth dwi'n rhoi cynnig arno fe yn ... fethiant. Dwi ddim y gwybod beth i'w wneud na sut i newid pethe. Dwi ddim isie dibynnu ar ddim ond lluniau digidol a Photoshop ar gyfer y prosiect 'ma.'

Mae hi'n amneidio at y gadair gyferbyn â hi, a'm hannog i eistedd i lawr. Suddaf i'r gadair, gan ollwng fy mag wrth 'y nhraed. 'Ti wedi bod yn rhoi dy hun dan lawer iawn o bwysau, Penny. Ti'n gwneud yn anhygoel o dda yn dy waith cwrs ac mae angen i ti ddysgu cadw pethau mewn persbectif. Fydd pob llun rwyt ti'n 'i dynnu ddim yn ddigon da i fod ar glawr albwm,' medd, gyda winc.

'Dwi'n gwbod hynny, wir ...'

'Ond?'

Gwenaf. Mae Miss Mills yn fy nabod i mor dda. Mae hi wedi bod yn graig i fi ers i ddigwyddiadau'r Nadolig diwethaf droi 'mywyd ben i waered, ac fe gefnogodd hi fi trwy wallgofrwydd y daith gyda Noah – er bod hynny yn ystod gwyliau'r haf. Hi hefyd oedd un o'r ychydig bobl oedd yn darllen *Merch Ar-lein* pan oedd e'n breifat. Dwi'n ymddiried ynddi'n llwyr. 'Ond dwi isie gwella. Dwi isie cael arddull unigryw i *fi*. Dwi isie i rywun edrych ar un o fy lluniau a dweud, "O! Dyna Penny Porter!"'

Mae hi'n pwyso 'mlaen dros y bwrdd, ac yn gorffwys 'i gên

yn 'i dwylo. 'Rhywbeth sy'n cael 'i ddatblygu gydag amser yw steil, ac yn aml mae'n rhaid i ti roi cynnig ar lawer o bethe nes i ti ddod o hyd i d'arddull unigryw di. Dwi'n credu bod angen i ti fynd i rywle gwahanol. Llefydd o gwmpas Brighton sy yn dy luniau di fel arfer, ond rwyt ti wedi creu gwaith trawiadol dros ben ar ôl cael dy wthio i rywle llai cyfarwydd a chyfforddus.'

'Hm, mae hynny'n wir, siŵr o fod.' Mae fy meddwl yn chwyrlïo wrth feddwl am lefydd eraill i dynnu lluniau gwahanol, yna: 'O! Dwi'n mynd i'r Alban hanner tymor. Falle galla i dynnu lluniau fan'na.'

'Byddai hynny'n wych! Ond cofia edrych y *tu hwnt* i'r pethe arferol. Ti'n dda am wneud hynny, ond dwi'n credu mai dyna pam ti'n teimlo braidd ar goll ar hyn o bryd – dim ond edrych ar yr hyn sy o dy flaen di wyt ti wedi bod yn gwneud. Mae angen i ti newid dy ffocws ac agor dy lygaid eto.' Mae hi'n eistedd yn ôl yn 'i chadair. 'Dwi ddim yn poeni, Penny. Ti wastad yn cyrraedd y nod yn y pen draw.'

'Diolch, Miss. Chi'n gwneud unrhyw beth neis dros hanner tymor?'

'Ha! Dim gobaith! Dim byd ond marcio, marcio a marcio i fi ... lwcus 'mod i'n dwlu ar 'y ngwaith.'

'O ... wel gobeithio gewch chi amser i ymlacio rhywbryd.'

'Ie wir, Penny!'

Codaf fy mag oddi ar y llawr a throi am y drws. Wrth gerdded tuag at fy locer, gwelaf Kira ac Amara'n aros amdanaf i.

'Haia!' codaf fy llaw a rhedeg tuag atyn nhw.

'Penny! Sut oedd ysgol ffansi newydd Megan?' Mae llygaid Kira yn pefrio.

'Wir, ro'dd hi fel rhywbeth mas o Glee! Hollol cŵl. Mae'n berffaith i Megan.'

'O da iawn. Falle dylen ni ymweld â hi hefyd,' awgryma

Amara, gan wenu'n gyffro i gyd.

'Pryd? Mae cymaint o waith astudio 'da fi i'w wneud!' cwyna Kira. Hi yw'r fwyaf pryderus am 'i marciau ohonon ni i gyd. Dwi'n rhoi fy llaw ar 'i braich ac yn 'i gwasgu'n ysgafn.

Mae fy ffôn yn suo a dwi'n 'i dynnu mas o fy mag. Dwi'n cnoi 'ngwefus waelod wrth agor y neges destun –

Alla i ddim credu bod hyn wedi digwydd.

'Penny? Beth sy'n bod?'

Edrychaf ar Kira. 'Beth ti'n feddwl?'

'Ti wedi cochi fel tomato!'

'Wel, pan o'n i yn ysgol Megan, cwrddais i â'r bachgen 'ma ...'

Mae Amara a Kira'n gwichian gyda'i gilydd, mewn ffordd sydd ond yn bosib i efeilliaid 'i wneud.

'Beth? Dwi isie gwbod popeth!' medd Kira.

'Callum yw 'i enw e, ac mae'n fyfyriwr ffotograffiaeth yn ysgol Madame Laplage.'

'Ciwt?' hola Amara.

'Mooor ciwt,' atebaf, gan deimlo'r gwrid yn lledaenu dros 'y mochau. 'A rhoddodd Megan fy rhif i iddo fe.'

'Ac mae e wedi tecstio?' hola Kira. 'O, ffantastig! Ti'n mynd i gwrdd ag e?'

'Beth am Noah?' hola Amara.

Mae Kira'n pwnio braich 'i chwaer. 'Pam holi amdano fe? Does dim angen i Penny feddwl amdano fe nawr.'

'Dwi'n gwbod, ond dwi'n caru Noahpen. Ro'n i wastad yn meddwl y byddech chi'ch dau'n dod trwy hyn ac yn aros gyda'ch gilydd am byth,' medd Amara, gan godi'i hysgwyddau'n ymddiheurol.

'Noahpen? Pryd wnaeth unrhyw un ein galw ni'n hynna?' gofynnaf mewn penbleth. Dwi'n esgus chwydu, wrth feddwl mor gyfoglyd fyddai hynny.

Mae Amara'n chwerthin. 'Dim ond rhywbeth welon ni ar-lein unwaith, a meddwl 'i fod e mor ddoniol fel bod rhaid i ni'i ddefnyddio.'

'Diolch *byth* fod hwnna heb bara!' meddaf gan wingo. 'Ac mae'n iawn. Bydd Noah a finne wastad yn ffrindiau ... os clywa i wrtho fe eto, hynny yw. Ac ro'dd Callum yn neis iawn, ond dwi ddim wir yn 'i nabod e eto.'

'Anwybydda fy chwaer dwp,' medd Kira. 'Mae hyn yn beth da iawn. Mae'n rhaid i ti fynd amdani, ac yna gwneud yn siŵr bo' ti'n dod 'nôl i ddweud wrthon ni amdano fe.'

'Iawn, iawn. Gad i fi ateb.'

Darllenais y neges unwaith eto.

Heia Penny, Callum sy 'ma – cwrddon ni yn MLP? Ddwlen i gwrdd â ti eto i siarad am stwff ffotograffiaeth. Pryd wyt ti'n rhydd?

Anadlaf yn ddwfn, cyn teipio ateb 'nôl yn gyflym.

Helô! Braf clywed wrthot ti. Dwi ddim yn rhydd y penwythnos 'ma, ond beth am y penwythnos wedyn?

Dwi'n gwasgu 'anfon' ac yn synnu cyn lleied dwi'n poeni am eiriad y neges – yn enwedig o gymharu â 'ngofid wrth anfon fy neges gynta at Noah. Ro'n i'n teimlo'n wahanol iawn wrth 'i decstio fe: teimlad penysgafn braf, fel taswn i ar chwyrligwgan. Gobeithio mai aeddfedrwydd yw'r rheswm am hyn, ac y bydda i'n teimlo'r un cyffro gyda Callum.

Mae fy ffôn yn suo eto, a Kira'n codi un o'i haeliau perffaith. 'Waw, mae'n rhaid 'i fod e'n dwlu arnat ti os yw e'n ateb yn syth! Mae James yn cymryd oesoedd i ateb.' Bachgen ciwt o ysgol arall yw James. Mae e'n chwarae rygbi, a fe sy'n mynd â bryd Kira ar hyn o bryd.

'Mae hynny'n dda. Mae'n golygu nad yw e'n chwarae gêm â ti,' mynna Amara. 'Beth mae e'n weud?'

Darllenaf y neges yn uchel:

Swnio'n dda i fi! Digon o gyfle i fi gynllunio rhywbeth mwy cyffrous. Wna i hala neges arall atat ti pan fydda i wedi penderfynu ble dylen ni gwrdd x

Mae Kira'n gwasgu'i dwylo gyda'i gilydd yn llawn cyffro. 'O waw. Mae e'n paratoi dêt go iawn. Tybed ble aiff e â ti?'

'Does 'da fi *ddim* syniad,' meddaf. *Ond ble bynnag bydd e, fydd e ddim cystal â'r dêt cynta gyda Noah,* meddyliaf. Ond yna, dwi'n grac â fi fy hunan am fod mor negyddol.

Mae'r ffôn yn suo eto.

Dere â dy gamera. Dwi eisiau gweld yr enwog Penny Porter wrth ei gwaith x

Wrth ddarllen y neges olaf, teimlaf bilipalod bychain yn cylchdroi yn 'y mola. Er nad Noah yw e, falle gwnaiff hyn droi'n rhywbeth arbennig, wedi'r cyfan.

Pennod Un deg dau

Sylwaf yn syth ar het beret gwyrdd llachar Posey'n dod i lawr y platfform, a dwi'n codi fy llaw a chwifio arni'r wyllt. Dwi wedi bod yn teimlo ton o nerfusrwydd wrth feddwl am y penwythnos yma. Ro'n i'n poeni falle y byddai hi'n ailfeddwl, ac yn aros gartre. Mae dod ar daith fawr fel hon i weld person rwyt ti ond wedi'i gyfarfod unwaith yn dipyn o beth. Dwi'n ceisio meddwl yn bositif. Bydd popeth yn iawn. Ry'n ni wedi cyfnewid o leia gant o negeseuon What'sApp, gan sgwrsio fel tasen ni'n nabod ein gilydd ers dyddiau'r cylch meithrin.

Dwi'n sefyll yn union ble dwedais i y byddwn i – wrth y piano-am-ddim yng nghanol yr orsaf. Mae croeso i unrhyw un chwarae'r piano, os oes awydd arnyn nhw. Wrth iddi gerdded trwy iet y tocynnau a cherdded tuag ataf, mae hi'n gwenu'n swil ac yn stopio ychydig droedfeddi oddi wrtha i.

'Hei, Penny.'

'Helô! Sut oedd dy siwrnai di?'

'Ddim yn rhy ddrwg.' Mae'i llygaid yn ciledrych o gwmpas yr orsaf, gan sylwi ar y stondin flodau, y stondinau pasteiod niferus a'r siopau coffi. Mae fel tase hi'n edrych i bob cyfeiriad, gan osgoi edrych arna i. Mae'n rhaid 'i bod hi'n teimlo mor nerfus â fi, ond dwi'n benderfynol o beidio â gadael i'n sgwrs fod yn lletchwith.

'Ble licet ti fynd gynta?' cynigiaf. 'Y pier? Y Lanes?'

Mae'n codi'i hysgwyddau.

Dwi'n dal i siarad wrth i ni ddechrau cerdded i lawr y stryd sy'n arwain o'r orsaf. 'Wel, wrth gwrs, dwyt ti ddim yn gwbod lle i ddechre! Dwyt ti ddim wedi bod 'ma o'r blaen, nag wyt ti!' Dyw hi ddim yn ateb, a dwi'n difaru na wnes i wahodd Elliot i ddod gyda ni. Mae e'n gwybod sut i dorri'r garw gydag unrhyw un.

'Y môr yw hwnna?' hola, a'i llygaid yn agor led y pen. Ry'n ni wedi cyrraedd top Queen's Road, sef bryn hir sy'n arwain yr holl ffordd i lawr i draeth Brighton. Dwi'n falch 'i bod hi'n ddiwrnod braf o fis Medi, gan fod Brighton yn edrych ar 'i gorau. Mae'n hawdd cael eich swyno gan y ddinas hon pan fydd hi'n disgleirio yn yr heulwen.

'Ie. Licet ti fynd lawr fan'na gynta?'

Mae hi'n nodio'i phen, gan gnoi'i gwefus. 'Dwi'n dwlu ar y môr.'

'A finne!' Dwi'n rhoi 'mraich yn 'i braich, ac mae hwyliau'r ddwy ohonom yn codi.

Wedi hynny, mae'r sgwrs yn llifo'n rhwydd, fel tasen ni wedi torri trwy argae ein lletchwithdod.

'Dwi wedi clywed wrth Callum,' meddaf. 'Mae e wedi gofyn i fi fynd mas 'da fe.' Ro'n i wedi dweud y cyfan wrth Posey am ddrama Callum-a-Noah.

'Ti'n hapus am hynny?' hola.

'A bod yn onest, dwi ddim yn gwbod ... mae'n dal i deimlo'n rhyfedd.'

'Dwi'n credu bod hynny i'w ddisgwyl. Mae e'n edrych fel bachan ffein – dylet ti roi cyfle iddo fe, o leia. Beth yw'r peth gwaetha all ddigwydd?'

Mae'n braf siarad â rhywun sydd ddim yn meddwl amdana i fel cyn-gariad Noah yn unig. Dyw hi ddim yn gwneud i fi deimlo fel taswn i'n bradychu Noah wrth ystyried mynd mas gyda rhywun arall.

Ry'n ni'n anadlu aer hallt glan y môr, ac mae Posey'n gwichian yn hapus wrth weld y traeth caregog. 'Ody e'n gyfforddus?' hola. 'Dwi wastad yn gweld y lluniau hyn o bobl yn gwasgu eu hunain ar y traeth ganol haf, ond do'n i ddim yn sylweddoli bod cymaint o gerrig yma!'

'Ti'n dod yn gyfarwydd ag e,' meddaf. 'Pan ti'n symud o gwmpas i drio cael lle cyfforddus i folaheulo, mae e fel rhoi *massage* i dy draed!'

Ar y pier, ry'n ni'n prynu ffon hir fflwfflyd o gandi-fflos ac yn chwerthin wrth i'r lliw droi'n tafodau'n las. Ry'n ni'n prynu tocynnau ac yn cael tro ar y ceir clatsho, a dwi'n cofio cymaint o sbort yw diwrnod yng nghwmni merch arall.

Ar ôl i ni roi cynnig ar bopeth ar y pier, ry'n ni'n galw yn fy hoff siop hufen iâ – Boho Gelato – lle ry'n ni'n dwy'n cael côn o'r hoff flas: cacen foron. Mae e mor feddal a chyfoethog, fel darn o gacen yn toddi yn fy ngheg.

Ry'n ni nawr yn ymlwybro â'n hufen iâ tuag at y Pavilion Gardens, ac yn chwerthin nes bod ein hochrau ni'n brifo wrth weld dwy sguthan yn paru a gwiwerod yn dwyn bwyd o bicnic plant ysgol o'r Almaen.

Yna, ry'n ni'n crwydro drwy'r Lanes, a dwi'n dangos y siopau gemwaith antîc, ac yn syllu'n drachwantus ar fodrwyau Art Deco o'r 1930au a mwclisau perlau a diamwntau o'r 1950au. Dewiswn ein modrwyau dyweddïo (er bod blynyddoedd tan hynny) ac ar ôl cael llond bola, ry'n ni'n mynd i'r siop losin i brynu modrwyau jeli i'w gwisgo.

'Mae siop Mam rownd y gornel,' meddaf. 'Mae hi wir isie cwrdd â ti. Rhaid i fi ymddiheuro o flaen llaw os yw hi braidd ... dros-ben-llestri.'

Mae Posey'n chwerthin. 'Dwi'n gwbod popeth am famau dros-ben-llestri, cred ti fi!'

Ar ôl cyrraedd To Have and to Hold, mae Posey'n ebychu wrth weld arddangosfa'r ffenest. Cynhaeaf Hael yw thema'r wythnos hon, ac mae lliwiau efydd, coch ac aur fel dail yr hydref yn llenwi'r ffenest. Mae'r ffrog sydd ynddi wedi'i gwneud o sidan coch ac mae pigyn ar y llewys hir, fel rhywbeth y byddai Maid Marian wedi gwisgo yn yr Oesoedd Canol. Wrth 'i thraed mae basged a'i llond o afalau, a thrugareddau hardd o'i chwmpas: concyrs brown, sgleiniog, dail derw oren a chrensiog, a phob math o bwmpenni a llysiau.

'Siop dy fam di yw hon? Mae'n edrych yn anhygoel!'

'Wel, diolch yn fawr! Mae'n rhaid mai Posey wyt ti!' Mae Mam newydd agor y drws i gleient sy'n gadael, ac yn ein croesawu i mewn. 'Wela i di wedyn, Chantal!' medd, gan godi llaw ar y fenyw sy'n gadael. 'Dewch i mewn, ferched,' ychwanega, gan droi'i sylw atom ni.

Dwi wastad wrth 'y modd yn ymweld â siop Mam. Mae'n drysorfa ryfeddol, ac yn llawn i'r ymylon o bethau sgleiniog a phert. Mae Posey a fi'n cerdded o gwmpas yn gynta, a Mam yn dangos rhai o brops diddorol y siop i ni, gan adrodd storïau difyr amdanyn nhw. 'A,' medd, wrth weld penwisg enfawr, wedi'i haddurno â phlu coch a du. 'Ro'n i'n gwisgo hon pan o'n i ym Mharis. Pryd bynnag y bydd rhywun isie thema Moulin Rouge, hon sy'n dod mas ...'

'Mae Penny'n dweud wrtha i bo' chi'n arfer actio ym Mharis yn yr wythdegau? Sut brofiad o'dd hynny?' hola Posey.

'A, Montmartre ... dyddiau da,' ateba'n freuddwydiol. 'Roedd

Paris yn wahanol bryd hynny, ac ro'n i'n teimlo mor fohemaidd. Do'n ni ddim yn galw'n hunain yn actorion; trwbadwriaid o'n ni, yr un mor gyfforddus yn perfformio ar y stryd ag yr o'n ni ar lwyfan.'

'Mae'n swnio'n fendigedig,' medd Posey.

'Mae Posey'n astudio drama a cherddoriaeth yn Madame Laplage, yn union fel Megan,' meddaf. 'Hi sy wedi cael y brif ran yn eu cynhyrchiad nhw o *West Side Story*.'

Mae Mam yn curo'i dwylo. 'Ardderchog! Dwed wrtha i am y cynhyrchiad. Fyddwch chi'n perfformio fersiwn clasurol y ddrama?'

'Byddwn. Y fersiwn clasurol yw e, ond mae ychydig yn fyrrach – yn anffodus.'

Mae llaw Mam ar 'i thalcen, wrth iddi esgus llewygu.

'Fersiwn byrrach! Hunllef pob dramodydd!'

'Dwi'n gwbod,' cytuna Posey, gan grychu'i thalcen yn ddig. 'Ond mae hi'n dal yn sioe dda. Neu, fe fydd hi'n dda, ar ôl i Megan gymryd y brif ran.'

'Sori?' hola Mam.

Mae Posey'n syllu'n ddigalon ar y llawr, a dwi'n rhoi fy llaw ar 'i hysgwydd. 'Mae Posey'n wirioneddol ofn mynd ar lwyfan,' meddaf, 'ac ro'n i'n meddwl falle y byddai'n help i ti siarad â hi am y peth?'

'O, druan â ti. Wrth gwrs. Ro'n i'n arfer mynd mor nerfus fel 'mod i'n cyfogi cyn dechrau pob perfformiad. Galla i ddangos ymarferion anadlu i ti, os licet ti. Yn y pen draw, wnes i roi'r gorau i actio,' medd Mam, braidd yn hiraethus.

Galla i weld nad yw hyn yn helpu Posey, felly dwi'n edrych ar Mam yn ymbilgar. Mae hi'n nodio'i phen. 'Ond, cariad, mae llawer o actorion yn dioddef ohono fe, ac maen nhw'n dal i berfformio! Yn Ffrainc, mae'n cael 'i alw'n *avoir le trac*. Dwi'n cofio un o fy ffrindiau gorau o'r cyfnod yna, Èloïse ... ro'dd hi'n dioddef o *le trac* nes iddi ddysgu dychmygu'r gynulleidfa'n noeth ...'

Mae wyneb Posey'n bictiwr. 'Rywsut, dwi ddim yn credu 'mod i isie dychmygu holl blant 'y nosbarth i'n borcyn. Mae'n teimlo braidd yn ... anaddas.'

'Hmm, ydy ... falle nad dyna'r ffordd orau 'mlaen. Ti'n gwbod beth wna i? Mae angen i fi gysylltu ag Èloïse eto. Falle y gwna i sgrifennu ati hi, i ofyn oes 'da hi unrhyw gyngor i ti.'

'Diolch, Mrs Porter,' medd Posey'n gwrtais. Galla i ddweud bod unrhyw obaith oedd gyda hi i gael help gan Mam wedi diflannu. Mae angen i Posey siarad â rhywun sydd wedi goresgyn yr ofn, a dal ati.

'Ie, diolch, Mam. Dwi am fynd â Posey adre nawr. Wela i di amser swper?'

'Grêt,' gwena Mam. 'Gobeithio dy fod ti'n hoffi *spaghetti bolognese*?'

'Dwlu arno fe,' ateba Posey.

Awn trwy'r Lanes unwaith eto cyn neidio ar fws am adre. 'Sori nad oedd Mam yn fawr o help i ti,' meddaf.

Gwena Posey. 'Dwi wedi bod yn delio â'r peth ers oesoedd nawr, felly do'n i ddim yn disgwyl ateb syml. Paid â phoeni, Penny – nid dyna'r unig reswm y des i yma. Dwi'n joio!'

'A finne,' meddaf, gan wenu'n ôl arni. Ond dwi'n benderfynol o'i helpu. 'Mae 'da fi syniad arall. Dwi'n sgrifennu blog ers sbel fach. Pryd bynnag fydd 'da fi broblem, dwi'n gofyn cwestiwn a wastad yn cael cyngor da iawn 'nôl. Fyddai ots 'da ti taswn i'n gofyn i 'narllenwyr i am help?'

Mae hi'n codi'i hysgwyddau. 'Gallai hynny weithio. Ond, wir, dwi ddim yn credu bod "gwelliant" neu "ddull" dwi heb 'i gwglo eto.'

'Dwi'n gwbod, ond byddai'n werth trio, on' byddai hi?'

'Pam lai. Beth yw dy flog di?'

'*Merch Ar-lein* yw 'i enw e. Ro'dd e'n arfer bod yn anhysbys, ond wedyn pan ddigwyddodd popeth gyda Noah, daeth pawb i wbod amdana i. Ond, dwi'n falch. Dwi wedi dod i nabod llwyth o bobl drwy'r blog, ac mae rhai ohonyn nhw'n ffrindiau gorau i fi nawr – er 'mod i heb gwrdd â nhw!'

'O, ti mor ddewr yn sgrifennu blog. Mae llawer o bobl yn yr ysgol yn eu gwneud nhw hefyd, ond dyw e ddim yn apelio ata i o gwbl. Dwi jyst ddim y math o berson sy'n hoffi sgrifennu.'

'Nag wyt – person sy'n hoffi canu wyt ti!' meddaf gan chwerthin, ac ry'n ni'n neidio oddi ar y bws, yn cerdded i'r tŷ ac yn mynd lan lofft.

'Waw, mae dy stafell di'n anhygoel!' ebycha Posey, wrth graffu ar bob twll a chornel yn fy stafell glyd yn yr atig.

'Diolch! Dwi'n dwlu arni hi. Mae'n debyg i'r Tardis.'

'Beth wyt ti'n feddwl?'

'Wel, mae llwyth o gwtshys a llefydd bach cudd y tu ôl i'r paneli 'ma, ac mae fy ffrind gorau'n byw yr ochr arall i'r wal 'ma. Felly er bod y stafell yn teimlo'n fach, mae mwy o le fan hyn nag y byddet ti'n feddwl.'

'Ti mor lwcus. Ro'dd rhaid i fi rannu stafell gyda fy chwaer nes i fi gael lle yn Madame Laplage. Dwi wir ddim isie gadael y lle,' medd yn dawel.

Dwi ar fin dweud rhywbeth arall, pan glywaf Posey'n gwichian. 'Arswyd! Ti wedi cwrdd â Leah Brown?'

Mae hi'n rhythu ar 'y nrych, ac arno glawr albwm Leah â llun ohona i. Mae hi wedi'i lofnodi hefyd.

I Penny, a welodd y fi 'go iawn'. Cariad mawr, Leah.

'Ydw,' atebaf yn swil. 'Fi dynnodd y llun 'na ohoni hi yn Rhufain.'

'Ti'n jocan! Ai dyma'r albwm newydd? *Ti dynnodd hwn?*' Mae Posey'n edrych arna i'n syn. 'Waw, ti mor lwcus. Hi yw un o f'arwyr i.'

'Mae hi'n arbennig,' meddaf gan chwerthin. 'A do, fe ddigwyddodd hynny rywsut!'

Mae gweddill y noson yn hedfan heibio, yn seren wib hyfryd o chwerthin a storïau. Mae Mam yn holi Posey'n dwll am fyd y theatr ar hyn o bryd, ac yn adrodd storïau am 'i dyddiau ym Mharis. Dwi'n dysgu mwy mewn un noson am Mam yn ddeunaw oed nag y gwnes i erioed o'r blaen – a dwi ddim yn hollol siŵr 'mod i'n barod i glywed y cyfan.

Ar ôl mynd â Posey 'nôl i'r orsaf a ffarwelio â hi, ry'n ni i gyd yn dymuno y gallai hi fod wedi aros yn hirach. Trof at Mam. 'Ti'n credu y bydd hi'n iawn?'

'Dwi wir ddim yn gwbod,' medd Mam gan ochneidio. 'Dwi'n nabod sawl actores sy wedi gadael i'w hofn bod ar lwyfan strywio'i gyrfa. Llwyddodd Èloïse i oresgyn y peth, ond dwi ddim yn siŵr sut. Mae'n rhaid 'i fod e'n ddwfn y tu mewn i ti, rywsut. Does dim ateb syml.'

Ar ôl cyrraedd 'nôl i fy stafell, dwi'n teipio blogbost i *Merch Ar-lein*.

26 Medi

Merch Ar-lein yn gofyn am help: Ofn bod ar lwyfan?

Chi'n gwybod weithiau pan fydd pobl yn dweud "dwi'n gofyn ar ran ffrind", ond eu bod nhw mewn gwirionedd yn siarad amdanyn nhw eu hunain? Am unwaith, nid dyma sy'n digwydd fan hyn. Dwi wir – dwi'n addo – yn gofyn ar ran ffrind. Ffrind newydd, a dweud y gwir, sydd wedi dod â llawer o bositifrwydd i fi'r wythnos hon. On'd yw e'n beth gwych pan fyddwch chi'n cwrdd â rhywun, a 'chlicio' yn syth? Dwi'n dwlu treulio'r wythnosau cynta hynny'n hala negeseuon 'nôl a 'mlaen, yn dysgu am bersonoliaeth rhywun ac yn adeiladu cyfeillgarwch fesul tipyn, a fydd yn gadarn fel craig. Mae hi fel tase eich bywydau chi'n dod at 'i gilydd ac ymhen tipyn mae'n anodd credu eich bod chi wedi bodoli heb y person yma. Dyna sut ro'n i'n teimlo pan gwrddais i â'r Athrylith Cerddorol.

Nawr, dyma'r peth am AC. Mae hi wedi cael y brif ran yng nghynhyrchiad newydd 'i hysgol hi (cymeradwyaeth, plis) ond mae hi'n wirioneddol ofn bod ar lwyfan. Er 'mod i'n dioddef o orbryder, dyw'r ofn hwn ddim yn rhywbeth y galla i uniaethu ag e'n llawn. Heblaw, wrth gwrs, eich bod chi'n ystyried y tro hwnnw bues i ar lwyfan, a llwyddo i arddangos hen nicers rhacslyd i'r gynulleidfa i gyd. A bod yn onest, mae hynny'n ddigon i hala ofn ar unrhyw un. Dwi eisiau rhoi cyngor iddi hi, er mwyn iddi hi deimlo'n well am y peth, ond mae'n anodd. Alla i ddim dychmygu sut beth yw caru gwneud rhywbeth, ond teimlo, er mor galed ry'ch chi'n ymdrechu, eich bod chi'n methu ymroi i'r peth 100%. Mae hi'n disgrifio'r peth i fi fel tase hi'n sefyll ar y llwyfan, yn edrych mas ar y gynulleidfa, yn barod i ganu, ond bod 'i thafod wedi diflannu o'i cheg. Wedyn, mae panig yn cronni wrth iddi hi sylweddoli bod dim byd yn dod mas ac yn sydyn mae hi wedi rhewi yn 'i hunfan a'r gynulleidfa'n haid o lewod, yn dangos eu dannedd yn araf a bygythiol.

Dwlen i wybod a oes unrhyw un ohonoch chi'n dioddef o'r ofn hwnnw, ac os ydych chi, a'ch bod chi wedi dod drosto fe, plis rhowch gyngor i fi er mwyn i fi allu'i roi i fy ffrind. Dwi hefyd yn credu y byddai'n help mawr i ddarllenwyr eraill hefyd. Alla i ddim gadael i AC golli'r cyfle i wneud rhywbeth mae hi wedi breuddwydio amdano erioed, dim ond achos bod 'i meddwl yn gwrthod cydweithredu ar yr adeg fwyaf tyngedfennol.

Merch Ar-lein, yn mynd oddi ar-lein xxx

Bron yn syth bìn, caf neges uniongyrchol ar Twitter oddi wrth Ferch Pegasus.

Hei Penny! Dwi newydd ddarllen dy flogbost diweddara yn ffrwd newyddion BlogLovin ... wyt ti wedi holi Leah Brown sut gwnaeth hi oresgyn ei hofn o fod ar lwyfan? Xx

Codaf f'aeliau'n syn. Leah?

Naddo! Do'n i ddim hyd yn oed yn gwybod ei bod hi'n ddioddef ohono!

O ydy! Darllenais i am y peth mewn cyfweliad gyda hi yn *Teen Vogue*. Wnaeth hi ddim manylu ar y peth, ond gallet ti ddweud dim ond o ddarllen tamed bach ei fod e'n beth mawr iddi hi.

Meddyliaf am sut y goleuodd wyneb Posey o weld clawr albwm Leah Brown yn fy stafell, a sylweddoli 'mod i'n 'i nabod hi. Ac os buodd hi – sef y seren bop fwyaf yn y byd ar hyn o bryd – yn cael trafferth gyda'r un ofn â Posey, wedyn falle bod rhywbeth y galla i'i wneud i helpu.

Mae 'mysedd yn binne bach llawn cyffro. Agoraf ffenest newydd i gyfansoddi e-bost. Ysgrifennaf at Leah.

Oddi wrth: Penny Porter
At: Leah Brown

Leah!!

Gobeithio dy fod ti'n iawn. Gwelais i luniau dy wyliau yn Awstralia ar Instagram – roedd yn edrych yn anhygoel. Dwi braidd yn genfigennus!

Mae popeth yr un peth fan hyn. (Dim newyddion oddi wrth Noah – wyt ti wedi clywed unrhyw beth?) ond mae 'da fi ffafr i ofyn i ti ... Dwi wedi cwrdd â ffrind sy'n astudio Theatr Gerdd. Mae gyda hi lais anhygoel ond mae hi hefyd yn wirioneddol ofn bod ar lwyfan. Clywais i dy fod ti hefyd wedi bod trwy rywbeth tebyg ... oes unrhyw ffordd y gallet ti roi cyngor i fi, i'w roi iddi hi?

Cariad a chwtshys anferthol,

Pen xxx

Pennod Un deg tri

Ar ôl dihuno yn y bore, dwi'n rholio drosodd ar 'y mola ac yn cydio'n fy ffôn, sydd wedi bod yn gwefru ar y cwpwrdd wrth ochr 'y ngwely. Yn ôl pob golwg, mae'r ffôn wedi bod yn brysur dros nos. Gwelaf neges oddi wrth Megan sy'n dweud dim ond 'ffonia fi', llwyth o hysbysiadau sy'n dweud wrtha i fod sylwadau ar Merch Ar-lein, ac ateb ar e-bost oddi wrth Leah. Mae hi oriau y tu ôl i fi yn Los Angeles, felly mae'n rhaid na chafodd hi amser i ateb cyn hyn. Agoraf yr e-bost yn gynta.

Oddi wrth: Leah Brown

I: Penny Porter

Hei!! Mor dda clywed oddi wrthot ti! Dim newyddion oddi wrth Noah, yn anffodus ☹

A dweud y gwir, galla i wneud mwy na dim ond cynnig cyngor. Bydda i yn Llundain ddydd Sadwrn, yn recordio gydag un o fy hoff gynhyrchwyr. Pam na wnei di a dy ffrind alw heibio?

Dwlen i dy weld di a helpu, os galla i.

L xxx

Mae hynny hyd yn oed yn well nag y disgwyliais i. Rholiaf drosodd i ochr arall y gwely a churo bum gwaith ar y wal rhwng fy stafell wely a stafell Elliot, sef rhan o'n cod ni pan fyddwn ni eisiau tynnu sylw'n gilydd – gwell na neges destun hyd yn oed! Dyw e ddim yn ateb yn syth, felly dwi'n curo eto, yn galetach fyth y tro hwn. O'r diwedd, clywaf ddwy gnoc ddioglyd yn ateb. Edrychaf ar yr amser. 10 y bore. Dyw hi ddim yn *rhy* gynnar i ddihuno Elliot, ond dwi'n gwybod y gallai fod braidd yn surbwch pan fydd e yma.

Taflaf 'y ngŵn nos fflwfflyd amdanaf, tacluso 'ngwallt gwyllt gyda chlipiau, cyn sgrifennu ateb ati hi.

Oddi wrth: Penny Porter
I: Leah Brown

Gwyyyych! Methu aros i dy weld di. A diolch o galon am hyn – ac ar fyr rybudd hefyd! Ddwedais i wrthot ti erioed mai ti yw'r gorau?

Px

Yna, rhaid i fi ddweud wrth rywun arall. Edrychaf ar fy WhatsApp i weld pwy sydd ar-lein, ac anfon neges ati.

Posey, hei!

Hei, Penny! Mae hyn mor rhyfedd ... ro'n i jyst yn meddwl amdanat ti.

SNAP! A dweud y gwir, mae 'da fi rywbeth i'w ofyn i ti.

Wyt ti'n rhydd ddydd Sadwrn nesa, tua 10?

Ym ... ti'n gwneud i fi boeni nawr! Ond odw, dwi'n credu!
Mae ymarferion yn y pnawn, ond mae cyn hynny'n iawn. Pam?!?

Byddi di'n siŵr o feddwl 'mod i'n wallgo, ond dwi isie i hyn fod yn syrpréis. Dwi'n meddwl falle 'mod i wedi ffeindio rhywun i helpu gyda d'ofn o fod ar lwyfan.
Wir nawr! Alli di gwrdd â fi tu fas i orsaf Victoria am 10 ddydd Sadwrn nesa?

Penny ... ti'n garedig iawn yn trio fy helpu i, ond does dim byd wedi gweithio hyd yn hyn. Falle byddai'n well i fi dderbyn mai dyma sut ydw i.
Alla i ddim perfformio, a fydda byth yn gallu gwneud.

Dwi'n oedi am foment, heb wybod sut i ymateb. Yn ei geiriau hi, galla i weld yr holl deimladau cyfarwydd dwi'n eu cael pan fydd gorbryder yn fy llethu – y syniad na fydd pethau byth yn newid, ac na fydda i byth yn gallu byw bywyd normal. I Posey, dwi'n gwybod bod hyn hyd yn oed yn waeth, achos mai'r peth mae hi'n caru'i wneud fwya sy'n achosi'i gorbryder a'i hofn mwyaf. Ond os yw fy therapydd wedi dysgu unrhyw beth i fi, gwybod ei bod hi'n werth ymdrechu bob amser yw hynny.

Falle dy fod ti'n iawn. Ond os wyt ti'n dal yn barod i drio, wnei di ddod i gwrdd â fi?

Mae hi'n oedi'n hir y tro hwn, a dwi'n syllu ar y geiriau 'yn teipio ...' dan 'i henw, gan aros i'r ateb ymddangos.

Iawn, dwi am fynd amdani. All pethau ddim mynd yn waeth, allen nhw?

:D Cŵl! Wela i di bryd 'ny.

'Beth yw'r newyddion mawr?' Elliot sy 'na, yn sefyll wrth y

drws – yn ei ŵn nos a'i sliperi. Mae'i lygaid yn llawn cwsg a'i wallt yn sticio lan i bob cyfeiriad. Anaml iawn y bydd e'n gadael i unrhyw un 'i weld e fel hyn, ond mae e'n edrych mor ciwt. Mae e'n neidio i waelod 'y ngwely.

'Mae Leah yn dod i Lundain wythnos nesa! Dwedodd Merch Pegasus wrtha i fod Leah ar un adeg yn ofn bod ar lwyfan, felly dwi am fynd â Posey i gwrdd â hi.'

'Dim ond *ti* fyddai'n gallu cael seren bop fyd-enwog i dy helpu di fel hyn,' medd gan wincio. 'Beth mae Megan yn 'i feddwl?'

Gwgaf. 'Beth ti'n feddwl?'

'Wel, bydd hi mor flin o wbod bo' ti wedi trefnu i rywun arall gwrdd â Leah Brown o'i blaen hi.'

Codaf f'aeliau. 'O ie ...' Meddyliaf am 'i neges bigog: 'Ffonia fi.' Ond mae'n amhosib 'i bod hi'n gwybod 'mod i wedi trefnu cwrdd â Leah. Mae'n rhaid bod y neges yn sôn am rywbeth arall. 'Beth os gwahodda i hi hefyd? Wedyn, fydd hi ddim yn 'y nghasáu i.'

Crycha Elliot 'i drwyn. 'Digon gwir. Nid Megan yw fy hoff berson –'

'Nage? Weden i fyth ...'

'– ond dyw hi ddim yn dwp. Bydd hi wrth 'i bod yn cwrdd ag LB – wnaiff hi faddau unrhyw beth. Wir, o'i nabod hi, gallwn ni ddisgwyl iddi droi'r holl beth 'ma'n brosiect bach personol iddi hi, ond beth yw'r ots.'

'Ffiw, iawn. Dwi'n teimlo'n well nawr.'

'Byddai'n well i ti ddweud wrthi hi cyn iddi glywed o rywle arall. Dwi'n mynd lawr staer nawr i weld a yw dy dad am wneud pancos dydd Sul i ni. Dwi fel Linda Evangelista – dyw hi ddim werth codi mas o'r gwely am unrhyw beth llai na phum pancosen gyda surop. Hefyd, dwi heb wneud 'y ngwallt a dwi'n teimlo fel slob. Dim ond pancos sy werth yr embaras.'

'I siwpermodels y nawdegau, deng mil o ddoleri oedd y wobr, dwi'n credu ...'

'Wel, i fi, mae pancos dy dad cystal â hynny.' Neidia Elliot oddi ar y gwely a llamu i lawr y grisiau.

Mae neges Megan yn gwneud i fi ofni'r gwaethaf, ond dwi'n trio peidio â meddwl gormod amdani nes i fi siarad â hi. Dwi'n bwrw'r botwm FaceTime o dan 'i thudalen cysylltiadau ar fy ffôn.

Ar ôl caniad neu ddau, mae hi wedi ateb. Mae'n gwisgo colur llawn yn barod, a'i gwallt wedi'i siapio'n donnau sgleiniog o gwmpas 'i hwyneb. Mae hi'n edrych yn ofnadwy o smart ar fore Sul fel hyn – o'i chymharu â fi, heb golur a gwallt gwyllt yn syth-o'r-gwely. Yr unig beth sy'n strywo'i golwg yw'r olwg surbwch ar 'i hwyneb. Mae fy stumog yn corddi. Falle nad o'n i'n ofni gormod, felly.

'Penny,' medd, a'i cheg yn llinell syth, gadarn.

'Heia, Megan,' meddaf, gan geisio cadw tôn y sgwrs yn ysgafn. 'Be sy'n bod? Ges i dy neges di.'

'Do. Felly, am beth oedd y blog 'na?'

''Y mlog i?'

'Ti'n gwbod, yr un oedd yn siarad am ofni bod ar lwyfan? Beth yw'r hanes?'

'O.' Oedaf am eiliad. Do'n i ddim, wir, wedi dweud wrth Megan am gwrdd â Posey – fuodd 'na ddim cyfle go iawn. Do'n i ddim wedi bwriadu cuddio'r peth oddi wrthi, ond do'n i ddim ar frys i ddweud wrthi chwaith. 'Pan o'n i lan yn ymweld â ti, cwrddais i â'r ferch 'ma, Posey ...'

'Posey Chang ti'n feddwl, y ferch sy'n chwarae'r brif ran?'

'Ie ... ro'dd hi'n ofnadwy o ddigalon ac fe siaradon ni'n dwy am ein gorbryder a dod yn ffrindiau'n syth, felly ro'n i isie'i helpu hi.'

'Beth? Felly ti'n trio strywo 'mywyd i?'

Gwgaf. 'Na'dw. Dwi jyst yn –'

'Jyst yn trio gwneud yn siŵr bod y person dwi'n eilydd iddi hi'n gallu cadw'i rhan – rhan dwi'n haeddu'i chael yn fwy na neb?'

'Wel, ti ddim yn 'i haeddu hi'n fwy na neb os – '

Mae Megan yn torri ar 'y nhraws fel bwyell. 'Beth ddaeth dros dy ben di? O'n i'n meddwl bo' ti'n ffrind i fi?'

'Dwi *yn* ffrind i ti, Megan, ond dwi hefyd nawr yn ffrind i Posey. A ta beth, ro'dd 'da fi rywbeth i'w ofyn i ti.'

'Ie ie, gwed ti ...' wfftiodd, gan rowlio'i llygaid.

'Rhywbeth am Leah Brown. Mae hi'n dod i'r dre ddydd Sadwrn nesa ac mae hi isie cwrdd â fi yn 'i stiwdio. Dwedodd hi y gallwn i ddod â ffrindiau gyda fi hefyd, felly ...'

Fel cwmwl mawr llwyd yn chwalu i ddatgelu heulwen braf, daw gwên fawr i wyneb Megan. 'Ga i ddod? Wir?'

Alla i ddim peidio â chwerthin wrth weld y newid yn 'i chymeriad. 'Hynny yw, os nad wyt ti'n f'anwybyddu i.'

'O iyffach, Penny, dwi'n maddau popeth! Dwi'n addo!'

'Wel paid ag addo unrhyw beth 'to. Dwi hefyd wedi gwahodd Posey. Ti'n credu galli di ymdopi â hynny?'

Daw'r cwmwl llwyd 'nôl dros 'i hwyneb, wrth i ddicter fflachio fel mellten yn 'i llygaid, cyn diflannu'n sydyn. Ar amrantiad, mae golwg fodlon ar 'i hwyneb eto. 'Ti'n rhy neis,' medd, a'i llais yn felys fel mêl. 'Ond aros, dim dydd Sadwrn mae dy ddêt di gyda Callum?'

'Dwi ddim yn neddwl mai dêt yw e'n dechnegol ... ond ie,' meddaf, gan deimlo 'mochau'n gwrido. Ro'n i, rywsut, wedi gwthio hynny i gefn fy meddwl. 'Ond yn y pnawn 'ma hwnnw. Mae'r bore'n rhydd. Ro'n i'n mynd i gwrdd â Posey am ddeg.'

'Mae e'n bendant yn ddêt gyda Callum, Posey. Pam na wnei

di roi cyfeiriad stiwdio Leah i fi, Penny? Galla i ddod â Posey, a gallwn ni gwrdd â ti yno?'

'Iawn,' meddaf. 'Ond cofia – mae hyn yn syrpréis i Posey felly paid â dweud wrthi hi le byddwn ni'n mynd.'

'Ffantastig! Alla i ddim aros tan ddydd Sadwrn. O iyffach, beth ddylwn i wisgo i gwrdd â seren mor enwog? Bydd rhaid i fi fynd i siopa. Ti'n seren hefyd, Miss P.' A dyma hi'n rhoi'r ffôn i lawr.

Af i lawr y staer, gan deimlo braidd yn ddryslyd.

'Sut aeth hi?' hola Elliot, a'i geg yn llawn pancos yn barod.

Ystyriaf cyn ateb. 'Does 'da fi ddim syniad. Ond dwi'n credu 'mod i wedi llwyddo i gadw pawb yn hapus.'

Mae Elliot yn rhythu arna i dros 'i sbectol cragen crwban fel rhyw hen dad-cu. 'Penny, ti'n gwbod bod hynny'n amhosib.'

'Dwi'n gwbod. Ond mae'n rhaid i fi drio. Alla i ddim peidio.'

Pennod Un deg pedwar

Mae'r dyddiau'n gwibio heibio, yn gorwynt o waith ysgol, sgyrsiau gyda Posey a swper gyda Sadie Lee a Bella. Ers dechrau yn y chweched dosbarth, mae fy llwyth gwaith wedi cynyddu'n aruthrol – dyw hyd yn oed pwysau gwaith TGAU yn ddim o'i gymharu â chysgod tywyll Lefel A ar y gorwel. Ond mae'n braf bod yn brysur. Os nad o'n i'n nerfus wrth decstio Callum, mae'r syniad o fynd ar ddêt go iawn gydag e'n chwarae ar fy nerfau'n ofnadwy. Hefyd, dwi isie i bopeth fynd yn iawn gyda Leah Brown, Posey a Megan.

Ar ôl llawer o drafod gydag Elliot am beth i'w wisgo, dwi'n penderfynu gwisgo top du a gwyn streipiog gyda 'nyngarîs denim du, a hen siaced ledr Mam. Gadawaf 'y ngwallt browngoch yn rhydd dros f'ysgwyddau, gan wneud dim ond troelli a phinio ambell gudyn o fy ffrinj oddi ar fy wyneb, rhag iddyn nhw fynd ar fy nerfau. Does dim llawer o golur ar fy wyneb i, ond dwi'n gwisgo lipstic coch i roi ychydig o liw – 'Dim ond dêt bach yn y pnawn yw e, cariad, dim noson mas yn y dre,' medd Elliot, gan ddawnsio tuag ata i'n chwifio'i ddwylo – a dwi wedi peintio f'ewinedd yn binc fel cwrel. Ond dwi'n difaru gwneud hynny, gan 'mod i wedi crafu'r farnais i gyd, bron, erbyn diwedd y siwrne ar y trên.

Edrychaf ar fy ffôn yn aml yn y tacsi i ddilyn y sgwrs WhatsApp rhyngof i a Posey, sy'n trio dyfalu beth dwi'n 'i wneud.

PENNY! Dwi newydd gwglo'r lle ry'n ni'n cwrdd – stiwdio recordio?! Beth fydda i'n wneud yno?

Aros, sut wyt ti'n gwybod?

Wedi gweld y cyfeiriad ar ffôn Megan. Oooo, dwi ddim yn gwybod os galla i wneud hyn!

Wrth gwrs galli di!

Wel, does dim llawer o ddewis 'da ni – ry'n ni bron yno. Wela i di cyn hir?

Wela i di!

Anadlaf anadl ddofn o ryddhad wrth weld nad yw Posey'n ailfeddwl.

'Dyma ti, cariad,' medd y gyrrwr Uber. Roedd Mam wedi cysylltu'i cherdyn debyd â'r ap ar fy ffôn gan nad oedd hi eisiau i fi fynd ar goll ar strydoedd Llundain. Diolchaf i'r gyrrwr a chamu allan i heol goediog. Mae'n dawel ac yn ddeiliog, ac wedi'i chuddio y tu ôl i brif strydoedd Llundain, a'r unig beth o'i le yw'r *limousine* hir du sydd wedi'i barcio ychydig ymhellach i lawr yr heol. Cerbyd Leah, siŵr o fod. Pwy arall fyddai'n mynd ar hyd y lle mewn *limousine*? Neb ond Leah.

Edrychaf lan a lawr y stryd, ond does dim sôn o Megan a Posey eto. Pwysaf yn erbyn wal garreg isel, gan fwynhau heulwen cynnes yr hydref ar fy wyneb.

'Penny!' Daw Megan i'r golwg rownd y gornel, a Posey wrth 'i sawdl. Mae Posey'n gwisgo sbectol dywyll a het panama bert wedi'i thynnu'n isel dros 'i hwyneb. Mae Megan wedi gwisgo lan – dros ben llestri, braidd – mewn ffrog fini dynn a bwts sodlau uchel. Mae hi'n edrych fel tase hi ar fin mynd i glwb nos, nid i stiwdio recordio.

'Haia ferched!' meddaf gan godi llaw. Pan fyddan nhw'n ddigon agos, dwi'n rhoi cwtsh mawr i'r ddwy. 'Chi'n barod?' holaf.

Mae Posey'n codi'i sbectol haul. 'Dwi ddim yn gwybod! Gawn ni weld.' Mae hi'n rhythu dros f'ysgwydd ar ddrws y stiwdio, a dwi'n troi i'w hwynebu hefyd. Mae'n edrych yn union fel tŷ arferol yn Llundain – neu'n hytrach, tŷ mawr crand yn Llundain: tŷ tri llawr, claerwyn, tal, y tu ôl i gât haearn ddu wedi'i haddurno ag aur. Yr unig arwydd 'i bod yn un o stiwdios recordio gorau'r byd yw'r plât gwydr bach sy'n dweud OCTAVE STUDIOS, uwchben botwm y gloch ar un o byst y gatiau.

Pwysaf y botwm a rhoi f'enw i'r llais cryglyd sy'n ateb: 'Penny Porter a'i ffrindiau. Mae gyda ni apwyntiad?'

Mae'r gât yn agor led y pen ac ry'n ni'n cerdded trwyddi a lan y grisiau at y brif fynedfa. Mae'r drws ffrynt yn agor, ac fe gawn ein cyfarch gan ferch sydd ddim yn edrych lawer hŷn na ni – er 'i bod hi'n edrych yn *llawer* mwy cŵl mewn hen siaced ledr, fest ddu a jîns du sydd wedi'u haddurno â stydiau metel. Mae Megan yn tynnu gwaelod 'i ffrog yn nerfus.

'Heia, ti yw Penny?' hola'r ferch. Nodiaf. 'Gwych. Alice ydw i. Dwi'n gweithio ar y dderbynfa yma yn Octave. Mae hi'n dy ddisgwyl di, ond mae hi yn y stiwdio'n barod, yn edrych dros yr offer i gyd. Galli di fynd yn syth trwodd – lawr y staer a dilyn y cyntedd.'

'Diolch,' meddaf gyda gwên, sy'n gwneud i fi edrych yn fwy hyderus nag ydw i mewn gwirionedd, gobeithio.

'Aros funud, ydyn ni'n cwrdd â rhywun fan hyn?' hola Posey. Mae cynnwrf yn atseinio yn 'i llais.

'Falle.' Alla i ddim atal y wên fach sy'n ymddangos ar fy wyneb. Amser maith yn ôl, byddai'r syniad o gwrdd â Leah Brown wyneb yn wyneb wedi codi ofn arna i, ond nawr dwi bron â neidio mewn llawenydd. Er 'i bod hi wastad yn ofnadwy o brysur, mae hi'n ffrind da i fi ers y daith. Falle'i bod hi'n byw ar blaned arall, ond dyw hi byth yn rhy fawreddog i ddod 'nôl i'r ddaear o bryd i'w gilydd.

Mae'r staer i lawr i brif ran y stiwdio yn llawn wynebau enwogion – gan gynnwys portread du a gwyn trawiadol o Leah. Dwi'n trio peidio ag oedi'n rhy hir wrth edrych arno, rhag ofn i fi ddatgelu'r gyfrinach.

Ar ôl cyrraedd y gwaelod, dwi'n adnabod cynorthwyydd personol Leah, Talia, sy'n rhoi dwy gusan ar 'y moch. 'Helô, cyw!' Ro'n i wedi dweud wrthi fod y cyfan yn syrpréis, felly dyw hi'n gwneud dim ond wincio arna i. 'Y ffordd yma.'

Cydiaf yn llaw Posey, er mwyn iddi hi weld y cyfan cyn pawb arall.

Cyrhaeddwn y stiwdio, ac yno, y tu ôl i'r gwydr, yn morio canu, mae Leah Brown.

'Na! Amhosib,' sibryda Posey wrth f'ochr. Wedyn, mae'i llaw hi'n cydio yn fy llaw mor dynn nes 'mod i'n dechrau colli pob teimlad yn 'y mysedd.

Mae Leah'n edrych yn anhygoel, fel y mae hi bob amser. Dyw hi ddim wedi gwneud fawr o ymdrech gyda'i golwg (gan nad oes angen poeni am hynny ar ddyddiau recordio – dim ond y gerddoriaeth sy'n bwysig). Mae'i gwallt melyn hir wedi'i glymu ar ffurf býn anniben, sy'n dal yn ddigon trawiadol i fod ar Instagram.

Ar ôl i Megan 'i gweld hi, mae hi'n gwichian yn boenus o

uchel yn 'y nghlust ac yn taflu'i breichiau o gwmpas 'y ngwddf. 'Mae hyn yn anhygoel! All hyn wir fod yn digwydd? Leah Brown!'

'Dyna hi!' meddaf gan chwerthin. Mae Megan a Posey'n neidio lan a lawr, a dwi'n rowlio chwerthin.

Mae'r cynnwrf yn denu sylw Leah wrth iddi orffen 'i hymarferion i dwymo'r llais, ac mae hi'n codi'i llaw arnon ni. Wedyn, mae hi'n tynnu'i chlustffonau ac yn symud tuag atom trwy'r drysau gwrth-sain.

'O iyffach, gaf i roi hwn ar Snapchat?' hola Megan.

Cyn i fi ateb, mae Talia'n achub y blaen. 'Dim cyfryngau cymdeithasol yn y stiwdio. A dweud y gwir, dim lluniau na recordiadau o unrhyw fath. Fel arfer, bydden ni'n mynd â'ch ffonau ond ...'

'Dim angen gwneud hynny; ry'n ni i gyd yn ffrindiau, on'd ydyn ni?' medd Leah wrth gerdded aton ni. 'Mae unrhyw ffrind i Penny'n ffrind i fi.'

'Leah! Mor braf dy weld di!'

'A tithe hefyd, Penny!' Ry'n ni'n rhoi cwtsh enfawr i'n gilydd.

'Dyma fy ffrindiau, Posey a Megan, sy'n astudio yn Ysgol Madame Laplage ar gyfer y Celfyddydau.'

'Mae'n hyfryd cwrdd â'r ddwy ohonoch chi!' Mae'n estyn atyn nhw ac yn rhoi cwtshys iddyn nhw hefyd, er eu bod nhw wedi rhewi yn yr unfan fel cerfluniau. Mae Leah yn gyfarwydd â chael effaith fel 'na ar bobl. 'Waw, Madame Laplage – dwi'n nabod cantorion eraill fuodd 'na. Cyfle arbennig i chi.'

'O, mae'n anhygoel,' medd Megan, gan lwyddo i ymddwyn yn normal – yn wahanol i Posey – er gwaetha'r sioc o gael cwtsh gan Leah. Mae hi'n taflu'i gwallt sgleiniog i'r ochr, fel bod tonnau ohono'n tasgu dros 'i hysgwydd. 'Ry'n ni'n cael hyfforddiant llais *go iawn* yno, sy'n mynd i'n paratoi ni'n wych ar gyfer gweddill ein gyrfaoedd.'

Daw gwg fach dros wyneb Leah. Dwi'n gegrwth wrth glywed geiriau anghwrtais Megan. Oedd hi'n beirniadu canu Leah – o fewn dwy eiliad i gwrdd â hi?

Ond mae'r wg yn diflannu cyn i Megan sylwi, a gwên fodlon yn goglais wyneb Leah unwaith eto. Mae hi'n troi at Posey, sy'n crynu fel deilen. Mae Leah yn estyn 'i llaw ac yn cydio yn llaw Posey cyn 'i harwain draw at un o'r soffas. Llama Leah a glanio ar y clustogau, gan groesi'i choesau oddi tani. Mae Posey'n 'i dilyn yn ufudd, a galla i weld y tensiwn yn diflannu o'i hysgwyddau. Rhyfeddaf wrth weld gallu Leah i wneud i rywun deimlo'n gyfforddus, heb hyd yn oed yngan gair.

'Felly, Posey, dwi'n clywed bo' ti'n cael tamed bach o drafferth perfformio ar lwyfan,' medd Leah, yn blwmp ac yn blaen.

Sylla Posey arna i, a braw yn 'i llygaid. 'Dwedest ti wrth *Leah Brown* am 'y mhroblem i?'

Nodiaf. 'Do – '

'Dwedodd hi wrtha i,' esbonia Leah, cyn i fi gael cyfle i ddweud unrhyw beth arall, 'am 'i bod hi'n gwbod y gallwn i helpu. Dwi wedi bod trwyddo fe hefyd.'

Mae Posey'n blincio. 'Wyt ti?'

Nodia Leah 'i phen. 'Ydw. Ond cyn i ni siarad am hynny, dwlen i wrando arnat ti'n canu. Plis?'

'O na ... alla i ddim. Alla i ddim! Dwi'n gymaint o ffan ohonot ti ...'

Chwifia Leah 'i llaw yn ddiamynedd o flaen 'i hwyneb. 'Na, na, llai o'r dwli 'na. Wyt ti'n ofnus wrth ganu o flaen grŵp bach?'

Mae Posey'n gwasgu'i dwylo, gan dincial 'i breichledau. 'Ddim fel arfer. Dim ond ar lwyfan ac o flaen cynulleidfaoedd mawr ...'

Nodia Leah 'i phen yn ddoeth. 'Dwi'n deall hynny. Mae'r caban recordio mor dywyll fel y galli di anghofio dy fod ti yno, hyd yn oed. Mae'r gwydr wedi'i liwio fel mai dim ond un ffordd y galli di weld trwyddo fe. Wnei di ganu i fi?'

Mae Posey'n meddwl am funud, cyn nodio. 'Iawn.'

'Gwych!' Mae Leah yn curo'i dwylo. 'Wyt ti wedi bod mewn stiwdio fyw o'r blaen?'

Ysgydwa Posey'i phen.

'O, paid â phoeni, mae'n hawdd. Jyst cer drwy'r drws, gwna dy hunan yn gyfforddus o flaen y meicroffon – stedda ar y stôl, neu saf ar dy draed, beth bynnag sy orau 'da ti – wedyn gwisga'r clustffonau. Mae botwm ar yr ochr i ti ddefnyddio i siarad â ni yn y stafell reoli, a gallwn ni siarad â ti. Galli di ddechrau pan wyt ti'n barod.'

'Iawn,' medd Posey, cyn cnoi'i gwefus. Mae hi'n codi ar 'i thraed yn araf bach, cyn cerdded yn grynedig i mewn i ochr arall y stiwdio. Dilynaf hi â'm llygaid. Mae hi'n cyrraedd y stôl ac yn 'i symud i'r naill ochr. Ond wrth weld y meicroffon, mae'i llygaid yn goleuo.

'Mae hi'n edrych yn gwbl naturiol i mewn yn fan'na,' medd Leah. 'Dewch, dewch â chadeiriau gyda chi at y ddesg gymysgu.'

Mae Megan a finnau'n codi cadeiriau mawr o gornel y stafell ac yn eu llusgo at y ddesg gymysgu – bord fawr ar oleddf, sy'n edrych fel petai miliwn a mwy o fotymau arni. Dwi'n ddiolchgar am funud mai dim ond ychydig o fotymau sydd ar 'y nghamera – mae hynny'n hen ddigon.

'Mae'n wych, on'd yw hi?' medd Leah, o 'ngweld i'n rhythu ar resi ar resi o fotymau rheoli.

'Ti'n gweud wrtha i!'

'Mae tair o'r rhain yn seler Madame Laplage,' noda Megan. 'Nhw yw'r *goreuon*, ac fe gaethon ni nhw oddi wrth gynfyfyriwr.'

'Wel, ti'n lwcus iawn. Ches i ddim un o'r rhain nes i fi arwyddo gyda Sony! Cyn hynny, ro'n i'n recordio yn fy stafell wely ... Cred ti fi, pan mae 'da ti dri brawd bach, does dim un stafell dawel yn y tŷ.'

Clywn sŵn bipian byr, ac yna daw llais bach tawel drwy'r uchelseinydd. 'Dwi'n credu 'mod i'n barod,' medd Posey.

Mae Leah yn pwyso un o'r botymau ar y bwrdd cymysgu. 'Grêt!'

Ry'n ni i gyd yn rhythu ar Posey drwy'r gwydr, ond dyw hi ddim yn edrych arnon ni. Mae'i llygaid hi ar gau ac mae hi'n nodio'i phen i guriad cerddoriaeth sydd y tu hwnt i'n clyw ni. Yna, bron yn ddirybudd, mae hi'n dechrau canu rhan Maria o 'Tonight', *West Side Story*.

Wrth i'w llais soprano anhygoel lenwi'r stafell, mae'r tair ohonon ni'n pwyso'n ôl yn ein cadeiriau, wedi'n llorio'n llwyr gan 'i thalent ac yn groen gŵydd i gyd.

Ac yna, ar ôl i'r gân ddod i ben, mae Leah yn llamu o'i chadair ac yn codi ar 'i thraed i gymeradwyo Posey.

Pennod Un deg pump

Pan ddaw Posey'n ôl i'r stafell reoli, mae'i bochau'n wridog ac yn sgleiniog ar ôl canu darn mor heriol. 'Diolch, bawb,' medd, wrth i ni barhau i gymeradwyo. Mae hyd yn oed Megan yn curo'i dwylo, ac yn methu peidio ag ymateb iddi.

'Roedd hwnna wir yn anhygoel!' medd Leah. 'Mae 'da ti dalent enfawr, Posey fach!'

'Diolch,' ateba Posey eto, cyn dechrau edrych yn ddigalon. 'Ond dyw hynny ddim help o gwbl. Yn fan'na, yn y stafell 'na, gyda neb ond chi yn gwylio ... dyw hynny ddim yn codi ofn arna i. Ond rhowch fi ar lwyfan ac mae'n stori gwbl wahanol.'

'Pob lwc gyda pherfformio *go iawn*, 'te,' medd Megan dan 'i hanadl, ond dwi'n 'i chlywed hi ac yn edrych arni'n grac. Mae Megan yn rholio'i llygaid ac yn plygu'i breichiau ar draws 'i brest – mae eiddigedd yn 'i bwyta hi'n fyw.

'Dwed wrtha i beth sy'n digwydd,' aiff Leah yn 'i blaen, mewn llais caredig. Diolch byth, chlywodd hi mo Megan.

Mae Posey'n eistedd i lawr ar y soffa ac yn croesi'i phigyrnau. Dwi erioed wedi gweld unrhyw un sy'n eistedd ac yn sefyll mor osgeiddig, gydag osgo mor syth. Ond eto, mae'r rheolaeth honno'n amlwg wrth 'i chlywed hi'n canu. Galla i, sy'n eitha anwybodus am y pethe 'ma, glywed 'i bod hi'n taro pob nodyn yn rhwydd ac yn hollol gywir.

'Mae e ... wel, wrth adael diogelwch y llenni, dwi ddim yn camu ar lwyfan i wynebu cynulleidfa. Dwi ar ddarn cul o bren uwchben môr sy'n llawn siarcod. Gyda phob cam, mae 'nghyhyrau i'n mynd yn wannach ac yn wannach, nes 'mod i'n ffaelu â sefyll, bron. Mae 'mysedd i'n boenus, a 'ngheg i'n sych – waeth faint o ddŵr dwi wedi'i yfed gefn llwyfan. A'r peth gwaethaf yw, mae fy meddwl i'n hollol wag. Yr holl ymarfer, yr oriau maith o geisio cofio pob gair a nodyn a churiad a symudiad ... wedi diflannu. Mewn chwinciad.' Mae hi'n clicio'i bysedd i bwysleisio hyn. 'Ar ôl i hynny ddigwydd, does dim gobaith cario 'mlaen.'

Mae Leah yn nodio'i phen wrth glywed disgrifiad Posey. 'Tic, tic, tic ym mhob bocs. Mae hynna i gyd wedi digwydd i fi.'

'Ond mae 'na fwy na hynny,' sibryda Posey, mewn llais mor dawel nes bod rhaid i fi bwyso 'mlaen i'w chlywed hi. 'Ar ddechrau'r haf ro'n i'n actio Sandy yng nghynhyrchiad yr ysgol o *Grease*. Ond erbyn y noson agoriadol, allwn i ddim gwneud. Rhewais i – o flaen pawb. A'r peth gwaethaf oedd hyn: roedd 'y nghoesau i mor drwm fel na allwn i hyd yn oed eu symud nhw ac roedd rhaid i rywun fwy neu lai fy llusgo i oddi ar y llwyfan a galw'r eilydd. Ac roedd hi eisoes yn 'i gwisg Pink Lady. Roedd y cyfan yn gawlach erchyll a fi oedd achos yr holl beth.' Daw dagrau i'w llygaid wrth iddi siarad ac alla i ddim atal fy hunan – daw dagrau i'm llygaid innau hefyd. 'Dylwn i fod wedi rhoi'r gorau iddi bryd 'ny a gwrthod fy lle yn Madame Laplage.'

'Cred fi neu beidio, ond tynnais i mas o ran ar Broadway unwaith, am yr un rhesymau. Aeth y sioe 'mlaen i ennill gwobr Tony – byddai wedi bod yn brofiad anhygoel i fi a dwi'n difaru'r penderfyniad yna bob dydd. Felly dwi *wir* yn deall sut rwyt ti'n teimlo,' medd Leah.

'Ond rwyt ti lan ar lwyfan o flaen miloedd o bobl drwy'r amser! Ti'n mynd ar daith ar ben dy hunan! Mae'n rhaid nad wyt ti'n dioddef o'r ofn hwnnw nawr?'

'Yn anffodus, dyw hynny ddim yn wir. Mae'n rhaid i fi drio rheoli fy hunan o hyd ac o hyd. Bob tro, mae'n rhaid i fi atgoffa fy hunan mai *fi* sy'n rheoli popeth – nid yr ofn. A Posey?'

'Ie?'

'Cest ti d'eni i wneud hyn. Dwi'n gwbod bod 'na angerdd yn dy galon di, sy'n llosgi cyn gryfed â'r ofn sy ynot ti – falle hyd yn oed yn gryfach – neu fel arall, fyddet ti ddim wedi gwneud clyweliad ar gyfer Madame Laplage yn y lle cynta. *Galli* di wneud hyn – er dy les dy hunan. Falle dy fod ti'n credu bod mynd ar y llwyfan yn beth gwallgo i'w wneud. Ond dyw e ddim. Taset ti'n cadw draw o'r llwyfan, yn troi cefn ar y llwyfan: *dyna* fyddai'n wallgo. Rhaid i ti ganfod cnewyllyn bach o hyder a chydio ynddo fe'n dynn. Bydd e wedyn fel hedyn bach, yn egino cyn tyfu'n goeden fach, ac yna'n troi'n dderwen fawr hyderus, â gwreiddiau sy'n estyn i bob rhan o dy gorff. Dwi ddim yn dweud y bydd yr ofn yn diflannu am byth. Ond dan y goeden honno, fe gei di d'amddiffyn rhag y storm.'

'Ti'n siŵr?' hola Posey yn fyr 'i hanadl.

'Yn hollol siŵr.'

'Alla i ddim credu bod hyd yn oed yr anhygoel Leah Brown yn ofni mynd ar lwyfan,' medd Posey, gan wenu am y tro cynta ers iddi orffen canu.

'O, synnet ti! Pan siaradais i am y peth yn gyhoeddus, ces i lwyth o negeseuon gan berfformwyr fyddet ti byth wedi dychmygu oedd yn dioddef o'r un broblem. Rhai o gantorion ac actorion enwoca'r byd. Yn ein hachos ni – a dwi'n gwbod nad dyma'r ateb gyda phob math o orbryder – yr unig ffordd mas ohono fe yw trwyddo fe. Alli di ddim cael gwared arno fe, ond galli di'i reoli e; mae'n rhaid i ti gofleidio'r peth. Defnyddia fe. *Galli* di wneud hyn, dwi'n addo i ti.'

Nodia Posey'i phen, ond galla i weld nad yw hi wedi'i hargyhoeddi'n llwyr. Dwi'n teimlo drosti hi. Byddwn i'n casáu bod yn 'i lle hi, achos 'mod i'n gwybod na fyddwn i byth, byth yn gallu ymladd trwy 'ngorbryder fel hynny. Pan fydd y pryder yn cynyddu, mae'n rhaid i fi fynd gyda'r llif ac fel arfer, galla i ddianc rhag unrhyw bobl sy'n 'y ngwylio. I Posey, does dim dianc. Ond *dyna* lle mae'i dawn. Dim ond gobeithio y gall hi dyfu'r goeden 'na o hyder yn gyflym, cyn iddi wywo a marw heb gael cyfle i fwrw gwreiddiau.

'Licet ti ganu rhywbeth arall?' hola Leah.

Mae llygaid Posey'n goleuo'n syth. 'Dwlen i!'

'Grêt! Gallwn ni ganu deuawd. Ti'n gwbod 'For Good' o *Wicked*?'

'Wrth gwrs!' Llama Posey i'r soffa. 'Dwi wir yn *caru'r* sioe gerdd 'na.'

'Gwych, finne hefyd! Wedyn, hoffwn i chwarae rhywfaint o f'albwm newydd i chi i gyd – os yw hynny'n iawn 'da chi. Hollol gyfrinachol, wrth gwrs.'

'O, bydden ni wrth ein boddau!' meddaf. 'Fyddai ots 'da ti taswn i'n tynnu ambell lun ohonoch chi i gyd?'

'Dim problem.'

Pan fydd y ddwy arall yn y stiwdio, mae Megan yn troelli o gwmpas yn 'i chadair i edrych arna i. 'Ti wir yn credu bydd pethe mor hawdd â hynny i Posey?'

'Beth ti'n feddwl?'

'Un sesiwn gyda'r anhygoel Leah Brown a bydd hi – ' mae Megan yn meimio dyfynodau gyda'i bysedd yn yr awyr wrth ddweud y gair nesa – 'wedi'i hiacháu?'

Siglaf 'y mhen. 'Dwi ddim yn credu hynny o gwbl. Ond dwi'n credu bod 'da Posey rywbeth arbennig mae hi isie'i rannu gyda'r byd – a wnaiff yr ofn 'ma 'mo'i rhwystro hi. Falle na wnaiff hi goncro'r ofn cyn y perfformiad yma na'r perfformiad nesa, ond fe wnaiff hi lwyddo. Does dim isie iddi hi anobeithio.'

Mae Megan yn crechwenu. 'Falle.'

'Hei, pam wyt ti mor chwerw am hyn i gyd? Ro'n i'n meddwl bo' ti isie helpu?'

'Alli di ddim helpu mewn sefyllfa anobeithiol fel hyn,' medd Megan, gan godi'i hysgwyddau'n ddi-hid.

Rhygnaf 'y nannedd. 'Iawn, wel, dwi'n mynd mas am funud fach. Bydd y golau'n well yn fan'na ar gyfer tynnu llun. Gad i fi wbod pan fydd Leah yn canu 'i chaneuon newydd?'

'Wrth gwrs.'

Ar ôl gadael y stafell reoli, anadlaf ryddhad. Weithiau, mae bod yng nghwmni Megan pan fydd hi mewn hwyliau drwg yn brofiad arteithiol. Af lan y staer eto, tuag at y neuadd a'r dderbynfa welais i pan gyrhaeddon ni. Mae'n stafell olau braf. Alla i ddim gweld Alice yn unman, ond dwi'n falch – mae 'da fi amser i edrych o gwmpas y lle yn iawn.

Yr elfen sy'n tynnu fy sylw'n syth yw'r ffenestri mawr yn y nenfwd, sy'n llenwi'r stafell â golau, gan wneud iddi deimlo'n eang ac yn agored. Mae'r waliau gwyn – a allai edrych braidd yn glinigol – wedi'u haddurno â photiau copr sgleiniog, sy'n dal planhigion hir, pigog sy'n gorlifo tua'r llawr.

Gosodaf stand y camera yng nghanol y stafell, yn wynebu dwy soffa wen isel. Mae tamed o heulwen ar y llawr o'u blaenau, yn siâp paralelogram perffaith. Dwi'n cnoi 'ngwefus. Dwi ddim yn hollol siŵr a fydd y goleuni'n gweithio – falle y bydd e'n rhy llachar ar groen Leah a Posey, gan fod cymaint o bethau yn y stafell sy'n adlewyrchu goleuni.

Mae angen i fi arbrofi'n gynta.

'Ym, Alice?' Cerddaf 'nôl tuag at ddesg y dderbynfa, ond does dim sôn o Alice yn unman – na Talia chwaith. Dwi'n ystyried mynd 'nôl a gofyn i Megan fod yn fodel i fi, ond dwi ddim eisiau treulio rhagor o amser yn 'i chwmni hi.

Dim ond un dewis sydd: rhaid i fi dynnu llun ohona i fy hunan.

Mae'r syniad hwnnw'n gyrru ias i lawr f'asgwrn cefn. Dwi ddim yn hoffi bod o flaen y camera – mae'n llawer gwell 'da fi fod *y tu ôl iddo fe*. Ond dim ond arbrofi ydw i. Galla i'i ddileu'n syth wedyn.

Gyda chlic a chlic, gosodaf yr amserydd ar 'y nghamera digidol. Wedyn, estynnaf 'y ngliniadur o 'mag – os oes un peth yn waeth na bod ar gamera, gorfod edrych ar y camera yw hwnnw – a neidiaf ar y soffa. Agoraf 'y ngliniadur ac esgus 'mod i'n gweithio nes i fi glywed y sŵn bipian sy'n dynodi bod y llun wedi'i dynnu.

Wrth gwrs, tra o'n i'n esgus gweithio, fe agorais i'r we ac edrych ar sylwadau *Merch Ar-lein*. Mae 'da fi syniad am flogbost i'w sgwennu nes 'mlaen, ond yn gynta mae'n rhaid i fi weld sut aiff gweddill y sesiwn gyda Leah. Dwi heb sgwennu unrhyw beth am Callum eto – dwi ddim isie dod ag anlwc i ni, cyn i unrhyw beth ddechrau rhyngom ni – ac mae hi'n anoddach sgrifennu nawr o wybod fod pobl dwi'n eu nabod (gan gynnwys Callum) yn darllen ac yn dadansoddi 'mlog i. Cyn pen dim, caf 'y nhynnu i mewn i adran y sylwadau – sydd, diolch byth, yn llawn cefnogaeth ac yn hyfryd. Dwi wedi gweithio'n galed iawn i gadw'r awyrgylch hwnnw ac i gadw *Merch Ar-lein* yn lle diogel i 'narllenwyr.

Ar un adeg, 'y mlog oedd prif achos 'y ngorbryder, ac ro'n

i eisiau'i gau am byth. Ond nawr, dwi'n gwybod y gall e fod yn llesol iawn i fi. Gobeithio, yn y pen draw, y gwnaiff Posey sylweddoli bod y llwyfan, yn yr un ffordd, yn llesol iawn iddi hithau.

Ar ôl gorffen â'r sylwadau, dwi'n sylweddoli 'mod i wedi bod yn eistedd yno'n llawer hirach na'r bwriad. Brysiaf 'nôl at y sgrin i weld sut olwg sy ar y lluniau. Ac, a dweud y gwir, dwi'n cael fy siomi ar yr ochr orau. Mae effaith ryfedd ar y ffotograff – oherwydd y ffordd y daliais i'r gliniadur, mae'r paralelogram ar y llawr yn edrych fel cysgod y gliniadur – neu, yn hytrach, y gwrthwyneb i gysgod, sef bod y gliniadur yn taflu goleuni. Ro'n i'n iawn – mae'r golau braidd yn llachar ar fy wyneb – ond o flaen y wal wen, mae'n edrych yn eitha trawiadol. Mae fy llygaid yn rhythu ar sgrin y cyfrifiadur, ac os edrychaf i'n ddigon craff, mae hyd yn oed adlewyrchiad bach o'r gliniadur i'w weld yng nghannwyll fy llygaid. Mae'n edrych yn ... unigryw.

Llun unigryw o Penny. Llun ohona i, yn gwneud rhywbeth *arall* dwi'n hoff iawn ohono.

Mae gwefr fach yn saethu o 'nwylo, yr holl ffordd at 'y nghalon. Dwi'n credu 'mod i newydd greu rhywbeth arbennig iawn.

Pennod Un deg chwech

'Hei, beth ti'n neud?'

Caf dipyn o fraw wrth glywed y llais, ac edrychaf lan i weld Megan yn sefyll ar dop y grisiau.

'O, dim ond tsecio llun prawf dwi am 'i ddefnyddio wedyn. Popeth yn edrych yn dda!' a chodaf fawd arni.

'Ti'n gwbod ble mae'r tŷ bach?' hola.

'Jyst draw fan'na, dwi'n credu.'

'Cŵl.'

Gadawaf y camera yn 'i le, ond af 'nôl i lawr y staer. Ar ôl cyrraedd y stiwdio, dwi'n cael syndod o glywed Leah yn gorffen cân dwi erioed wedi'i chlywed, ac yn teimlo'n siomedig 'mod i wedi colli cyfle i glywed 'i chaneuon newydd. Ychydig eiliadau wedyn, cerdda Megan 'nôl i mewn. 'Gollest ti Leah yn canu'i stwff newydd!' meddaf.

'O drato,' medd, ond dyw hi ddim yn swnio'n rhy siomedig. Mae hi'n eistedd i lawr, yn codi'i ffôn ac yn dechrau chwarae *Candy Crush Saga*.

Ochneidiaf, gan droi o nghwmpas i wynebu Leah a Posey yn y stafell fyw eto. Dwi'n difaru gofyn i Megan ddod. Dyw hi wedi bod yn ddim byd ond poen ers iddi gyrraedd y stiwdio.

'Alla i ddim disgwyl gwneud hyn rhyw ddiwrnod,' medd Megan, heb sylwi o gwbl 'mod i'n grac. 'Alli di ofyn i Leah wrando arna i hefyd? Falle gall hi 'nghyflwyno i'w rheolwr.'

'Gofynna iddi dy hunan,' meddaf, cyn cau fy llygaid i wrando ar un o ganeuon eraill Leah. Mae'n wahanol i'w stwff cynharach – yn llai 'pop', gyda sŵn tywyll – ond mae mor fachog ag erioed. Pan ddaw'r gytgan eto, galla i deimlo f'ymennydd yn cydio yn y geiriau. Mae Leah yn gwybod yn *union* sut i greu cerddoriaeth wych.

Pan ddaw hi a Posey'n ôl i'r stafell reoli, mae Megan a finnau'n cymeradwyo'n wyllt unwaith eto. 'Roedd honna'n arbennig!' meddaf wrth Leah. 'Ti sgwennodd yr un olaf 'na?'

Er mawr syndod i fi, mae Leah yn gwingo mewn embaras. 'Ie – ydy hi'n iawn? Dwi wedi sgrifennu'r rhain fy hunan. Dwi'n trio sgrifennu rhagor o ganeuon gwreiddiol nawr.'

'Mae hynny'n wych,' meddaf gyda gwên.

'Ffiw. Mae Carmen Delaware yn dod i mewn fory i ganu gyda fi, a dwi isie iddyn nhw fod yn dda.'

Mae Megan yn troi i graffu arni. 'Carmen Delaware? Ond hi yw ... un o d'elynion penna di?' Cantores bop enwog arall yw Carmen. O Brydain mae hi'n dod, nid America, ac fe ddaeth hi'n enwog tua'r un pryd â Leah.

Tafla Leah 'i phen 'nôl a chwerthin. 'Ti'n jocan? Mae Carmen a finne'n ffrindiau MAWR – dim ond y cyfryngau sy'n hoffi meddwl ein bod ni'n casáu ein gilydd. Fyddwn i byth wedi cyrraedd fan hyn heddi hebddi hi. Dwi'n eitha siŵr mai hi roddodd yr araith "coeden" 'na i fi, cyn i fi'i rhoi i ti.'

'Beth am pan enillodd hi wobr y Gân Orau yng ngwobrau'r BBMA yn hytrach na ti? Doeddet ti ddim yn benwan am hynny?' hola Megan, gan gyfeirio at un o'r penawdau diweddara yn y cyfryngau am Leah. 'A'r gân 'na sy 'da hi, "Anwybydda Hi"

... amdanat ti mae honno?'

'Iyffach, gobeithio ddim! Cân am 'i chyfrifydd wnaeth ddwyn llwyth o arian o werthiant 'i cherddoriaeth hi oedd honno. Ond galla i weld 'i bod hi'n fwy o hwyl i feddwl bod y gân amdana i.'

Gwelaf drwyn Megan yn crychu – sy'n golygu'i bod hi'n dal yn amheus – ond dwi'n torri ar 'i thraws cyn i'r sgwrs droi'n gas. 'Wnewch chi 'nilyn i lan lofft, bawb? Dwi wedi gosod y camera, i dynnu lluniau neis iawn.'

'Cŵl. Dewch!'

Ond wrth i ni gerdded lan y staer, all Megan ddim gadael i'r peth fynd. 'Alla i ddim credu beth ddwedaist ti amdanat ti a Carmen. Sut galli di'i lico hi pan mae 'da hi bopeth sy 'da ti, a'i bod hi wastad un cam o dy flaen di? Aeth hi ar daith ar 'i phen 'i hunan o dy flaen di, cafodd hi ddisg blatinwm o dy flaen di, enillodd hi'r wobr yna ...'

'Waw, ti wir yn gwbod lot amdana i, Megan.'

'Dwi'n gwylio llawer o TMZ,' medd Megan gan godi'i hysgwyddau,

Dyw Leah ddim yn dweud gair nes i ni gyrraedd y soffas gwyn, ac yna mae hi'n gosod 'i hunan o flaen 'y nghamera. Yna, mae'i llygaid glas penderfynol yn cwrdd â llygaid Megan, a dwi'n nabod yr olwg yna'n dda iawn. Fyddet ti *byth* eisiau iddi hi edrych arnat ti fel 'na. 'Drycha, dwi'n credu bod 'da ti wers bwysig i'w dysgu. Rhaid i ti stopio edrych i'r ochr o hyd – ar Penny, ar Posey – a dechrau canolbwyntio ar beth sy'n digwydd o dy flaen di. Dyw llwyddiant Carmen ddim yn effeithio arna i nac yn tynnu oddi ar bopeth dwi wedi'i gyflawni. Dwi wrth 'y modd 'i bod hi wedi gwneud cystal, ac yn gobeithio y gwnaiff hi ddal i fwrw pob carreg filltir! Dwi'n gwbod y gwna i gyrraedd yno rhyw ddydd hefyd. Mae hi'n paratoi'r ffordd ar 'y nghyfer i – dyw hi ddim yn adeiladu wal i fy stopio i rhag dringo. Mae hwn yn ddiwydiant caled. Mae'n rhaid i ni ferched edrych ar ôl ein gilydd. P'un ai bod hynny ym mhedwar deg uchaf y siartiau, yn y byd blogio, neu ... mewn sioe ysgol ddrama. On'd oes e, Penny?'

'Oes,' meddaf yn gadarn. Diolch byth fod Leah yn gallu rhoi Megan yn 'i lle.

Mae Megan yn gwasgu'i dwylo'n ddyrnau a dwi'n siŵr 'mod i'n gallu clywed 'i meddwl yn troelli fel hen gyfrifiadur wrth brosesu gwybodaeth. 'Dwi'n gwbod hynny! Ond nid 'y mai i yw'i bod hi'n anobeithiol.'

'Dwi ddim yn credu dy fod ti'n gwbod unrhyw beth,' medd Leah, a gwên drist ar 'i hwyneb. 'Ond fe ddysgi di. Heb help dy gyfoedion, a heb i ti eu cefnogi nhw yn eu tro, ei di ddim yn bell yn y diwydiant 'ma, cred ti fi. Ac os nad wyt ti'n barod i gefnogi cyd-ddisgybl yn yr ysgol, dwi'n credu y dylet ti adael fy stiwdio nawr.'

Mae Megan yn gegrwth a smotiau coch llachar yn ymddangos ar 'i bochau. 'Iawn. Does dim angen i rai ohonon ni gael help rhywun arall i gyrraedd y brig.' Mae hi'n codi, yn troi ar 'i sawdl ac yn cerdded mas yn ffroenuchel.

Er nad ydw i'n cytuno â'r hyn ddwedodd hi, dwi eisiau rhedeg ar 'i hôl hi i wneud yn siŵr 'i bod hi'n iawn, ond mae Leah yn rhoi'i llaw ar 'y mraich. 'Mae hi'n ferch fawr ac fe fydd hi'n iawn. Gwnaiff Talia 'i rhoi hi mewn tacsi am adre, felly does dim angen i ti fecso.' Mae hi'n troi at Posey. 'Barod am dy lun gyda'r ffotograffydd gorau yn y busnes, cariad?'

Mae'n sbort tynnu lluniau o Leah a Posey, ac maen nhw'n cyd-dynnu'n dda. Tra eu bod nhw'n clebran, agoraf 'y ngliniadur eto. Mae araith Leah wedi f'ysbrydoli i, a dwi'n gwybod y byddai'n gwneud blogbost bach hyfryd. Dwi'n ysu i rannu'i neges gyda darllenwyr *Merch Ar-lein*.

3 Hydref

Dyw llwyddiant rhywun arall DDIM yn fethiant i ti

Wyt ti erioed wedi cael llwyddiant ysgubol mewn arholiad, ond bod y ferch sy'n eistedd gyferbyn â ti wedi cael marc hyd yn oed yn uwch? Roeddet ti wedi gwneud llawer mwy o ymdrech na hi, ond yn y diwedd, beth oedd y pwynt?

Wyt ti erioed wedi gweithio fel lladd nadroedd mewn rhyw swydd neu'i gilydd, ond bod rhywun arall yn cael y codiad cyflog roeddet ti'n 'i haeddu?

Wyt ti erioed wedi aros ar dy draed drwy'r nos yn creu rhywbeth roeddet ti'n ofnadwy o falch ohono, ond bod rhywun arall wedyn wedi cyflwyno rhywbeth hyd yn oed yn well, gan honni eu bod nhw wedi'i wneud mewn chwinciad?

Mae e'n digwydd i bawb weithiau, a gadewch i ni fod yn onest – ry'n ni i gyd yn berwi o genfigen ac yn dymuno bod gyda ni lwc, talent neu ymroddiad rhywun arall. Pan fyddi di'n gweithio yn yr un diwydiant â rhywun, yn gwneud yr un pethau, yn llawn o'r un angerdd, gall eu llwyddiant nhw fod yn dipyn o ergyd os wyt ti'n teimlo dy fod ti'n teithio mewn heol wahanol, ar gyflymder gwahanol.

Beth os, pryd bynnag y byddwn i'n darllen blog da gan rywun arall, y byddwn i'n dweud, 'Hei, dyw f'un i ddim cystal â hwnna, felly dwi'n casáu'r blog arall 'ma am 'i fod e'n cael mwy o "hits" na f'un i? Beth yn union fyddai hynny'n 'i gyflawni? Mae digon o le i bawb wneud yr hyn maen nhw'n gallu'i wneud yn dda. Bydd wastad rhywun sy'n fwy llwyddiannus na ti, ond hefyd, bydd wastad rhywun sy'n dymuno eu bod nhw mor llwyddiannus â ti. Mae pawb eisiau llwyddo, ond does dim rhaid i ni fod mewn twll o genfigen wrth ymgeisio amdano. Un peth ddysgais i'n ddiweddar yw hyn: dyw diffodd cannwyll rhywun arall ddim yn gwneud dy gannwyll di'n ddisgleiriach.

Fel y byddai ffrind doeth iawn i fi'n dweud: canolbwyntia ar dy heol dy hunan, cer ar dy gyflymder dy hunan, paid ag edrych i'r naill ochr. Does dim angen i lwyddiant rhywun arall effeithio ar yr hyn y byddi DI yn ei gyflawni.

Rhywbeth bach i chi feddwl amdano ar ddydd Sadwrn fel hyn.

Merch Ar-lein, yn mynd oddi ar-lein xxx

Wrth i ni adael y stiwdio, mae Posey'n rhoi cwtsh anferth i fi. 'Diolch i ti am hyn. Ro'dd e'n brofiad arbennig. A ... dwi'n addo peidio â rhoi'r gorau iddi. Hyd yn oed os na lwydda i yn y sioe 'ma, nac yn y rôl 'ma, bydda i'n dal i drio.'

Gwenaf. 'Dyna'r cyfan y gallwn i ofyn amdano!' Dwi'n edrych i lawr ar f'oriawr – mae hi bron yn un o'r gloch, sef yr amser y trefnais i gwrdd â Callum.

'Ti'n iawn, Penny? Ti'n edrych fel taset ti wedi gweld ysbryd!'

'Dim 'na beth yw e, ond dwi'n credu bod ... dêt 'da fi nawr!'

Pennod Un deg saith

Wrth sefyll y tu fas i orsaf St James's Park, dwi'n chwarae â strapiau'r dyngarîs. Dwi'n difaru na fyddwn i wedi gwisgo rhywbeth tynnach, fel 'mod i ddim yn edrych dair gwaith yn fwy nag ydw i mewn gwirionedd. Dwi'n edrych dros f'ysgwydd o hyd, yn meddwl tybed fyddai hi'n anghwrtais i fi ddianc nawr. Daw atgofion o bob dêt ofnadwy dwi erioed wedi'u cael yn fyw i fy meddwl – a pha mor lletchwith fuodd pethau gydag Oli pan o'n i'n 'i ffansïo fe. Dyna'r cyfnod yn 'y mywyd dwi bellach yn 'i ddynodi â CN – *Cyn Noah*. Doedd Penny CN *ddim* yn cŵl. Doedd gyda hi ddim dealltwriaeth o fechgyn a pherthynas, doedd hi erioed wedi cael 'i chusanu'n iawn, a byddai hi'n cuddio yn y gornel pryd bynnag byddai 'Angels' gan Robbie Williams yn cael 'i chwarae ar ddiwedd y disgos ysgol ofnadwy y byddai Megan yn 'i llusgo hi iddyn nhw.

Mae llaw yn 'y nharo ar f'ysgwydd cyn i fi allu gwneud unrhyw fath o benderfyniad. Edrychaf lan a theimlo gwên fawr hurt yn lledu dros fy wyneb. Mae Callum yr un mor olygus ag o'n i'n 'i gofio, ac mae e wir wedi gwneud ymdrech heddiw. Mae'n gwisgo *blazer* smart dros grys patrymog, a throwsus ysgafn gwyrdd tywyll. Yr unig beth sydd ddim yn cydweddu yw 'i rycsac mawr trwm. Galla i weld mai bag camera Lowepro yw e – swish!

'Hei, Penny!' Mae e'n estyn draw i roi cusan ar 'y moch, gan roi tipyn o syndod i fi.

'Callum. Haia!' Camaf 'nôl – ond mae 'nhroed yn bachu ar fy lasyn rhydd. Collaf 'y nghydbwysedd gan chwifio 'mreichiau, ond mae Callum yn cydio yn 'y mraich i atal cwymp.

'Paid â chwympo dros dy ben a dy glustiau amdana i *eto*. Gad i ni aros tan ddiwedd y prynhawn, o leia,' medd, gan chwerthin.

'Fe wnei di ddysgu bod aros yn llonydd, hyd yn oed, yn gallu bod yn anodd i fi weithiau.'

'Dwi isie dysgu popeth amdanat ti,' medd, gan wenu'n freuddwydiol.

Dwi ddim yn siŵr sut i ymateb i hynny, felly dwi'n gadael i'r tawelwch anghyfforddus loetran am ennyd cyn dod at fy hunan. 'Felly ... i ble ry'n ni'n mynd?'

Mae Callum yn estyn y tu ôl i'w gefn, gan ddatgelu hamper – hamper llwyd, hardd. 'Ro'n i'n meddwl, achos bod hi'n ddiwrnod mor braf, falle gallen ni fynd i'r parc am bicnic?'

Do'n i ddim yn sylweddoli 'mod i wedi bod yn dal f'anadl, ond yna, dwi'n gollwng anadl ddofn. Am ryw reswm, ro'n i wedi disgwyl cael siom gyda'i gynlluniau ar gyfer ein prynhawn cynta gyda'n gilydd. Ond does dim siom. Mae picnic yn ddewis perffaith am ddêt cynta. 'Swnio'n anhygoel!' meddaf.

'Grêt!' Mae'n estyn 'i law, a dwi'n 'i chymryd hi.

Mae'r parc yn brydferth iawn yr adeg hon o'r flwyddyn wrth i'r dail ddechrau newid lliw, ond mae'r awyr yn ddigon cynnes i eistedd y tu fas yn gyfforddus.

'Gest ti fore da?' hola Callum, yn rhyfedd o ffurfiol. Mae'i acen yn dal i wneud i fi wenu. Dwi hefyd yn synhwyro bod y fasged bicnic braidd yn drwm, gan ’i fod e’n cerdded yn lletchwith, gan bwyso ychydig i un ochr.

‘O do, diolch.’ Am ryw reswm, dwi’n teimlo bod angen i fi fod yn ffurfiol wrth ’i ateb. Byddai’n braf neidio i’r rhan lle ry’n ni’n gyfforddus gyda’n gilydd, ond dwi’n gwybod nad fel ’na mae pethau’n gweithio. *Heblaw pan o’n i gyda Noah,* medd llais bach diflas yn ’y mhen. ‘Es i i weld ffrind, sy’n gantores. Leah Brown?’

Mae Callum yn chwerthin. ‘O, beth am daflu enw seren siwper-enwog i mewn i’r sgwrs, ife? Gwelais i ffrind hefyd, ond yn anffodus, dim ond y boi sy’n rhannu fflat ’da fi oedd e, yn ’i bants!’

Crychaf ’y nhrwyn. ‘Dy’ch chi fechgyn ddim wedi clywed am ddillad ’te?’

‘Ddim ar y penwythnos! Oni bai ein bod ni’n mynd mas am ddêt gyda merch bert wrth gwrs. Licet ti fynd am dro cyn bwyta?’

Dwi ar fin ateb pan glywaf fy stumog yn gwneud sŵn fel taran fawr – sydd ddim wir yn addas i ‘ferch bert’. Ro’n i wedi anghofio ’mod i heb fwyta braidd dim ers cael fflapjac brysiog bore ’ma.

‘Dwi’n cymryd mai “na” yw’r ateb ’te!’ medd Callum gan chwerthin.

Dwi’n gwingo. Pam na all ’y nghorff ymddwyn yn normal pan dwi ar ddêt?! ‘Oes ots ’da ti?’ holaf mewn llais bach.

Mae e’n gollwng fy llaw, ac yn rhoi’i fraich o gwmpas f’ysgwydd a nhynnu’n agos ato. ‘Paid â phoeni, Penny. Beth am y lle ’na fan’na?’

Dilynaf linell ’i fys at batshyn o laswellt dan dderwen fawr, sydd wedi’i orchuddio â dail cringoch, euraid. Mae’n edrych yn berffaith ac yn rhamantus iawn. Dafliad carreg i ffwrdd, gwelaf bâr ifanc yn edrych fel tasen nhw'n tynnu lluniau i ddathlu dyweddïad. Maen nhw'n eistedd ar y glaswellt, gefn wrth gefn, â'u dwylo gyda'i gilydd mewn siâp calon. Maen nhw'n edrych yn ciwt iawn, ond nid dyna f'arddull ffotograffiaeth i. Mae'n well 'da fi *shots* naturiol sy'n dal eiliadau mwy cyfrin, sydd wir yn dangos sut mae cyplau'n ymddwyn gyda'i gilydd.

Mae gweld y ffotograffydd wrth 'i waith yn f'ysbrydoli. 'Aros eiliad,' meddaf. Tynnaf 'y nghamera mas o 'mag a thynnu llun bach o'r goeden a'r pâr ifanc. O'r ongl hon, alla i ddim gweld eu hystumiau ffug – maen nhw'n edrych fel tasen nhw wedi ymlacio'n llwyr.

'Wrth gwrs! Dylwn i fod wedi gwbod y byddet ti am gadw'r foment 'ma.'

'Wna i'i roi e i gadw yn y munud.'

'Na, paid! Dwi'n lico dy weld di'n tynnu lluniau. Pa lens sy 'da ti fan'na?' Mae Callum yn rhoi'i hamper ar y llawr a dwi'n pasio 'nghamera iddo fe. Mae'n 'i droi â'i ddwylo, gan archwilio fy lensys, cyn edrych trwy ffenest y camera.

'O, dyma beth yw camera neis. Ond wyt ti wedi meddwl am symud 'mlaen i'r model 5D marc 3?' hola.

Gwenaf. 'Wel, byddwn i'n hoffi gwneud 'ny, ond mae e'n lot rhy ddrud i fi. Hoffwn i gael yr un ongl-lydan 16–35mm, ond byddai hynny'n rhywbeth fel tair anrheg Nadolig ac anrheg pen-blwydd gyda'i gilydd.'

Nodia'i ben, cyn pasio'r camera'n ôl i fi. Mae'n hwyl cael rhywun i siarad mewn manylder 'da fi am ffotograffiaeth. Mae Callum mor wahanol i Noah; fyddai e ddim yn gwybod y gwahaniaeth rhwng lens macro a lens *zoom*, hyd yn oed. Mae Callum yn taenu blanced bicnic dros y gwely o ddail. Eisteddaf ar yr ymyl yn 'i wylio'n gosod detholiad blasus o frechdanau o'n blaenau.

'Waw, mae hyn i gyd yn edrych yn anhygoel! Sgons yw rheina?'

'Wrth gwrs.'

'Ble mae Albanwr dwy ar bymtheg oed yn ffeindio sgons y dyddiau hyn, 'te?'

Wincia Callum. 'Mae hawl 'da fi gadw ambell gyfrinach, on'd oes e?' Ar ôl y sgons, mae e'n estyn rhywbeth sy'n edrych yn debyg i botel cava hanner maint arferol.

'O, sori – dwi ddim yn yfed,' meddaf yn gyflym, gan wingo wrth feddwl 'mod i'n swnio'n blentynnaidd. 'Dyw e ddim yn helpu 'ngorbryder i,' meddaf, gan barablu esgusodion cyn iddo fe ofyn am esgus, hyd yn oed.

'Wir?'

'Wir ...'

'Dim hyd yn oed os cymysga i fe â thamed bach o sudd oren?'

'Well 'da fi beidio, os yw hynny'n iawn.' Teimlaf groen gŵydd yn lledu dros 'y mraich – pam na all e jyst gadael i hyn fod?

Diolch byth, mae e'n codi'i ysgwyddau ac yn rhoi'r botel yn ôl yn yr hamper. Yn olaf, mae e wedi cofio pacio platiau papur a chyllyll a ffyrc. Mae e'n estyn plât i mi, gan osod pob tamaid o fwyd yn ofalus arno.

'Felly, buest ti yn Rhufain dros yr haf, do fe? Dwi'n dwlu ar y lle.' Mae e'n pasio 'mhlât i fi. Mae'r brechdanau *bron* yn rhy bert i'w bwyta. Ond yna, cofiaf am fy stumog wag. Bron yn rhy bert. Rhoddaf frechdan gyfan yn 'y ngheg, ac yna, rhaid i fi gnoi a chnoi nes 'mod i'n barod i siarad.

'O, ydy, mae'n fendigedig. Ro'dd yr hufen iâ, yn enwedig, yn anhygoel.'

'Ti'n hoffi teithio 'te?'

'Dwi'n hoffi teithio, ond nid y *teithio*, os yw hynny'n gwneud synnwyr. Dwi isie gweld yr holl lefydd anhygoel sy yn y byd, ond mae camu ar awyren yn ...' teimlaf ias yn rhedeg i lawr 'y nghefn, er nad yw hi'n oer.

'Ti ddim yn meddwl byddai hi'n grêt gallu clicio dy fysedd a bod yno?'

'O, ydw!' meddaf â gwên.

'Dyna sut dwi'n teimlo am y siwrne hir 'nôl adre. Mae'n drueni bod yr Alban *mor* bell i ffwrdd. Ti erioed wedi bod?'

'Na'dw, ond a dweud y gwir, bydda i'n mynd dros hanner tymor!'

Mae aeliau Callum yn codi tua'i wallt. 'Wyt ti? Pa ran? Caeredin?'

Siglaf 'y mhen. 'Nage, rhywle yn yr Ucheldiroedd – Castell Lochland. Ti wedi clywed am y lle? Mae Mam yn trefnu digwyddiadau ac mae hi'n rhedeg siop ffrogiau priodas yn Brighton. Mae hi'n gwneud priodas fawr fan'na a bydda i'n mynd i'w helpu hi.'

'Ti'n jocan,' medd Callum, a'i geg yn agor led y pen. Mae darn o frechdan wedi hanner 'i chnoi yn y golwg, ac alla i ddim peidio rhythu – *ych a fi*.

Gwgaf. 'Beth? Na'dw ... dyna'i gwaith hi. Trefnu priodasau.'

'Na, na, na, dim hynny. Ond mae 'nghyfnither i'n priodi yng nghastell Lochland dros hanner tymor. Jane Kemp?'

Mae'r enw'n canu cloch. 'Dwi'n credu mai priodas Kemp-Smithson yw hi,' cytunaf. Fel arfer, fyddwn i ddim yn cofio manylion fel y rheiny, ond mae hyn yn eithriad gan fod y briodas yn beth mor fawr i Mam.

'Smithson! Dyna ni. Dwi wastad yn anghofio enw'r boi. Am gyd-ddigwyddiad! A dweud y gwir, mae'n rhaid mai ffawd yw hyn.' Mae e'n pwyso tuag ata i, ac yn gollwng 'i law yn ysgafn ar ben fy llaw i. Dwi'n teimlo fel tase fe ar fin 'y nghusanu i ...

Daw sgrech annaearol i dorri ar ein traws. Symudaf fy llygaid draw at lan y llyn, a gweld tarddiad y sŵn: plentyn yn rhedeg o gwmpas y lle gyda'i fam. Mae'r bachgen yn gwisgo coron bapur lachar ac arni '6' mawr. Y tu ôl iddo fe mae tua deg o blant eraill ac ambell riant.

'O, mae'n rhaid bod parti pen-blwydd 'ma!'

'Grêt. Llwyth o blant swnllyd i sbwylio'r cyfan,' medd Callum dan 'i anadl.

Dwi ddim yn cytuno ag e'n llwyr, ond ydy – mae hyn yn tarfu rhywfaint ar y naws ramantus. Yna, teimlaf ddiferyn o ddŵr ar 'y mhen. (O ble ddaeth y cymylau glaw? Maen nhw wedi ymddangos mor sydyn.) 'Rywsut,' meddaf, 'dwi ddim yn credu mai'r *parti* sy'n mynd i sbwylio hyn.'

Ac ar y gair, fel taswn i'n broffwyd, mae hi'n arllwys y glaw, a'r diferion yn gwlychu ein picnic hyfryd.

Pennod Un deg wyth

Mewn chwinciad, mae holl gynlluniau gofalus Callum yn deilchion, wrth i ni daflu popeth yn frysiog 'nôl i'r hamper. Mae'r grŵp pen-blwydd bellach yn sgrechian yn fyddarol ac yn rhedeg i rywle i gysgodi.

Ar ôl rhoi popeth i gadw, mae Callum yn cydio yn fy llaw. 'Dere.'

Mae plât papur yn fy llaw o hyd, a dwi'n 'i ddal uwch 'y mhen, fel rhyw fath o ymbarél truenus. Ry'n ni'n rhedeg tuag at gatiau'r parc ac i mewn i siop goffi gynnes a chroesawgar wrth yr orsaf.

Hyd yn oed ar ôl y fath gawod fer, mae 'ngwallt i'n wlyb domen. Y peth cynta bore 'ma, rhoddais i golur yn ofalus ar fy wyneb, ond mae'r cyfan bellach yn gawlach llwyr. Edrychaf ar Callum, sy'n edrych fwy neu lai'n sych. Mae'i wallt byr mor berffaith ag erioed. Sut mae bechgyn yn llwyddo i wneud hynny?

Mae e'n sychu diferyn o law o flaen 'y nhrwyn. Er mawr syndod i fi, mae'i ysgwyddau'n suddo'n ddigalon. 'Sori am hyn. Doedd dim sôn am law ar ragolygon y tywydd bore 'ma.'

'Mae'n iawn. Alli di ddim wastad dibynnu ar beth mae'r bobl 'na'n ddweud!' gwenaf.

'Yn amlwg.' Mae'i lygaid yn fflamio fel mellt.

'Hei, paid poeni – wir.' Rhoddaf fy llaw ar 'i fraich. Mae e'n 'i symud. 'Hm. Fyddai ots 'da ti archebu *latte* i fi? Dwi'n mynd i'r tŷ bach i sychu.' Mae e'n rhoi papur pum punt i fi, ac yn cerdded bant yn bwdlyd.

Dwi'n rhythu ar 'i gefn, a'r papur pum punt llipa yn fy llaw. Yna, dwi'n trio cael gwared ar 'y nhymer ddrwg: mae'r glaw wedi strywo'i gynlluniau ar gyfer y dydd, ac mae e'n gandryll nawr. Mae hynny'n iawn. Af i sefyll yn y rhes hir sy wedi ffurfio ar gyfer coffi.

'Iyffach, am hunllef!' ebycha'r fenyw y tu ôl i fi. Trof 'y mhen, a gweld mai hi oedd un o'r menywod yn y parti pen-blwydd. 'Do'dd honna ddim yn y rhagolygon, nag o'dd hi?'

'Nag o'dd, ddim o gwbl!' atebaf.

'Beth wna i nawr â deuddeg o blant sgrechlyd oedd isie parti tu fas? Unrhyw syniad?'

Codaf f'ysgwyddau, ond mae'r fenyw'n dal i siarad. 'Llwyddais i achub y gacen ben-blwydd jyst mewn pryd a dyna'r unig beth sy 'da fi. Bydd rhaid i fi roi'r gacen iddyn nhw fan hyn. Grêt! Galla i ychwanegu plant *hyper* llawn siwgr at fy rhestr o broblemau ...'

Edrychaf dros 'i hysgwydd ar haid o blant digalon, gan deimlo'i siom i'r byw. 'Alla i wneud unrhyw beth? Beth am i fi brynu'ch diod chi, er mwyn i chi allu dechrau torri'r gacen?'

'O, byddai hynny'n ffantastig! Diolch,' medd, gan roi llond dyrnaid o arian mân i fi. 'Dim ond te i fi. Iyffach, mae'i isie fe arna i!' Mae hi'n rhuthro'n ôl at y plant, ac mae un ohonyn nhw – y bachgen pen-blwydd chwe blwydd oed – wrthi'n dringo ar un o'r bordydd. 'Lawr, Lucas!' gwaedda'n grac. Chwarddaf. O'r diwedd, daw 'y nhro i, a dwi'n archebu *latte* a dwy ddisgled o de gyda llaeth.

'I bwy mae'r trydydd diod?' Mae Callum yn ymddangos y tu ôl i fi, gan wneud i fi neidio. Dwi'n falch o weld 'i fod e'n edrych yn hapusach nawr.

'O, y fam, druan, sy'n edrych ar ôl yr holl blant 'na.'

'Caredig iawn.' Mae Callum yn gafael yn y *latte* o'm llaw ac yn cerdded at y sedd bellaf bosib oddi wrth y criw pen-blwydd.

'Oes ots 'da ti os af i i'r tŷ bach gynta?' holaf. Mae Callum yn chwifio'i law yn ddiamynedd, a dwi'n cymryd mai "nac oes" mae hynny'n 'i olygu.

Dan olau llachar y tŷ bach, pwysaf yn erbyn y sinc a rhythu ar f'adlewyrchiad yn y drych. Sychaf ddiferion mascara oddi ar 'y mochau, a cheisio tacluso 'ngwallt gwlyb, llipa. Ond yr olwg yn fy llygaid sy'n fy synnu. Dwi ddim yn edrych yn hapus, o gwbl.

Alla i ddim esbonio beth sydd o'i le. Mae Callum wedi bod yn ŵr bonheddig – heblaw am ambell foment letchwith gyda'r alcohol a'r glaw. Ond mae teimlad rhyfedd yn troelli yn 'y mola, sy'n ddim i'w wneud â chwant bwyd. Does dim ... o'r cynnwrf na'r sbarc ro'n i'n disgwyl 'i deimlo. A dweud y gwir, dwi'n teimlo fel tase'r waliau teils yn cau'n dynn amdana i, a'r cyfan dwi eisiau'i wneud yw meddwl am reswm i adael heb edrych yn anghwrtais. Dwi'n mwynhau cuddio fan hyn yn fwy nag y dylwn i.

Dwi'n ystyried hala tecst at Elliot i ofyn am gyngor, ond dwi'n gwybod y byddai e'n rhoi stŵr i fi am fod ar fy ffôn yn ystod dêt, felly dwi'n penderfynu rhoi stop ar y pendroni. *Dwyt ti ddim yn bod yn deg, Penny*, siarsiaf fy hun. *Rho siawns iddo fe, o leia.*

Gyda'r gwynt 'nôl yn fy hwyliau, gwenaf a mynd 'nôl i mewn i'r siop goffi.

'Ro'n i'n credu bo' ti ar goll yn fan'na,' medd Callum.

'Nac o'n, popeth yn iawn.'

'Wel, ti'n edrych yn sobor o bert. Hyd yn oed yn wlyb diferu.' Mae e'n cyffwrdd â'm llaw wrth i fi eistedd, a dwi'n gwrido. Er 'mod i braidd yn ansicr ynglŷn â 'nheimladau ar hyn o bryd, mae e'n edrych yn hollol anhygoel o gorjys ac mae'r anesmwythyd ro'n i'n 'i deimlo'n dechrau diflannu. Ydw i wir mor arwynebol â hynny? Ai dim ond wyneb golygus sy'n bwysig i fi?

'Diolch,' meddaf.

'Sori – sori am dorri ar eich traws chi!' Mae mam y bachgen pen-blwydd yn rhuthro draw atom ni, ac alla i ddim peidio â sylwi ar y fflach o rwystredigaeth sy'n hagru wyneb perffaith Callum am eiliad. Yn ffodus, dyw'r fenyw ddim yn sylwi, a dwi'n gwenu'n garedig arni. 'Diolch o galon am 'y mhaned i. Dyma rywbeth bach i chi – dau bishyn o'r gacen ben-blwydd.'

Mae hi'n gollwng dau damaid soeglyd o'r gacen o'n blaenau, wedi'u lapio mewn papur brown, ac yn rhuthro bant.

Codaf ddarn a chymryd hansh. Mae'n fendigedig. 'Waw, cacen am ddim!' meddaf. 'Ac mae hi wir yn gacen dda!'

Mae Callum yn codi'i ysgwyddau. 'Dwi ddim wir yn ffan o gacennau.'

'Hei, mae hyn mor rhyfedd, ry'n ni newydd gael cacen am ddim!' Galla i deimlo cynnwrf yn byrlymu yn 'y ngwythiennau. Mae'n gyfle perffaith i weld sut un yw Callum mewn gwirionedd.

Rhytha yntau arna i fel taswn i wedi tyfu cyrn ar 'y mhen. 'Y, ie, ac ...?'

'A ... iawn, gad i fi esbonio. Yn 'y nheulu i, mae gyda ni draddodiad o'r enw Diwrnod Dirgel Hudol. Ry'n ni heb 'i wneud e ers sbel, ond byddai bob amser yn dechrau gyda chacen – ac yna bydden ni'n mynd o le i le, ac yn cael cacen gyda phob pryd bwyd.'

'Mae'n swnio braidd yn dwp ...' Mae gwên ffug, annaturiol, yn lledu dros 'i wyneb, ac yna mae'n chwerthin yn lletchwith.

'Ydy, siŵr o fod ...' Mae 'ngwên i'n pylu.

Sylwa Callum a cheisio meddalu'i eiriau miniog. 'Dim twp, ond ... plentynnaidd. Ti'n gwbod, yn hwyl pan wyt ti'n blentyn, ond ... Mae dy rieni di'n swnio fel tasen nhw'n lot o sbort. Ond nawr, pan wyt ti'n cael cacen am ddim yn Llundain, mae'n rhaid i ti ofalu bod neb wedi rhoi rhywbeth ynddi hi.'

'Mae 'da ti ffordd sinigaidd iawn o edrych ar y byd.'

'Hei, alli di ddim bod yn rhy ofalus. A gallwn ni wneud rhywbeth gwell na bwyta cacen. Achos y glaw 'ma, beth am fynd i weld ffilm?'

Edrychaf i lawr ar fy wats. Mae awr ar ôl nes y bydd rhaid i fi ddal fy nhrên, ond does dim amser i weld ffilm. Mae'i ymateb i'r Diwrnod Dirgel Hudol wedi tynnu'r gwynt o fy hwyliau, braidd. Pan soniais i am y peth wrth Noah, ymunodd e yn yr hwyl yn syth. Alla i *wir* fod gyda rhywun sydd ddim yn gallu mwynhau ychydig o sbort a chacennau? Dwi ddim yn credu bod hyn am weithio. Siglaf 'y mhen. 'Rhaid i fi ddala'r trên adre – rhywbryd 'to falle?' Mae'r geiriau'n disgyn yn bendramwnagl o 'ngheg cyn i fi allu eu hatal.

Gwelaf siom yn llygaid Callum, ond yna, maen nhw'n goleuo eto. 'Falle gwela i di yn yr Alban wythnos nesa 'te?'

'Wrth gwrs, byddai hynny'n neis,' meddaf. Dwi'n difaru'n syth 'mod i wedi sôn am y peth. Ond eto, bydda i mor brysur yn helpu Mam fel na fydd llawer o amser i fi weld Callum. Bydd rhaid i fi orffen pethau – yn garedig – rywbryd 'to, gan obeithio na chaiff e ormod o siom. Dewis arall fyddai'i osgoi e, mor gyfrwys ag un o Charlie's Angels.

'Dere, gad i fi fynd â ti i'r orsaf.'

'O ... does dim rhaid i ti wneud hynny, wir ...'

'Oes, dere. Mae digon o bethe wedi mynd o chwith yn barod. Dyna dwi'n 'i gael am drio'n rhy galed i greu argraff, siŵr o fod,' medd, gan bwyntio at yr hamper.

Mae e'n edrych mor drist nes bod 'y nghalon yn gwaedu. Yn reddfol, cydiaf yn 'i law. 'Na, mae e wedi bod yn wych. Alli di wneud dim am y tywydd. Beth am drio eto? Falle pan fyddwn ni yn yr Alban, yn dy gynefin di, bydd pethe'n well.'

Gwena, ac mae 'nghalon i'n llamu. *Mae* e'n anhygoel o ciwt. *PAM YDW I MOR WAN?*

Mae'n rhoi'i fraich o gwmpas f'ysgwyddau ac yn 'y nhywys mas o'r siop goffi a thuag at orsaf y Tiwb. Mae hi'n dal i arllwys y glaw, felly rhaid i ni redeg at y fynedfa.

'Roedd hi'n dda cael cyfle i ddod i d'adnabod di'n well, Penny,' medd, gan aros y tu fas i'r gatiau. 'O leia nawr dwi'n gwbod mai cacen siocled yw'r allwedd i dy galon di.' Mae'n wincio.

'Cywir,' meddaf, gan sylwi bod y gair yn swnio fel ochenaid. Mae'i law yn llithro i lawr 'y mraich, o'm hysgwydd hyd at gledr fy llaw.

Mae 'nghalon yn curo'n wyllt yn 'y mrest, a dwi'n teimlo fel y gallwn ni redeg milltir – er ein bod ni'n sefyll yn stond. Codaf 'y ngên i ddal 'i lygaid, gyda 'nghalon yn 'y ngwddf.

'Tan yr Alban, 'te.'

'Tan hynny.'

Mae'i law yn cydio yn fy llaw, gan 'y nhynnu tuag ato. Mae'r llaw arall ar 'y ngên, ac yna, yn ysgafn ac yn dyner, teimlaf 'i wefusau'n cyffwrdd â 'ngwefusau i.

4 Hydref

Nerfau dêt cyntaf

Bydd hyd yn oed teitl y blogbost yma'n ddigon i roi sioc i rai ohonoch chi, a'ch annog i glicio arno fe. Ydy, mae'n wir ... dwi wedi bod ar ddêt. Gyda bachgen. Sydd ddim yn dod o Brooklyn. Wna i roi moment fach i chi feddwl am hynny ...

Gan mai dim ond ar lond dyrnaid o ddêts dwi wedi bod o'r blaen, does 'da fi ddim llwythi o brofiadau positif i'w hystyried. Fe ddweda i wrthoch chi'n blwmp ac yn blaen: roedd y rhan fwyaf ohonyn nhw'n gwbl drychinebus. Ac a dweud y gwir, ar ôl popeth ddigwyddodd y llynedd, roedd cytuno i gwrdd â rhywun arall yn deimlad rhyfedd, ond penderfynais i nad oedd dim byd 'da fi i'w golli. P'un ai y bydden ni byth yn siarad eto, yn gwahanu ar delerau da neu'n cael amser gwych, sut gallwn i wybod oni bai 'mod i'n trio?

Am sbel fach, ro'n i'n gwadu'i fod e'n ddêt o gwbl, ond ar ôl i lawer o ffrindiau bwysleisio'r peth, penderfynais y byddai'n well i fi gydnabod y GALLAI e fod yn ddêt, a bod hynny'n iawn. Dwi'n credu, unwaith y byddwch chi'n labelu rhywbeth â'r gair 'dêt', mae popeth yn llawer mwy brawychus.

– *Beth* os bydd e'n lletchwith?

– *Beth* os bydd 'da ni ddim byd i siarad amdano?

– *Beth* os bydd e'n bwyta â'i geg yn agored?

– *Beth* os cwympa i, a dangos fy nicers i bawb?

Mae'r posibiliadau'n DDI-BEN-DRAW.

Cyn y dêt, ro'n i wedi ystyried pob un 'beth os'. Ro'n i wedi pendroni am bob digwyddiad trychinebus, ac wedi bod trwy bob senario posib.

Ta beth, pwy a ŵyr os daw unrhyw beth o'r dêt, ond sylweddolais i fod treulio amser gyda rhywun gwahanol yn neis – ac fe gawson ni gacen am ddim, felly ar y cyfan, roedd e'n brynhawn bach da! Llwyddais i gamu mas o fy lle cysurus, saff, a gadael y pryderon gartre.

Fyddi di'n mynd yn nerfus cyn dêt cynta? Oes gyda ti storïau am ddêts ofnadwy? Rhanna'r cyfan i wneud i fi deimlo'n well.

Merch Ar-lein, yn mynd oddi ar-lein xxx

Pennod Un deg naw

'Felly, sut o'dd *y* gusan?' hola Elliot, sy'n gorwedd ar 'i fola ar 'y ngwely, a'i goesau wedi'i plygu lan y tu ôl iddo fe. Dwi newydd orffen dweud popeth wrtho fe am ein dêt (eithaf) dychrynllyd – gan ddechrau 'da'r picnic a'r glaw, hyd at 'i sylwadau am y Diwrnod Dirgel Hudol.

'Ro'dd hi'n gusan neis iawn,' atebaf, gan bwyso'n ôl yn erbyn pen y gwely.

'*Neis*? Ych-a-fi, dyna beth yw disgrifiad ofnadwy!' yw sylw Elliot, gan grychu'i drwyn. 'Wir? *Neis* yw'r unig air sy 'da ti? Mae *neis* mor ... ddi-ddim, mor feddal a chymedrol. Dyna'r ganmoliaeth fwya truenus erioed.'

'Wel, ta beth,' meddaf, '"neis iawn" wedes i.'

Mae Elliot yn taflu'i freichiau i'r awyr. 'O waw, hip hip hwrê. Felly dwed y gwir wrtha i, ife dim ond *neis* oedd hi?'

Codaf f'ysgwyddau. 'Ie ... achos ar yr wyneb, mae e'n foi delfrydol i fi, ond does dim sbarc rhyngon ni.'

'Gall y pethe hyn gymryd amser, sbo.' Mae Elliot yn dal i swnio'n amheus. 'Felly wyt ti'n mynd i'w weld e eto?'

'Dwi ddim yn credu bod dewis 'da fi. Fel mae'n digwydd, mae e wedi cael gwahoddiad i'r briodas mae Mam a Sadie Lee'n

’i threfnu, felly byddwn i wedi’i weld e yno ta beth ... ond ar ôl hynny, bydd rhaid i ni weld sut aiff hi.’

‘Sut mae hyn wastad yn digwydd i ti? Sut wyt ti *wastad* yn cwrdd â bechgyn mewn priodasau? Ti’n dal heb glywed unrhyw beth oddi wrth Noah?’

Siglaf ’y mhen. Mae cael cwmni Sadie Lee a Bella wedi dwysáu f’awydd i glywed oddi wrtho, i gysylltu ag e, i roi gwybod iddo fe fod pobl yn meddwl amdano. Ond bob tro y bydd ’y mys yn hofran dros ’i rif e, rhaid i fi orfodi fy hunan i roi’r ffôn i gadw. Dwi wedi trio cael gafael arno fe yn y gorffennol; nawr, mae’n rhaid i fi ddilyn arweiniad Sadie Lee ac aros nes ’i fod e’n barod. Os yw e eisiau cloi’i hunan i ffwrdd, ’i benderfyniad e yw hynny – hyd yn oed os yw e’n benderfyniad eitha hunanol, yn ’y marn i. Ac wrth i’r cyfnod o dorri cysylltiad ymestyn yn hirach ac yn hirach, dwi’n dechrau teimlo’n fwy crac.

‘Wel, yn y cyfamser, *dwi* wedi bod yn gwneud tamed bach o ymchwil am Gastell Lochland, ac mae’n edrych yn anhygoel. Ti’n credu bydd e’n ormod i Alex a finne wisgo cilts sy’n matsio? Gobeithio hefyd na wnaiff hi fwrw *drwy’r* amser.’

‘Cilts sy’n matsio? Paid, er mwyn dyn! Ac o ran y glaw, dwi ddim yn credu bod gyda ti lot o ddweud yn y mater.’

‘Bydd rhaid i ti ’nghyflwyno i i’r bachan Callum ’ma, ta beth. Wedyn, galla i benderfynu p’un ai oedd eich cusan gynta chi’n ddiflas.’

‘Do’dd hi ddim yn ddiflas,’ meddaf, gan deimlo’n amddiffynnol. ‘Do’dd hi ddim. Ro’dd hi’n union fel y dwedais i ... yn neis. Wnaeth hi ddim troi ’mywyd i ben i waered, ond falle ’mod i’n disgwyl gormod? Mae popeth arall amdano fe wir yn fy siwtio i, felly dwi’n credu y dylwn i roi siawns arall iddo fe. Falle, yn ’i gynefin ’i hunan, bydd e wedi ymlacio ac yn teimlo’n hapusach. Ac er y bydd Sadie Lee a Bella yno, bydda i’n ddigon pell oddi wrth bopeth arall sy'n f'atgoffa i o Noah, felly gobeithio galla *i* ymlacio hefyd.'

Dyma Elliot yn troi'n gyflym ar 'i gefn. 'Dwi'n ffaelu credu bod Leah wedi cicio Megan mas o'i sesiynau stiwdio. Wyt ti wedi siarad â hi ers 'ny?'

Siglaf 'y mhen. 'Na'dw. Bues i'n ystyried hala neges ati hi ond dwi'n credu mai hi sy'n gorfod dod ata i y tro 'ma.'

'Ti'n iawn. Ti wastad yn llawer rhy neis 'da'r ferch 'na. Dyw hi'n ddim byd ond trafferth ar ddwy goes. Dwi'n dal heb faddau iddi hi am beth wnaeth hi ar *Celeb Watch* a dwi'n ffaelu credu bo' ti wedi gwneud. Wyt ti 'di anghofio am Gyflafan y Milcshêcs? Yr unig dro dwi erioed wedi credu bod Megan yn ddoniol oedd pan oedd hi'n wlyb sopen achos y milcshêc wnaethon ni dowlu dros 'i phen hi ...'

Mae gwên yn lledu dros fy wyneb, ond teimlaf bwl o euogrwydd ar ôl eiliad neu ddwy. 'Dwi'n gwbod. Ond dwi'n siŵr na wnaiff hi unrhyw beth fel 'na eto – mae hi wedi dysgu'i gwers.'

Mae Elliot yn rhochian yn amheus.

'Digwyddodd rhywbeth arall diddorol ddoe,' meddaf. 'Tynnais i lun, a wnes i 'i hala fe at Melissa ...' yna caeaf 'y ngheg. Yn sydyn dwi'n teimlo'n swil am y peth. Mae Elliot yn gwybod 'mod i wedi bod yn chwilio am rywbeth "unigryw i Penny" a fyddai'n cyfiawnhau'r cyfle ges i gyda François-Pierre Nouveau, ond dyw e ddim yn gwybod 'mod i wedi bod yn hala lluniau at reolwr 'i swyddfa. Mae 'da fi deimlad falle bod y llun 'ma ar fin dechrau rhywbeth, ond dwi ddim am ddod ag anlwc i'r peth trwy rannu'r newyddion gydag Elliot.

Sef bod Melissa wedi ymateb yn wych i fy ffotograff diweddara – yr ymateb gorau eto.

'*Aaaac* ...' medd Elliot yn ddisgwylgar.

Yna, cawn ein gwthio ar ein heistedd gan sŵn curo mawr ar ochr arall fy stafell wely. 'Arhosa – ddaeth y sŵn 'na o dy stafell di?' holaf.

Mae'i lygaid fel soseri. 'Ym, do, dwi'n credu.'

Mae sŵn crash arall wedyn, mor nerthol nes 'i fod yn siglo'r lluniau ar fy wal ac yn gwneud i un o 'mhosteri gwympo i lawr.

'Beth yffach sy'n digwydd?' holaf.

Yna clywn lais. Llais menyw. Mam Elliot. Ac mae hi'n swnio'n gandryll.

Neidia Elliot ar 'i draed a rhuthro mas o fy stafell. Dilynaf e i lawr y staer nerth 'y nhraed, gan droelli o gwmpas y canllaw i gadw'n dynn ar 'i sodlau. Mewn chwinciad, ry'n ni ar lawr gwaelod ein tŷ ni, mas trwy'r drws a lan staer tŷ Elliot. Mae Elliot yn chwilota am 'i allwedd, gan roi cyfle i fi ddala lan ag e. Dwi eisiau dweud wrtho fe am arafu, ac i beidio â rhuthro i ganol beth bynnag sy'n digwydd, ond mae e'n fachgen penderfynol ofnadwy.

Erbyn i ni gyrraedd 'i stafell e yn yr atig ar dop y tŷ, dwi mas o wynt yn llwyr. Ac os nad o'n i'n brin f'anadl yn barod, mae'r hyn sy'n digwydd nesa yn cipio f'anadl yn llwyr.

Mae Mrs Wentworth, mam Elliot, yn 'i stafell, yn 'i rhwygo a'i rhacso tu fewn tu fas a ben i waered. Mae'i ddillad wedi'u towlu dros bobman, a'i gwpwrdd dillad taclus, sydd fel arfer wedi'i drefnu'n ôl lliw, yn annibendod mawr ar y llawr. Mae'i fam yn edrych yn hollol dwlali, a rhyw sbarc rhyfedd yn 'i llygaid. Mae hi fel arfer yn fenyw mor daclus (dyna pam mae Elliot mor daclus) ond heddiw mae'i gwallt fel nyth brân a dyw botymau 'i chrys ddim hyd yn oed wedi'u cau'n iawn.

Mae Elliot yn gwneud sŵn sydd bron yn anifeilaidd: hanner ochenaid, hanner sgrech. 'MAM! Beth ... yffach ...'

'Dwi'n gwbod dy fod ti'n 'i helpu e i guddio pethe oddi

wrtha i! Ble mae'r dystiolaeth?'

'Ble mae BETH?'

'Tystiolaeth! Cred ti fi, dwi wedi chwilio pob twll a chornel o'r tŷ 'ma heblaw am dy stafell di a dwi ddim wedi dod o hyd i unrhyw beth, felly dwi'n gwbod 'i fod e yma'n rhywle.'

'Mam, dwi ddim yn helpu Dad i guddio unrhyw beth! Prin siarad ag e ydw i! Mae e'n 'y nghasáu i a "'nhebyg", ti'n cofio? Ofer oedd yr holl oriau 'na o therapi.'

'Dyna'n union y math o reolaeth fyddai dy dad yn 'i hoffi.' Gan droi'i chefn ar y cwpwrdd dillad, mae hi nawr yn troi'i llygaid gwyllt at ddesg Elliot. Mae yntau'n llamu o'i blaen hi, gan agor 'i freichiau'n llydan.

'Penny! Saf o flaen 'y nghwpwrdd,' medd, gan dynnu sylw'i fam ata i.

'Mater *teuluol* yw hwn, Penny. Cer adre,' gorchmynna, yn oeraidd. Fel arfer, mae rhieni Elliot yn ddigon croesawgar; yn ystod yr holl flynyddoedd ry'n ni wedi bod yn byw y drws nesa iddyn nhw, dwi erioed wedi gweld 'i fam fel hyn.

'Penny *yw* 'y nheulu i nawr,' mynna Elliot. 'Mae hi'n bendant yn fwy o gefn i fi na'r un ohonoch chi!'

Nawr dwi'n gwingo go iawn, yn dymuno y gallwn i ddiflannu trwy'r llawr.

Diolch byth, mae llygaid 'i fam yn symud oddi wrtha i. 'Tra wyt ti'n byw dan y to 'ma, mae hawl gyda fi i edrych trwy dy bethe di,' gwaedda. Dwi'n sylweddoli'n syth bod hynny'n beth hollol anghywir i'w ddweud.

'FELLY WNA I DDIM BYW DAN EICH TO CHI DDIM MWY! Dere, Penny.' Rhuthra Elliot tuag ata i gan gydio yn fy llaw.

Wrth i ni adael 'i stafell wely, mae e'n troelli o gwmpas. 'Drycha dan bob styllen ar y llawr 'ma. Wnei di ddim dod o hyd i unrhyw beth. Does dim syniad gyda fi am beth rwyt ti'n chwilio, ond dyw e ddim yn stafell dy fab di. Jyst cofia hynny.'

Ar ôl i ni fynd mas, dy'n ni ddim yn mynd yn syth i'n tŷ ni – er gwaetha'r glaw mân sydd newydd ddechrau. Cerddwn i lawr y rhiw, tuag at y parc. Ar ôl i ni fynd yn ddigon pell fel nad yw mam Elliot yn gallu ein gweld ni, mae Elliot yn torri i lawr i lefen y glaw. Dwi'n 'i lusgo fe i mewn i'r lloches fysys, yn lapio 'mreichiau o'i gwmpas ac yn 'i dynnu'n dynn at 'y mrest. 'Mae'n iawn, Elliot. Mae'n hollol iawn.'

'Na'dy,' medd, gan sniffian yn bwdlyd. Dwi'n rhoi hances iddo fe.

'Oeddet ti wir yn meddwl beth wedaist ti,' holaf, 'am beidio mynd adre?'

'Wrth gwrs. Os ... os yw hynny'n iawn gyda dy rieni.'

Am eiliad, dwi'n syfrdan. 'Aros funud – ti'n moyn byw gyda ni? Beth am Alex?'

'Paid â 'nghamddeall i, dwi'n *caru* Alex, a dwi isie byw gydag e. Ond ddim cweit eto. Pan fydda i'n symud i mewn gydag e, dwi isie iddo fe fod am y rhesymau cywir – ddim achos 'mod i'n byw ar bumed lefel uffern *Inferno* Dante ar hyn o bryd.'

'Pardwn?'

'Wir, Penny, ti ddim yn darllen? Hyd yn oed Dan Brown? Pumed lefel uffern yw'r rhan ar gyfer dicter. Mae ein cartref ni'n boddi mewn dicter ar hyn o bryd.'

Dwi'n gwasgu'i law yn ysgafn. 'Ti'n gweld, hyd yn oed pan wyt ti'n gawlach o snot ac emosiynau, ti yw'r gîc mwya dwi'n nabod.'

Mae e'n sniffian. 'Diolch, Pendigedig. Mae'n flin 'da fi bo' ti wedi gorfod gweld hynna.'

Codaf f'ysgwyddau. 'Paid â sôn. Ti *yw* 'nheulu i, ti'n gwbod hynny. Ti'n gwbod popeth amdana i hefyd.'

Mae e'n ochneidio ac yn pwyso'i ben ar f'ysgwydd. 'O'dd rhaid iddyn nhw wneud hyn i fi yn ystod 'y mlwyddyn olaf yn yr ysgol? Allen nhw ddim bod wedi aros nes i fi fynd bant i'r brifysgol neu rywbeth? Y peth gwaetha yw, dwi'n credu falle bod Mam yn iawn. Mae Dad wedi bod yn ymddwyn yn od iawn yn ddiweddar, yn gwneud mwy o ymdrech â'i ddillad a phethau – dwi'n siŵr i fi 'i weld e'n cadw'n heini y diwrnod o'r blaen – yn cyrraedd 'nôl hyd yn oed yn hwyrach nag arfer, yn trefnu mwy a mwy o dripiau busnes o hyd. I ddechrau, ro'n i'n meddwl mai mynd mas o'r tŷ i f'osgoi *i* o'dd e, ond nawr dwi'n meddwl bod rhywbeth arall ar 'i feddwl e. Neu, mae paranoia Mam yn heintus.'

'Dwi'n credu weithiau fod paranoia *yn* heintus. Ond hefyd, mae dy reddf di fel arfer yn eitha cywir.'

'Falle bod 'y ngreddf i'n anghywir yn yr achos 'ma.'

'Maen nhw'n oedolion. Mae angen iddyn nhw ddatrys hyn eu hunain.'

Sycha Elliot 'i lygaid â'r hances. 'Dwi'n gwbod hynny. Ond byddai'n dda tasen nhw'n gallu peidio 'nhynnu i i ganol eu cawl nhw hefyd.'

'Dyw e ddim yn deg o gwbl.'

'Dyw e ddim yn deg, ond dyna fel mae pethe. Iyffach, o'n i byth yn credu y byddwn i mor despret i fynd i'r Alban! Allai dy fam ddim bod wedi trefnu priodas yn Ibiza, neu rywle *twym* o leia?'

Rhoddaf bwt i'w ysgwydd. 'Hei, ti'n caru'r Alban.'

'Dwi'n gwbod. Yr Ucheldiroedd yw un o'r ychydig lefydd bues i 'da fy rhieni pan o'n i'n blentyn. Ddwedon nhw eu bod nhw'n dwlu ar yr awyr agored ac yn prynu stwff gwersylla newydd: pebyll, matresi, sachau cysgu, popeth. Wedyn hanner ffordd yno, rywle ar bwys gwasanaethau Watford Gap, dyma nhw'n cael yffach o ddadl am faint o fwydydd sych y dylen nhw fod wedi'u prynu, cyn rhoi'r gorau i'r holl beth. Bwcio gwesty munud olaf yng Nghaeredin am grocbris wnaeth Mam wedyn. Mae'n swnio'n hurt, ond ro'n i'n joio. Dyw'r teulu Wentworth ddim yn arbennig o dda am wneud gweithgareddau teuluol.'

Pwysa Elliot 'i ben yn erbyn panel gwydr y lloches. Syllaf ar y diferion glaw sy'n llifo i lawr y panel, a'u patrwm fel ôl y dagrau ar fochau Elliot.

'O leia bydd Alex gyda fi'r tro 'ma. Wedyn gallwn ni greu atgofion newydd yn yr Alban. Mae 'da fi deimlad y bydd angen atgofion hapus arna i.'

Pennod Dau ddeg

'Gawn ni stopio? Gawn ni stopio?' Dwi'n taro ysgwydd Dad wrth i ni yrru ar yr heol mas o Inverness. Fe wnes i oroesi'r daith ar yr awyren – jyst – diolch i gardigan wlanog enfawr Mam. Bellach, mae'r gardigan yn edrych fel blanced lympiog â breichiau gan 'mod i wedi'i hymestyn hi cymaint. Cyn gynted ag y bydda i'n meddwl 'mod i wedi troi 'nghefn ar 'y ngorbryder, daw ehediad awyren i f'atgoffa bod llawer o waith i'w wneud nes y bydda i'n hollol iawn. Falle na fydda i byth gant y cant fel yr hoffwn i fod, ond cyhyd â bod hynny ddim yn fy rhwystro rhag gwneud y pethau dwi'n eu caru, does dim ots.

Ond nawr ein bod ni wedi cyrraedd yn ddiogel, caiff 'y ngorbryder 'i wthio i gefn fy meddwl. Trwy'r ffenest, gwelaf loch ddisglair yn ymestyn at y gorwel, a chaeau o wair tal, euraid o'i hamgylch. Dim ond ers hanner awr ry'n ni wedi bod yn y car, ond mae cefn gwlad yr Alban o'm cwmpas wedi fy swyno.

'Penny, os stopiwn ni bob pum munud, chyrhaeddwn ni byth mo castell Lochland.'

'Dim ond unwaith eto, plis?'

'Iawn, f'annwyl ferch.' Mae'n tynnu i mewn i lain greigiog, a dwi'n llamu mas o'r car. Dwi erioed wedi tynnu llawer o ffotograffau o dirluniau, ond mae golygfa sydd hyd yn oed yn fwy trawiadol na'r un olaf o gwmpas bob cornel. Edrychaf i lawr ar y sgrin i weld y llun dwi newydd 'i dynnu. Gwenaf. Does dim angen ffilter na golygu o unrhyw fath arno i edrych yn ffantastig. Mae'n ffantastig fel y mae e.

Anadlaf yn ddwfn a theimlo awyr iach yn llenwi f'ysgyfaint. Mae'n wahanol i Brighton, lle mae blas halen y môr ar yr awel bob amser. Mae'r awyr yma'n teimlo'n bur ac yn llesol.

Clywaf Dad yn canu'r corn yn ddiamynedd, i 'nhynnu'n ôl i realiti. Llithraf yn ôl i mewn i'r car. 'Sori, Dad. Ro'dd yr olygfa mor brydferth!'

'Bydd rhaid i ti fynd i gerdded yn yr Ucheldir ar ôl i ni setlo yn y castell,' medd Mam, o sedd y teithiwr. 'Byddi di wrth dy fodd. Ond bydd rhaid i ti gael tywysydd – dwyt ti ddim isie mynd ar goll mas fan hyn.'

'Falle 'mod i,' atebaf yn freuddwydiol.

Mae'r castell yng nghanol nunlle, yn llythrennol, ac wrth i ni bellhau oddi wrth y ddinas, mae'r tirlun yn fwy gwyllt a chreigiog byth. Dim ond unwaith eto mae Dad yn gadael i fi aros i dynnu llun, a dyna pryd ry'n ni'n mynd heibio cylch o feini ar ben bryn – mor hudolus a dirgel â Chôr y Cewri. Falle'i fod e hyd yn oed yn fwy hudolus, gan nad oes llwythi o dwristiaid ym mhob man.

'Gofalus,' medd Mam. 'Maen nhw'n dweud bod hud a lledrith mewn cylchoedd meini fel hyn.'

'Waw, mae hi mor hawdd credu hynny,' meddaf. 'Hud ... neu falle mai cewri adeiladodd nhw.' Pwy arall allai fod wedi cario meini mor enfawr i leoliad mor anodd 'i gyrraedd?

'Arhosa di nes i ti weld y castell, Penny. Dwi'n credu y cawn ni dipyn o drafferth mynd â ti adre.'

'Ti wastad yn dweud hynny, ond faint o amser sy 'na nawr

nes i ni gyrraedd?'

Mae Dad yn edrych ar 'i fap. Am ryw reswm, dyw'r sat nav ddim yn hapus yn y mynyddoedd anghysbell yma. 'Dim llawer – tua hanner awr, siŵr o fod.'

'Waw, alla i ddim aros!' meddaf.

'Nawr,' medd Mam, 'ble mae fy nodiadau i?' Mae hi'n taro'i hochrau ac yn edrych o gwmpas 'i thraed.

A ninnau bellach ar dir yr Alban, galla i synhwyro'r tensiwn yn cynyddu yn yr awyr, fel tase'n pelydru o gorff Mam. Dyma sut mae hi cyn unrhyw briodas fawr. Ac achos bod cyllideb yr un yma mor enfawr, mae hyd yn oed rhagor o restrau o bethau i'w gwneud – a dim ond tri diwrnod byr i wneud y cyfan. Waeth beth yw maint y briodas, bydd hi wastad yn gwneud 'i gorau glas i wneud iddi fynd yn llyfn. Ond gyda rhywbeth o'r maint yma, mae cymhlethdodau di-ri.

'A!' medd, ar ôl dod o hyd i'w nodiadau a dechrau edrych trwyddyn nhw. Galla i 'i chlywed yn mwmial yn uchel, yn ticio eitemau ar 'i rhestr wrth fynd 'mlaen.

'Alla i dy helpu di gydag unrhyw beth?' holaf.

'O, dwi'n *siŵr* bod rhywbeth, cariad! Un peth y gelli di'i wneud am ychydig yw ateb y ffôn. Fydd dim signal ffôn symudol yno felly bydd rhaid gwneud popeth trwy ffôn y bwthyn.'

'Waw, mae hynny mor retro!'

'Cred ti fi, bydd *llawer* o bethe retro ynglŷn â'r briodas yma. Hefyd, os galli di gadw Bella mas o ffordd Sadie Lee yn ystod paratoadau'r briodas, byddai hynny'n help mawr.'

'Wrth gwrs!'

'Gwych. Fi fydd yn delio â phopeth arall ...'

Estynnaf draw at Mam a mwytho'i gwallt. 'Paid poeni, bydd popeth yn berffaith.'

'Sôn am bethe perffaith – cadwa dy lygaid ar agor led y pen, Penny.'

Trof 'nôl at y ffenest. Mae'r heol, sydd ond ychydig fodfeddi'n fwy llydan na'n car ni, wedi'i hamgylchynu gan goed tal, sy'n cuddio golau'r haul ac yn taflu cysgodion brawychus. Ry'n ni'n troi ac yn troelli bob munud, lan a lawr, ac yn pasio hen bont bren hynafol yr olwg.

Yna, fel llenni'n ymagor i ddatgelu set drama, does dim coed o'n blaenau rhagor, a gwelaf gastell Lochland am y tro cynta.

'O, waw!' Dyna'r unig eiriau y galla i eu dweud, wrth wasgu fy wyneb yn erbyn y ffenest.

Saif y castell ar ben ynys greigiog uchel yng nghanol llyn eang. Dim ond un bont hir sy'n 'i gysylltu â'r tir mawr. Ar wyneb y dŵr, mae haen drwchus o niwl, sy'n gwneud i'r castell edrych fel petai'n arnofio ar gymylau. O amgylch y llyn, mae'r goedwig yn ymestyn ymhellach, gydag ambell fflach oren a choch yn goleuo'r dail hydrefol.

Mae'n berffaith ac yn hudolus ac yn bopeth y dychmygais i.

Gyrrwn tuag at y castell, ond ar y funud olaf, mae Dad yn cymryd troad *oddi wrtho*. 'Dy'n ni ddim yn mynd i'r castell nawr?' holaf, heb allu cuddio'r siom yn fy llais.

'Allwn ni ddim gyrru dros y bont,' medd Dad.

'Aaa, problem *arall* i fi!' medd Mam.

'Felly fe awn ni draw i'n llety ni yn gynta,' aiff Dad yn 'i flaen, 'i adael ein bagiau.'

'Wel, mae hynny'n gwneud synnwyr,' meddaf, gydag ochenaid.

Ond, wrth i ni barcio o flaen bwthyn bach o gerrig â tho gwellt, anghofiaf yn syth am fy siom ynglŷn â'r oedi cyn mynd i'r castell. Mae'r bwthyn yn hollol fendigedig, ac alla i ddim aros i fynd i mewn i weld fy stafell.

Mae car arall o'i flaen e'n barod, sy'n golygu bod Elliot ac Alex wedi cyrraedd, siŵr o fod. Daethon nhw ddiwrnod yn gynnar achos bod Alex eisiau mynd ar daith Loch Ness. Mae e'n dwlu ar greaduriaid mytholegol.

Mae'n rhaid eu bod nhw wedi clywed ein car yn cyrraedd, gan fod y drws bellach yn agored led y pen, ac Elliot yn bloeddio 'Cyfarchion, *lads* a *lassies*!' a beret tartan ar 'i ben. Mae e'n edrych braidd yn hurt. Dim ond Albanwyr all wisgo'r fath beth, yn 'y marn i.

'Mae 'da ni *bannocks* yn twymo ar yr Aga a disgled yn aros amdanoch chi i gyd tu fewn.'

'O Elliot, ti'n *seren*,' medd Mam.

'Beth yw *bannock*?' holaf.

'Rhyw fath o fara fflat ... eitha tebyg i sgon, ond un Albanaidd,' esbonia Elliot, gyda winc.

'Ooo, dwi'n dwlu ar sgons,' meddaf, gan roi cwtsh mawr iddo fe. 'Ond ers pryd wyt ti'n gwbod sut i ddefnyddio Aga?'

Mae e'n wincio eto. 'Nage fi wnaeth – Alex. Mae'n debyg bod un gyda'i deulu e pan oedd e'n blentyn. Bachgen dawnus iawn yw 'nghariad i ...'

'Wel, alla i ddim aros i drio un o'r *bannocks* 'ma!'

'Dere, fe ddangosa i dy stafell i ti.'

Y tu fewn, mae'n rhaid i Elliot grymu'i ben i osgoi'i fwrw e ar y trawstiau pren sy'n croesi'r nenfwd. Mae'r cyfan mor syml a rhamantus ag y dychmygais i: mae'n gynnes braf, diolch i'r Aga a'r tân sy'n llosgi yn y stafell fyw. Yn y wal gerrig dan y ffenest mae sedd fawr sy'n llawn clustogau wedi'u brodio. Galla i ddychmygu cwtsho i mewn yn fan'na i ddarllen llyfr da.

'Bwthyn y ciper o'dd hwn,' esbonia Elliot, wrth ddringo lan y staer. 'Cafodd 'i adeiladu ar ddechrau'r 1500au!'

'Waw, mae hynna'n anhygoel! Ond nid i bobl dal – neu hyd

yn oed bobl o faint canolig,' meddaf, wrth osgoi taro 'mhen ar drawst yn y nenfwd.

'Dwi ddim yn credu bod dau lawr iddo'n wreiddiol. Mae stafell dy rieni di lawr staer ac yn llawer mwy. Dere, y ffordd hyn.'

Mae fy stafell yn y llofft, a'r nenfwd mor isel fel nad oes lle i wely go iawn yno hyd yn oed. Mae'n debycach i fatras, a bydd angen i fi gropian arno. Ond does dim ots 'da fi a dwi'n gwichian yn hapus o'i gweld. Mae'r stafell wedi'i haddurno'n hyfryd, gyda chynfas wen yn hongian o'r nenfwd fel mewn stafell tywysoges. Ar hyd ymylon y gynfas, mae trionglau bynting pinc a gwyrdd golau. A'r rhan orau? Wrth orwedd ar y gwely, mae golygfa berffaith drwy ffenest y nenfwd ar y castell yng nghanol y llyn.

'Hapus?' hola Elliot gan wenu.

Gwenaf yn ôl. 'Allwn i byth fod wedi dychmygu unrhyw beth gwell.'

Pennod Dau ddeg un

Mae arogl bara newydd 'i bobi yn dod â dŵr i 'nannedd i. Mae e'n hofran trwy waliau'r castell a hyd yn oed yn treiddio trwy'r muriau carreg mwyaf trwchus nes ein cyrraedd ni yn un o'r tyrau uchaf, lle mae Bella a finnau'n chwarae â hen set o farblis. Mae Sadie Lee a Bella'n aros mewn dwy stafell mewn estyniad sy'n sownd wrth ein bwthyn ni, ond ry'n ni i gyd wedi dod i'r castell i orffen paratoadau'r briodas.

Dwi'n gwneud ymdrech fawr i gadw Bella mas o ffordd Sadie Lee. Gyda'n gilydd, ry'n ni wedi archwilio pob twll a chornel o'r castell, ond mae'n rhaid i fi ddala'i llaw hi'n dynn rhag ofn i ni ddod ar draws unrhyw arfwisgoedd brawychus. Y tro cynta iddi hi weld un, buodd bron iddi neidio mas o'i chroen – siŵr o fod am 'i fod e'n dala bwyell enfawr oedd yn fwy na 'mhen i.

I fi, nid yr arfwisgoedd oedd yn frawychus, ond yr holl bennau anifeiliaid ar y wal, yn olion o orffennol y castell, pan oedd hela'n rhan bwysig o fywyd bob dydd. Ond mae popeth arall yn hollol cŵl, a dwi'n dechrau goresgyn f'ofn o'r pennau. Mae portreadau enfawr yn hongian ar y muriau, ond dy'n nhw ddim fel y rhai diflas dwi wedi'u gweld mewn cestyll eraill yn nes at gartref. Mae'r rhain yn bortreadau o ddynion cyhyrog mewn dillad tartan lliwgar a chapiau pluog mawr, wedi'u hamgylchynu gan anifeiliaid yr Ucheldiroedd – ceirw ac eryrod mawr. Mae digon o goesau noeth ynddyn nhw hefyd, diolch i'r ciltiau! Maen nhw'n edrych fel tasen nhw ar fin dod yn fyw. Yn y castell yma, dwi'n teimlo fel taswn i wedi cael gwahoddiad i Hogwarts ac y bydda i, unrhyw funud, yn cwrdd â Harri, Ron neu Hermione.

'Awn ni lan i weld beth mae dy fam-gu wedi'i goginio?' holaf Bella.

'Iawn!' medd hithau. Mae hi'n cydio yn y marblis, sydd wedi rholio i bob cyfeiriad dros y llawr cerrig ac o dan y carped. Rhoddaf nhw'n ôl yn eu cwdyn bach a rhoi'r cwdyn i gadw ar dop y cwpwrdd, lle daethon ni o hyd iddo fe.

Wrth gerdded i lawr y staer tuag at y gegin, pasiwn fyddin o gynorthwywyr Mam, sy'n brysur yn addurno pob modfedd o'r castell. "Priodas o ddau hanner" yw hon, yn ôl Mam. Mae'r briodferch wedi gofyn i ran gynta'r dydd fod yn wyn ac yn llachar ac yn ffres, gyda thorchau o rosod gwyn. Bu rhaid i ni fewnforio'r rhosod am gost ofnadwy o ddrud gan nad yw hi'n dymor rhosod yn yr Alban. Yna, ar ôl machlud haul, mae hi eisiau awyrgylch "Calan Gaeaf soffistigedig" ar gyfer y ddawns. Bydd gwneud hyn mewn pryd yn dipyn o her, ond mae Mam wrth 'i bodd â her.

Yn y cyfamser, mae Sadie Lee wrthi'n ddyfal yn gweithio ar 'i chacen orau eto, sy'n dilyn syniad "y ddau hanner". Ar un ochr, mae'r thema wen (dwsinau o flodau siwgr gwyn yn rhaeadru dros bum haen enfawr), ac ar y llall, mae eisin du (gyda rhosod coch yn diferu gwaed). Os edrychwch chi'n syth arni, dim ond un ochr welwch chi, felly byddan nhw'n troi'r gacen bob yn hyn a hyn drwy'r nos. Os edrychwch chi ar y rhan lle mae'r ddwy ochr yn uno, mae'r ochr wen fel petai'n dadfeilio i ddatgelu'r ochr dywyll. Pan fydd hi'n barod, bydd hi'n syfrdanol o drawiadol.

'Sut mae fy merched i?' hola Sadie Lee wrth i ni gerdded i mewn.

'Popeth yn dda! Er bod Bella wedi blino'n lân,' atebaf. Bron ar y gair, mae Bella'n dylyfu gên yn uchel.

'Dwi'n credu dy fod ti'n iawn, fy merch i.'

'Af i â hi'n ôl, Mrs Flynn,' medd un o gynorthwywyr Sadie Lee. Mae Bella wedi swyno pob un ohonyn nhw, ac maen nhw i gyd yn ymladd am 'i sylw.

'Caredig iawn – diolch yn fawr, Gemma. Nawr, Penny, wnei di basio'r bag eisin 'na, os gweli di'n dda?'

Edrychaf i lawr ar y detholiad o offer eisio ar y ford ddur o 'mlaen. Weithiau, pan fydd Sadie Lee'n gweithio, mae hi'n debycach i lawfeddyg na phobydd.

'Ym ... pa un?' holaf.

'Yr un â'r pig siâp seren.'

Gwelaf hwnnw, a'i roi iddi.

'Ardderchog. Nawr, pam na wnei di godi un yr un peth a gwneud addurniadau i fi hefyd?'

'Wir?' holaf. 'Beth os wna i gawlach?'

'Dim ots! Galli di ymarfer i ddechrau. Hefyd, ry'n ni'n gwneud cacennau bach i'r plantos ...'

'O, da iawn, mae hynny'n llai o bwysau na gwneud addurniadau ar gyfer y gacen *go iawn*!' meddaf gan chwerthin.

Mae llais Mam yn atseinio drwy'r stafell ddrafftiog, yn uwch nag arfer.

'Pawb i edrych yn brysur,' medd Sadie Lee. 'Mae'r briodferch yn dod.' Mae hi'n siarad yn dawel ac yn wincio arna i. 'Mae system gan dy fam a finnau – os yw'r briodferch ar 'i ffordd, ry'n ni'n ceisio siarad yn uwch nag arfer i rybuddio'n gilydd! Does neb isie i briodferch grac ymddangos y tu ôl iddyn nhw.'

Ac yna, eiliad neu ddwy yn ddiweddarach, mae Mam yn ymddangos yn y gegin, a Jane y briodferch y tu ôl iddi.

'Mae rhywbeth yn arogli'n ffein fan hyn!' medd Jane. Dwi'n synnu – er 'i bod hi'n gyfnither i Callum, dyw hi ddim yn siarad â'r un acen ag e. Ond, mae gyda hi'r un math o gorff tal a thenau – ac arlliw tatŵ ar bont 'i hysgwydd. Nawr daw'r rheswm dros y "briodas o ddau hanner" yn fwy amlwg.

Mae Sadie Lee'n cusanu Jane ar y ddwy foch, gan osgoi cyffwrdd â hi gyda'i dwylo, sy'n eisin i gyd.

'Jane,' medd Mam, 'dyma fy merch, Penny. Bydd hi'n rhoi tipyn o help llaw i fi fory.'

'O, felly *dyma'r* enwog Penny!'

Mae Mam a Sadie Lee'n edrych arna i'n ymholgar.

'Ydych chi'n nabod Penny o'i blog?' hola Mam.

Mae Jane yn gwgu. 'Pardwn? Na'dw, 'y nghefnder Callum sy wedi bod yn sôn amdani,' medd, gyda winc.

Gwingaf. Dwi heb ddweud wrth Mam am y dêt gyda Callum eto – teimlo'i bod hi'n rhy gynnar i wneud. Ond o feddwl 'nôl, dylwn i fod wedi gwneud hynny, siŵr o fod. Wps. 'Cwrddais i â Callum yn ysgol Megan. Mae e hefyd yn astudio yn Madame Laplage.'

'O!' mae aeliau Mam yn codi hyd yn oed yn uwch. Galla i ddweud 'i bod hi'n sylweddoli bod mwy i'r stori na hynny.

'Dyna gyd-ddigwyddiad hyfryd!' medd Jane. 'Bydd e yma'n nes 'mlaen prynhawn 'ma. Ro'dd e'n meddwl falle licet ti fynd am dro i weld le cafodd e 'i fagu? Galla i fynd â ti yno ar fy ffordd 'nôl.'

'O, ym ...' edrychaf ar Mam a Sadie Lee, sydd nawr yn edrych arna i'n ddisgwylgar. Dwi ddim yn credu y galla i wrthod awgrym y briodferch – byddai hynny'n anghwrtais. 'Iawn, byddai hynny'n grêt,' atebaf.

'Dyna ni, 'te. Dere at y prif gatiau ymhen awr ac fe yrra i di lawr. Sadie Lee, dwedwch wrtha i, sut mae'r *canapés* erbyn hyn? Dwi wir isie i'r eog wedi'i fygu flasu'n anhygoel o ffres ...'

Aiff Sadie Lee â Jane i ochr arall y gegin, gan adael i Mam syllu arna i. 'Felly ... pwy yw'r Callum 'ma?'

'Dim ond rhyw fachgen gwrddais i ... aethon ni ar un dêt ac mae e isie 'ngweld i 'to.'

'Wel, cadwest ti hynny'n dawel! Beth am Noah?'

Gwingaf. Dyna sut mae Mam. Wastad yn ddi-flewyn-ar-dafod. 'Dwi ddim wedi clywed wrtho fe ers sbel hir, a ta beth, dim ond ffrindiau y'n ni nawr, i fod.'

Mae hi'n rhoi'i llaw ar f'ysgwydd. 'Dwi'n deall. Mae'n dda dy fod ti'n cwrdd â phobl eraill. Dwi'n gwbod y byddi di'n dilyn dy galon.'

'Ti'n credu bydd ots 'da Sadie Lee?' holaf. Alla i ddim peidio â theimlo 'mod i'n bradychu'r teulu i gyd.

Mae Mam yn ysgwyd 'i phen. 'Paid â phoeni am hynny. Unigolyn yw Noah, a dyw 'i ymddygiad e ar hyn o bryd ddim yn deg â ti – nac â nhw. A siarad yn blaen, gobeithio gwnaiff e sortio'i hunan mas yn go glou. "Egwyl greadigol", wir. Byddai'n braf i bob person creadigol gael un o'r rheiny!'

'Diolch, Mam,' meddaf.

'Nawr, os oes awr fach 'da ti, dyma restr o'r holl bethe galli di eu gwneud yn y cyfamser ...'

Edrychaf i lawr ar y rhestr ac ochneidio'n dawel fach. Mae'r tasgau'n ddiddiwedd, sy'n golygu y bydda i'n rhedeg rownd y castell am hydoedd. Ond dwi ddim am achosi rhagor o bryder i Mam, felly wna i ddim cwyno.

Yn lle hynny, gwenaf o glust i glust a dweud, 'Dim problem!'

Pennod Dau ddeg dau

Diolch i'r holl dasgau mae Mam wedi'u rhoi i fi, mae'r awr yn hedfan heibio. Cyn pen dim, dwi'n eistedd yn y car gyda Jane – sydd falle hyd yn oed yn fwy siaradus na Kira. Falle mai nerfau cyn y briodas yw hynny, ond mae rhywbeth yn dweud wrtha i'i bod hi wastad fel hyn. Dwi ddim yn hollol siŵr beth ddigwyddodd i 'nghynllun gwreiddiol i osgoi Callum fan hyn. Dwi nawr yn cael 'y ngyrru i gartre'i deulu gan 'i gyfnither.

Teimlaf bwl o euogrwydd wrth feddwl am adael Mam yn brin o weithwyr yn y castell, ond gobeithio y galla i wneud yn iawn am hynny'n nes 'mlaen. Mae'n rhyfedd sut mae amgylchiadau'n taflu Callum a finnau at ein gilydd o hyd. Falle y dylwn i gymryd sylw o hynny?

'Gest ti dy fagu yn yr Alban hefyd?' holaf Jane.

'Ydw i'n swnio fel taswn i wedi byw 'ma?' medd gan chwerthin. 'Naddo, dim ond teulu Callum sy'n byw lan fan hyn nawr – ond ro'n i'n arfer dod yma bob haf i chwarae yn yr Ucheldiroedd ac o gwmpas y castell. Ro'n i wastad yn gwbod, pan fyddwn i'n priodi, y byddai'n rhaid gwneud hynny yma. Mae e bron yn draddodiad i'r teulu McCrae! Falle y cei di dy dro rhywbryd,' medd, gyda winc.

Llyncaf 'y mhoer. Beth yffach mae Callum wedi bod yn 'i ddweud amdana i? Ceisiaf chwerthin am y peth, ond mae'r chwerthiniad yn swnio fel crawc brân.

'Felly fyddwch chi'n ymweld â'r castell yn aml?' af 'mlaen.

Daw golwg ryfedd dros wyneb Jane. 'Ymweld? Drwy'r amser! Mae'n gadarnle hynafol i'r teulu McCrae, wedi'r cyfan. Dim ond yn ddiweddar y cafodd e'i droi'n atyniad i dwristiaid, a dyna pryd symudodd y teulu i dŷ mwy modern rai milltiroedd i ffwrdd. Mae rhieni Callum yn dal i gyfrannu at y gwaith cadwraeth, wrth gwrs, a mam Callum sy'n gwneud nifer o'r teithiau.'

Agoraf fy llygaid led y pen. *Teulu Callum sy biau castell Lochland*?

'O, do'n i ddim yn gwbod hynny.'

'A, wel, dim ond dechrau dod i nabod eich gilydd y'ch chi'ch dau. Paid â gadael i hynny newid dy farn di! Does dim byd snobyddlyd na ffroenuchel am Callum.'

'Dyna'r argraff ges i.'

'A, dyma ni.' Wrth i ni droi i mewn i ddreif y tŷ, dwi bron ag ochneidio'n uchel. Mae e'n *enfawr*. Mae pedair ffenest lydan o bobtu'r drws ffrynt, sydd ddwywaith maint ein drws ffrynt ni. Mae tri llawr iddo, a thrwch o eiddew'n tyfu dros y muriau. Mae'n edrych yn debyg i gastell hefyd. Pam nad ydw i byth yn denu bechgyn cyffredin, sy'n byw mewn tŷ teras tair stafell wely ac yn gweithio yn Starbucks bob penwythnos?

'Mae'r lle 'ma'n hardd,' meddaf, gan dagu ar 'y mhoer.

'Ac mae e'n fodern, gyda phopeth rwyt ti angen ynddo fe. Mae hyd yn oed pwll nofio yn y cefn. Galli di weld pam ro'dd y teulu isie symud fan hyn – mae'n llawer haws edrych ar 'i ôl e na hen gastell drafftiog.' Mae hi'n dod i stop o flaen y tŷ ac yn canu'r corn ddwywaith.

Daw Callum mas o'r drws ffrynt, wedi'i wisgo o'i gorun i'w sawdl mewn dillad awyr agored: cap stabl, siaced werdd dros grys brown, a throwsus khaki wedi'u stwffio i mewn i welingtons gwyrdd tywyll. Mae e'n edrych fel tase fe wedi camu'n syth mas o gatalog Barbour. Allai e ddim gweddu'n well i'r lle tase fe'n trio. Yn 'i law, mae pâr arall o welingtons: rhai pinc y tro hwn. Mae e hyd yn oed yn agor y drws i fi ddod mas, fel gŵr bonheddig go iawn.

'Hei, Jane!' bloeddia ar 'i gyfnither.

'Grêt dy weld di, Callum. Iawn, fe adawa i chi, gariadon bach! Mae rhywun yn dod i wneud f'ewinedd i! Ond dwi'n siŵr y gwela i lawer mwy arnat ti o hyn ymlaen, Penny.' Mae Jane yn codi'i llaw arna i ac yn gyrru i ffwrdd ar ôl i fi gau'r drws. Gwenaf yn lletchwith ar Callum. Does dim i'w wneud – dwi'n styc yn fan hyn nawr.

Mae e'n rhoi'r welis i fi. 'Barod i fynd am wac?'

'Pam lai?' meddaf, gan chwerthin. Gan bwyso yn erbyn 'i ysgwydd, tynnaf fy sgidiau Converse a gwisgo'r welis yn eu lle. Mae angen tipyn o waith i'w rhoi nhw ar 'y nhraed, ond pan fydd 'y nhraed y tu mewn, maen nhw'n syndod o gyfforddus.

'Maen nhw'n dy siwtio di! Dere, ffordd hyn.' Mae'n dechrau cerdded i ffwrdd o gyfeiriad y tŷ, ond cyn i ni fynd yn bell, daw 'Oi!' uchel i darfu arnon ni.

Trof, ac mae'n rhaid i fi blygu i osgoi pêl rygbi sy'n hyrddio at 'y mhen. O flaen y drws, saif fersiwn hyd yn oed yn fwy o Callum, mewn crys polo a throwsus *chino*.

Llwydda Callum i ddal y bêl, cyn 'i thowlu'n rhwydd at y bachgen bron-fel-efaill sydd wrth y drws. 'Popeth yn iawn, Mal?' mae tinc o betruster yn 'i lais.

Mae'r bachgen yn tuchan ac yn camu mas, gyda rhywun arall – tal a gwallt golau – yn dynn ar 'i sodlau. *Faint ohonyn nhw sydd?* Ond alla i ddim meddwl yn rhy hir: neidiaf o'r ffordd wrth i'r ddau fachgen daclo Callum a rhwbio'i ben nes sarnu'i wallt. Alla i ddim peidio â chwerthin.

'Dwi'n falch fod rhywun yn gweld hyn yn ddoniol,' medd Callum, wedi'i ddala'n dynn ym mreichiau Mal. Mae'n gwgu. 'Penny, y ddau dwpsyn 'ma yw 'mrodyr mawr, Malcolm a Henry.'

'Helô, Penny,' meddai'r ddau, bron mewn unsain. Mae Mal yn rhyddhau Callum, a galla i gael golwg arnyn nhw o'r diwedd a gweld nad ydyn nhw mor debyg ag y meddyliais i i ddechrau. Mae Malcolm yn dalach ac yn lletach, gyda thrwyn sydd fel tase wedi'i dorri. Mae gwallt Henry wedi'i dorri'n fyr ac mae e'n llawer mwy cyhyrog na Callum. Ond o bell, byddai'n ddigon teg i chi feddwl eu bod nhw'n dripledi.

Tripledi swnllyd sy'n hoffi chwaraeon, meddyliaf, wrth eu gwylio nhw'n reslo'r bêl oddi wrth 'i gilydd. Gwenaf wrth weld bochau Callum yn cochi, a thynnaf lun o'r tri ar fy ffôn.

Roedd gweld Callum yn mwynhau gyda'i frodyr yn braf, ac yn dangos ochr wahanol iddo fe. Naill ai mae Callum wedi sylwi arna i'n syllu arno fe, neu maen nhw i gyd wedi blino'n lân, gan fod Callum nawr yn loncian draw ata i, yn fyr 'i anadl, a'i frodyr yn gwenu ac yn chwerthin. 'Wela i chi wedyn, bois!' gwaedda Malcolm mewn llais sionc.

'Dere, gad i ni fynd cyn iddyn nhw'n llusgo ni i chwarae gêm arall o rygbi!' medd Callum.

'Iawn, dere – dwi'n anobeithiol ym mhob math o chwaraeon!'

Dringwn dros ffens a cherdded trwy lond cae o wellt melyn, byr. Mas fan hyn, daw awel braf i oeri 'nghroen, gan hala ias i lawr asgwrn 'y nghefn.

'Ti mor lwcus i gael tyfu lan fan hyn,' meddaf wrth Callum. 'Mae'n anhygoel o bert 'ma.'

Mae e'n gwenu. 'Felly, mae Jane wedi rhoi fy hanes i, yw hi? Gobeithio nad wyt ti'n edrych arna i mewn ffordd wahanol nawr.'

'Wrth gwrs na'dw i!' meddaf.

'Nag wyt, dwi'n siŵr nad wyt ti. Buest ti mas gyda seren bop eilradd, felly ti siŵr o fod yn gyfarwydd ag e.'

Dwi'n gegrwth. 'Wel, gobeithio y galli *di* arfer â mynd mas gyda pherson cyffredin,' saethaf fy ateb coeglyd 'nôl.

Mae e'n stopio ac yn cydio yn fy llaw. 'Sori, do'n i ddim yn trio bod yn gas. Dere, gad i fi ddangos rhywbeth i ti. Ti'n hoffi adfeilion?'

Rhythaf ar 'i wyneb, ond does dim arlliw o falais arno. Falle'i fod e'n berson sy'n dweud pethau anaddas yn anfwriadol, fel galw Noah yn 'eilradd'. Felly, dwi'n gwenu arno'n betrusgar ac yn dweud 'Ydw.'

'Felly mae 'da fi'r union beth,' medd Callum. Dechreuwn gerdded eto, a'r tro hwn, rhaid i fi godi 'nhraed lan i osgoi mynd yn sownd yn y mwd. 'Mae 'na adfeilion castell, tua milltir bant ar hyd yr arfordir. Wel, dwi'n dweud "castell", ond tŵr yw e, gyda thyrau bach ar 'i ben. Ro'dd 'i berchennog e'n fôr-leidr ac yn dipyn o ddihiryn.'

'O, mae e'n swnio fel dyn drwg iawn!'

'Roedd e'n ofnadwy. Trydydd mab y teulu o'dd e, a do'dd e ddim yn disgwyl gwneud enw i'w hunan trwy ddulliau cyfreithlon, felly aeth e'n fôr-leidr. Ond yna, etifeddodd e dipyn o dir, a chyn hir, roedd e'n fôr-leidr ac yn berchen ar dir yn gyfreithlon. Ond newidiodd e ddim. Roedd e'n dal i arwain cyrchoedd ar 'i gymdogion ac yn codi gwrychyn y pentrefwyr. Cafodd 'i gastell 'i ddinistrio pan gafodd e'i drechu gan lwyth arall, a dyna ddiwedd ar y dwyn a'r camfihafio.'

Mae fy llygaid fel soseri. 'Waw! Mae cymaint o hanes 'ma.

Ti'n siarad amdano fe fel tase fe wedi digwydd ddoe.'

'Mae'r gorffennol o'n cwmpas ni o hyd. Yn yr Alban, does dim angen i ti balu'n ddwfn dan yr wyneb i ddod o hyd i chwedl neu ddwy sy'n siŵr o oeri'r gwaed neu siglo d'esgyrn di, neu'r ddau beth. Mae'n teimlo fel tasen ni gam yn nes at fywyd gwyllt, afreolus. Ddim fel Llundain, lle mae hanes naill ai wedi'i gladdu neu wedi ymdoddi, fel nad wyt ti'n ymwybodol ohono fe.'

Fel tase fe'n awyddus i ddarparu awyrgylch addas ar gyfer 'i eiriau, mae'r gwynt yn codi wrth i ni agosáu at ymyl y clogwyn, gan daflu 'ngwallt o gwmpas fy wyneb. Mae Callum yn cydio yn fy llaw rhag i fi gwympo a dwi'n tynnu fy siaced yn dynnach amdanaf gyda'r llaw arall, ond dwi ddim yn grac am y gwynt. Mae'i ffresni'n fendigedig, ac mae Callum yn iawn, mae'n teimlo'n wyllt. Pwysaf ar 'i law, gan roi 'mhen yn erbyn 'i frest gyhyrog. Dyw hyn ddim yn ddrwg o gwbl.

Wrth i ni gerdded yn ein blaenau, mae'r tonnau'n taro gwaelod y clogwyni gan dasgu dafnau o ddŵr y môr yn uchel i'r awyr. Clywaf sgrech gwylanod uwch ein pennau, ond heblaw hynny, ni yw'r unig greaduriaid am filltiroedd.

'Dyna ni, alli di'i weld e?' Pwyntia Callum at fan lle mae trwyn y clogwyn yn ymwthio'n bellach i mewn i'r môr.

Dwi'n craffu i'r cyfeiriad hwnnw. 'Ife ... ife lwmpyn o graig yw hwnna?' holaf.

Chwardda. 'Ie, fwy neu lai! Pan ei di'n nes, byddi di'n gallu'i weld e hyd yn oed yn gliriach. Ac, os na fydd y chwyn wedi tyfu'n rhy wyllt, falle gallwn ni hyd yn oed ddringo i mewn iddo fe.'

'O, cŵl!' meddaf. 'Mae'n lle eitha anghysbell i roi castell, nag yw e?'

'Croeso i'r Alban,' medd Callum gyda winc. 'Ac, fel y dwedais i, ro'dd y dyn yn fôr-leidr, felly ro'dd e isie lle da i gadw golwg dros y môr.' Mae'n anadlu'n ddwfn ac yn edrych mas dros y môr hefyd. Mae e'n edrych yn llawer mwy bodlon a chartrefol fan hyn nag yng nghanol lawntiau perffaith Parc St James.

'Pam mynd i Lundain?' holaf.

Mae Callum yn codi'i ysgwyddau. 'Enillais i gystadleuaeth ffotograffiaeth Arts Scotland, a dwi wastad wedi dwlu tynnu lluniau. Wnes i 'rioed feddwl 'mod i'n ddigon da i gael gyrfa yn y maes, ond pan gynigion nhw le i fi yn Madame Laplage, ro'dd e'n gyfle rhy dda i'w wrthod. Am unwaith, byddai fy hobi'n cael 'i weld fel rhywbeth gwerth chweil. Os na wnaiff e arwain at unrhyw beth, a bod rhaid i fi fynd i astudio'r gyfraith neu fod yn gyfrifydd neu rywbeth, o leia bydda i wedi cael cyfle i'w wneud e am sbelen fach.'

Nodiaf. 'Dwi'n gwbod sut wyt ti'n teimlo. Mae'n fraint gallu gwneud beth dwi'n 'i garu a dwi'n gobeithio ennill arian mas ohono fe. Dwi wedi bod yn lwcus hyd yn hyn, ond alla i ddim peidio â meddwl bod y cyfan am ddod i ben unrhyw funud ... Dwi'n credu mai dyna beth yw bod yn "berson creadigol",' meddaf.

'Ti'n iawn, siŵr o fod.'

Mae e'n gwasgu f'ysgwydd ac yn 'y nhynnu tuag ato. 'Ddylet ti ddim pryderu am hynny, ta beth. Wyt, rwyt ti wedi cael tamed o lwc, ond rwyt ti hefyd wedi gweithio'n galed i roi dy hunan mewn sefyllfa lle rwyt ti'n gallu bod yn lwcus. Dyw pawb ddim yn gwneud hynny. Hefyd, rwyt ti wir yn dda. Paid ag anghofio hynny chwaith. Dyw FPN ddim yn elusen i helpu ffotograffwyr ifanc.'

Gwenaf arno'n ddiolchgar.

'Pryd oedd y tro cynta i ti wbod bod rhaid i ti fod yn ffotograffydd?' hola.

Oedaf. 'Dwi erioed wedi meddwl am y peth yn iawn. Dwi'n credu pan gafodd fy ffrind Megan gamera Polaroid ar 'i phen-blwydd, a gofyn i fi dynnu lluniau yn 'i pharti, dyna pryd. Ro'n i'n dwlu ar y cyffro o weld y llun yn datblygu o flaen fy llygaid. Ro'dd e'n teimlo fel ... breuddwyd yn dod yn fyw.' Gwridaf wrth feddwl mor dila mae hynny'n swnio, ond mae Callum yn nodio'n feddylgar.

'I fi, mynd â fy rholyn cynta o ffilm i gael 'i ddatblygu oedd y foment arbennig. Mynd â photel fach ddu i'r siop, ac awr yn ddiweddarach, cael llond amlen o atgofion. Ro'dd e'n teimlo fel hud a lledrith. Beth oedd dy gamera cynta di?'

Dwi'n crychu 'nhrwyn wrth geisio cofio. 'Canon Sure Shot, dwi'n credu.'

'Finnau hefyd!' medd gan chwerthin. 'Ro'n i'n arfer gwario fy holl arian poced ar ddatblygu ffilmiau yn Boots. Byddai'r rhan fwya ohonyn nhw'n dod mas yn aneglur neu byddai'r cyfansoddiad yn uffernol, ond ro'dd e'n hwyl. Ac yng nghanol y degau o luniau anobeithiol, byddai wastad un neu ddau lun arbennig, oedd yn sefyll mas.'

Gwenaf, gan nodio wrth glywed 'i eiriau, a rhyfeddu at faint sydd gyda ni'n gyffredin – wrth drafod ffotograffiaeth, o leia.

Cerddwn weddill y daith at yr adfeilion yn ddwfn yn ein meddyliau ein hunain, a dwi'n ddiolchgar am y tawelwch cyfforddus. Mae'r gwynt main yn cipio'n geiriau, ac awyr hallt y môr yn llosgi fy ffroenau.

Ar ôl cyrraedd y castell, rhedaf yn llawn cyffro tuag at yr adfeilion. Mae mwsog fflwfflyd dros y cerrig mawr tywyll, a galla i weld nawr sut byddai'r tŵr yn llawer uwch flynyddoedd maith yn ôl.

'Dere 'ma,' medd Callum, gan gerdded o gwmpas i'r ochr arall. Dilynaf e draw at y ffenest – neu'n hytrach, at dwll yn y garreg – ac mae e'n tynnu'i hunan lan i ddringo trwyddi. 'Dere, helpa i di.'

'Iawn,' meddaf, gan lyncu 'mhoer. Rhoddaf fag 'y nghamera y tu ôl i 'nghefn, gan dynnu'r strap yn dynn o gwmpas 'y nghorff. Yna, cydiaf yn llaw Callum a gadael iddo fy helpu drwy'r ffenest.

Mae tu fewn y castell yn llawer tawelach na'r tu fas, gan fod y gwynt yn taro'r cerrig ond yn methu torri trwyddyn nhw. Mae bywyd gwyllt yr Alban wedi meddiannu'r stafelloedd, er hynny: mieri trwchus a mwyar duon mawr yn crafangu dros y muriau, ac ysgall yn garped dros y pridd.

'Waw, mae'r lle 'ma'n anhygoel,' meddaf.

'Dwi'n gwbod,' cytuna gyda gwên.

Mae Callum wedi estyn 'i ffôn ac yn chwilio am rywbeth arlein. Mae'n gyferbyniad mor ddoniol – yr Albanwr ifanc mewn castell hynafol ar 'i ffôn newydd sbon – fel bod rhaid i fi estyn 'y nghamera a thynnu llun.

'A, dim ond mis neu ddau yn Llundain, a dwi'n anghofio'n llwyr mor wael yw'r signal fan hyn,' medd, gan godi'i ysgwyddau i ymddiheuro am estyn 'i ffôn. Mae'n casglu rhai o'r mwyar o'r berth ac yn eu hestyn i fi. 'Ti'n moyn un? Byddan nhw'n felys iawn yr adeg 'ma o'r flwyddyn.'

Cipiaf ddwy o'i law, a theimlaf eu sudd porffor yn diferu dros 'y mysedd. Rhoddaf nhw yn fy llaw ac mae e'n iawn – maen nhw'n fendigedig o felys a does dim o'r surni arferol ar 'y nhafod. Dwi'n cau fy llygaid wrth fwynhau pob tamaid ohonyn nhw.

'Ti'n gwbod, os licet ti, gallet ti ddod i'r briodas gyda fi. Yn westai i fi. Fyddai dim ots 'da Jane o gwbl – dwi wedi gofyn iddi hi'n barod.'

Agoraf fy llygaid led y pen mewn braw, gan lyncu gweddill y mwyar yn glou. 'O na, allwn i ddim – mae ... mae angen i fi helpu Mam ta beth. Dyna pam ddes i 'ma.'

'Wel, bydd rhaid i ti ddod i'r ddawns, o leia. Fydd dim byd i ti wneud erbyn gyda'r nos. Dwi'n mynnu.'

Crychaf 'y nhrwyn. 'Mae wastad rhywbeth i'w wneud ar ddiwrnod priodas ond ... gaf i weld os galla i sbario awr neu ddwy.'

'Da iawn,' medd, gan gamu'n nes ata i. 'Allwn i ddim dioddef gwbod bo' ti'n agos, ond 'mod i'n ffaelu dy weld di.' Mae e'n codi 'i fys at 'y ngên. 'Mae 'da ti bach o sudd mwyar fan hyn,' medd, gan sychu cornel 'y ngwefusau'n dyner.

Yna, mae e'n pwyso i lawr ac yn 'y nghusanu eto.

A dwi'n melltithio fy meddwl a 'nghalon hurt achos 'mod i'n teimlo DIM.

Pennod Dau ddeg tri

Gyda chân y larwm am chwech y bore, dihunaf, â'm llygaid yn llawn cwsg.

'Dere 'mlaen, cariad!' mae Elliot yn pipan 'i ben rownd y drws, yn *llawer* rhy fywiog ben bore fel hyn. Ond mae e wedi bod fel person gwahanol drwy'r wythnos. Yn fwy heulog. Yn hapusach. Yn debycach i'r hen Elliot. Hefyd, mae e wedi dod â phaned o de i fi, felly alla i ddim bod yn grac ag e'n hir.

'Ti wedi cyffroi cymaint, byddai rhywun yn credu mai ti sy'n priodi!' meddaf, gan chwerthin.

'*Cariad*, taswn i'n priodi heddi, byddwn i'n bownso dros y waliau! Hefyd, fyddwn i byth yn gallu fforddio rhywbeth mor grand â hyn, ond iyffach, bydda i'n joio helpu dy fam i roi'r cyfan at 'i gilydd. Mae hi'n athrylith!

'Dwi'n gwbod,' meddaf gan wenu. 'Ond oes wir raid i ni wisgo'r gwisgoedd yma?' Yng nghornel fy stafell, wedi'u gosod dros y gadair freichiau, mae'r erchyllbeth melfed porffor y bydd rhaid i fi'i wisgo bron drwy'r dydd. Pan ddangosodd Mam y wisg i fi neithiwr, bron i fi ffonio Callum yn y fan a'r lle i dderbyn 'i wahoddiad, dim ond er mwyn i fi allu gwisgo dillad *arferol*. Ond ro'n i hefyd yn gwybod na allwn i siomi Mam, hyd yn oed os oedd hi'n 'y ngorfodi i wisgo ffrog "hanesyddol gywir" ar gyfer y briodas.

Ddylwn i ddim synnu. Buodd rhaid i fi wisgo fel morwyn yn Efrog Newydd. Ond o leia roedd y gwisgoedd hynny'n ddu, ac wedi'u cynllunio i beidio â thynnu sylw. Bydd hon yn tynnu *tipyn* o sylw. Mae thema hanesyddol debyg i wisgoedd Elliot ac Alex, ond o leia byddan nhw'n edrych yn cŵl yn eu ciltiau. Galla i ddychmygu sut bydd y gwesteion, yn pwyntio ac yn sibrwd, yn ysu i dynnu hunluniau gyda ni.

A does dim hawl 'da fi i ddod â 'nghamera. Mae Jane wedi trefnu ffotograffydd (a fideograffydd) priodasau byd-enwog ar gyfer 'i diwrnod mawr, a bydd e'n dod â'i ddau gynorthwyydd, felly does dim angen i fi helpu. Hefyd, fyddai 'nghamera Canon ddim yn gweddu'n dda gyda'r wisg.

Dwi'n gwneud hyn er mwyn Mam, meddyliaf, drosodd a throsodd. 'Byddi di'n edrych yn bert ofnadwy,' medd Elliot, gan edrych ar y ffrog a 'ngheg bwdlyd. 'Ond dwedodd dy fam falle byddet ti isie help gyda'r staes, felly dyna pam dwi 'ma!'

'Ych-a-fi!' meddaf, gan riddfan wrth feddwl am wisgo staes drwy'r dydd.

'Dere nawr. Mae 'da fi rywbeth *arall* i godi dy galon di.' Mae'n estyn mwgwd o ddefnydd lliw euraid gyda dau ruban melfed, un bob ochr, i'w glymu. Dwi'n synnu ac yn rhyfeddu'i fod mor hardd. 'Wedaist ti neithiwr y byddet ti'n mynd i'r ddawns, felly meddwl wnes i byddai'n dda i ti gael mwgwd iawn i'w wisgo.'

Dwi'n estyn y mwgwd o'i ddwylo, a'i ddal yn dyner fel tase'n llestr bregus. 'Mae e'n fendigedig ... ble gest ti fe?'

'O, ti'n 'y nabod i. Mae wastad rhyw dric lan fy llawes.'

Taflaf 'y mreichiau o'i amgylch. 'Diolch!'

'Dim problem. Nawr, gad i ni weld y ffrog 'ma amdanot ti!'

Mae hi'n cymryd hanner awr dda i fi wisgo fy ffrog a chlymu

pob rhuban, bow a thamaid o les. Erbyn i ni orffen, dwi'n eitha sicr 'mod i'n edrych fel Albanes o'r ail ganrif ar bymtheg.

Mae Elliot yn diflannu wedyn achos bod angen iddo fe ac Alex baratoi hefyd ac yn sydyn clywaf Mam yn galw lan y grisiau. 'Penny? Ti'n barod i fynd i'r castell?' Dwi'n gwybod bod 'i nerfau hi'n rhacs gan fod tinc pigog yn 'i llais.

'Dwi'n dod!' bloeddiaf, cyn rhuthro i lawr y staer cyn gynted ag y galla i yn fy sliperi.

'O, Penny, ti'n edrych yn anhygoel!' medd Mam. Dyw hi ddim yn gwisgo gwisg o'r un cyfnod. Siwt o liw llwyd golau sydd amdani, 'i siwt-trefnydd-priodas orau – sy'n addas i westai priodas ond hefyd yn ddigon cyfforddus wrth ruthro o le i le drwy'r dydd yn datrys problemau.

Mae Andrea, cynorthwyydd Mam, wedi gwisgo mewn gwisg o'r un cyfnod â fi. Byddwn ni'n cymysgu gyda'r gwesteion, gan ychwanegu at y lleoliad drwy chwarae rôl ein cymeriadau hanesyddol, ond hefyd yn datrys unrhyw broblemau. Yn syml, ni fydd llygaid a chlustiau Mam yn y dorf.

Pan gyrhaeddwn ni'r capel, 'y nhasg gynta i ac Andrea yw mynd o gwmpas yn goleuo pob cannwyll – gan geisio peidio â llosgi ein sgertiau melfed porffor wrth wneud hynny. Yna, ymhen dim o dro, dechreua'r gwesteion gyrraedd, ond ry'n ni'n rhy brysur yn helpu Mam gyda phethau munud olaf i dreulio llawer o amser yn eu gwylio nhw, ac, fel ym mhob priodas, mae'r diwrnod yn gwibio heibio'n gyflym.

Pan ddaw'r briodferch i mewn, dyna ddechrau tasgau di-ri i bawb. Yna, mae hi'n cerdded i lawr yr eil, mae'r ddau'n dweud eu llwon, y gweinidog yn cyhoeddi eu bod nhw'n ŵr a gwraig, a'r ddau wedyn yn cerdded 'nôl mas i dynnu lluniau ...

Rywsut, drwy hyn i gyd, llwyddaf i osgoi Callum, ond mae

e'n dod o hyd i fi unwaith – a dwi'n siŵr i fi'i weld e'n dal 'i law dros 'i geg i guddio'i grechwen. Dwi'n ystyried tynnu 'nhafod arno fe, ond fyddai hynny ddim yn fonheddig iawn.

Dim ond ar ôl i bawb eistedd i lawr i gael y brecwast priodas y mae Mam a'i thîm o gynorthwywyr yn cael munud fach i orffwys.

Erbyn hyn, mae golwg lai pryderus ar Mam, sy'n falch fod popeth yn mynd yn dda. 'Cer, Penny,' medd, 'galli di fynd i newid,' cyn stwffio un o canapés Sadie Lee i'w cheg.

'Wir?' meddaf. 'Does dim angen help arnat ti?'

'Dwi'n credu bod popeth yn iawn. Diolch i ti am dy holl help heddi,' medd, gan roi dwy gusan enfawr ar 'y moch. 'Nawr cer i joio. Dwi ddim yn credu bod unrhyw beth arall 'da ti i'w wneud i fi, iawn?'

Nodiaf, gan roi cwtsh enfawr iddi. 'Diolch, Mam.'

Wrth i fi lithro mas o'r castell, teimlaf dipyn o ias yn yr awel. Cerddaf dros y bont a 'nôl i'r bwthyn bach ac am y tro cynta drwy'r dydd dwi'n teimlo'n ddiolchgar am yr haenau o beisiau dan fy ffrog. Tynnaf fy siôl dartan yn dynn dros f'ysgwyddau i dwymo.

Yn ôl yn y bwthyn, sylweddolaf 'mod i ddim yn gwybod beth i'w wisgo i'r ddawns. Edrychaf ar f'opsiynau: dwi heb ddod ag unrhyw beth addas i ddawns. Dim ond ffrog ddu syml sydd 'da fi. Mae'n bert, a chanddi lewys les â phatrwm rhosod, ond dyw hi ddim yn fawreddog. Ond, dyna'r cyfan sydd 'da fi.

Wedyn, cofiaf am y mwgwd roddodd Elliot i fi bore 'ma. Tynnaf e mas o'i bapur lapio sidanaidd, a'i wisgo. Dwi'n synnu'i fod e mor ysgafn ar fy wyneb; mae'r rhubanau melfed yn feddal yn erbyn 'y nghroen a dwi'n dwlu ar y ffordd mae lliw aur y mwgwd yn amlygu'r cochni yn 'y ngwallt. Edrychaf yn y drych ac edmygu'r ffordd y mae'r mwgwd wedi trawsnewid 'y ngwisg syml i wisg sy'n gwbl addas i ddawns.

Ti yw Merch yr Hydref, meddyliaf. Gwthiaf y syniad hwnnw o 'mhen. Dwi ddim eisiau bod yn Ferch yr Hydref. Dwi ddim eisiau bod yn eiriau mewn cân yn unig. Dwi eisiau cael 'y ngharu am bwy ydw i, mewn perthynas gyfartal.

Falle mai Callum fydd y person hwnnw. Falle ddim. Ond oes ots? Dwi eisiau parhau i wneud camgymeriadau. Dwi eisiau taflu fy hunan i mewn i'r pen dwfn, heb boeni am y canlyniadau. Dwi eisiau gwneud ffŵl ohonaf i fy hunan, heb fod yn hunanymwybodol.

Esmwythaf flaen fy ffrog.

'Ti'n edrych yn bert,' medd llais bach wrth y drws.

Gwenaf ar Bella. 'Ro'n i'n meddwl dy fod ti i fod yn y gwely, y mwnci bach,' meddaf. Mae hi yn 'i gŵn nos, a'i thraed yn noeth. Yna, codaf hi i 'mreichiau.

'Dwi ddim yn lico fy stafell i; mae'n hala ofan arna i,' medd, gan fwmial.

'Wel, paid â phoeni – bydda i'n ôl i d'amddiffyn di cyn hir.'

'Iawn,' medd, gan bwyso'i phen yn erbyn f'ysgwydd. 'Dwi'n gweld isie No-no.'

Rhewaf a theimlaf 'y mrest yn tynhau, fel tase llaw yn gwasgu 'nghalon. Noah. Mwythaf 'i gwallt â'm llaw rydd. 'Dwi'n gwbod, Bell. Finne hefyd.'

Pennod Dau ddeg pedwar

Cyn hir, mae Bella'n chwyrnu'n ysgafn ar f'ysgwydd a'i hanadl yn esmwyth. Cariaf hi'n ôl i'w stafell, 'i gosod yn dyner ar 'i gwely a rhoi cusan ar 'i thalcen. Wrth i fi droedio'n dawel fach drwy'r lolfa, chwifiaf ar Gemma, sy'n gwarchod Bella am y noson, a rhoi 'mys ar 'y ngwefusau i ddangos 'i bod yn cysgu. Mae Gemma'n codi'i bawd arna i, ac yna'n codi dau fawd i ddangos 'i bod yn hoffi fy ffrog.

Gwenaf yn ôl arni, gan fwytho'r les pert.

Does dim amser i'w golli. Lapiaf 'y nghot a'm sgarff amdanaf, cyn ymlwybro'n ôl dros y bont.

A hithau bellach yn nos, mae awyrgylch y castell yn gwbl wahanol. Mae Mam wedi gosod canhwyllau du yn lle'r canhwyllau gwyn, ac mae defnydd coch yn gorchuddio'r waliau, lle bu defnydd gwyn ynghynt. Mae noson thema gothig Jane yn dechrau dod yn fyw. Dwi'n hanner disgwyl gweld ysbrydion yn hofran drwy'r neuaddau, neu'r arfwisgoedd yn ymestyn eu breichiau metel ar ôl trwmgwsg. Diolch byth fod Bella'n cysgu'n sownd, achos byddai'n gas 'da hi hyn i gyd.

Gallaf glywed y pedwarawd llinynnol yn chwarae'n rhywle a symudaf tuag at y gerddoriaeth. Bydd disgo yn nes 'mlaen, ond am nawr, mae'r naws yn fwy soffistigedig. Wrth glywed chwerthin y gwesteion drwy seiniau iasol y gerddoriaeth, teimlaf ryddhad: mae pawb yn mwynhau. Bydd Mam mor falch o hynny.

Camaf i mewn i'r neuadd giniawa, ac ebychu. Mae hi wedi'i thrawsnewid yn llwyr ar gyfer heno. Mae miloedd o ganhwyllau wedi'u gosod ar wahanol lefelau o gwmpas y waliau, gan daflu cysgodion aflonydd tuag at y nenfwd. Mae llawer o'r gwesteion yn dawnsio, yn waltsio o gwmpas y llawr, tra bod eraill yn mwynhau bwffe gwych Sadie Lee ac yn edmygu'r gacen briodas hanner gwyn, hanner du. Bydd y briodferch a'r priodfab yn torri'r gacen gyda'i gilydd yn hwyrach heno.

'Penny,' medd llais, 'dyna ti.' Ac yna, daw Callum mas o'r cysgodion, a'i wyneb wedi'i guddio gan fwgwd emrallt. Mae'r cyfuniad o'r mwgwd a'r *tuxedo* yn gwneud iddo edrych yn olygus iawn.

'Helô Callum,' meddaf, gan wenu'n fodlon.

'Mae dy fam wedi gwneud jobyn anhygoel. Dwi ddim yn credu 'mod i erioed wedi gweld Jane mor hapus.'

'O, dwi wir yn falch. Fe ddweda i wrthi hi.' Mae'n amlwg fod Callum eisiau dawnsio – mae'n symud 'i gorff i'r gerddoriaeth yn barod – ond mae'n rhy araf. Dwi ddim eisiau dawnsio i rywbeth mor ... rhamantus. Ciledrychaf o gwmpas y stafell nes gweld Elliot ac Alex mewn cornel. 'Hei, ti isie cwrdd â rhai o fy ffrindiau?' holaf.

Mae e'n petruso, ond yna'n codi'i ysgwyddau. 'Pam lai.'

'Grêt,' meddaf, gan gydio yn 'i law a'i arwain draw at Alexiot. Maen nhw'n siarad yn ddwys am rywbeth ac yn anwybyddu'r dorf o'u cwmpas, nes i fi lwyddo i ddal llygaid Alex. Mae'r syndod ar 'i wyneb yn gwneud i Elliot droelli o gwmpas.

'Penny!' medd Elliot, yn wên o glust i glust. 'Dwlu ar y ffrog.'

Mae e'n rhoi dwy gusan ar 'y moch ac yn gwasgu 'mraich. 'A phwy yw hwn?'

Mae Callum yn estyn 'i law cyn i fi gael cyfle i ateb. 'Callum McCrae.'

'Hyfryd cwrdd â ti.' Mae Elliot yn craffu ar bob modfedd ohono, yn gwbl eofn. Wrth i Callum droi i ysgwyd llaw Alex, mae Elliot yn codi'i fawd arna i, i ddangos 'i fod yn cymeradwyo 'newis.

Ond yn anffodus, dyw 'nhric i dynnu sylw Callum ddim yn para'n hir. Yn sydyn, mae e'n gyffro i gyd wrth glywed cân wahanol. Un araf yw hon hefyd, ac mae'n anodd peidio ag ochneidio.

'Barod i ddawnsio?' hola.

'Iawn,' meddaf.

'Da iawn. Dwi 'di bod yn aros am hyn drwy'r nos.'

Mae'n cusanu fy llaw ac yn f'arwain i ganol y llawr.

Mae'r gerddoriaeth yn eitha araf. Gan nad ydw i'n gwybod sut i waltsio, ry'n ni'n gwneud rhyw ddawns fach herciog, letchwith.

'Joies i ein wâc ni ddoe,' medd, gan anadlu i 'nghlust.

'A finne.'

'Gobeithio bod dim ots 'da ti 'mod i'n dweud wrthot ti, Penny, ond dwi wir yn dy hoffi di,' medd, gan blethu'i law yn fy llaw. 'Meddwl o'n i ... jyst meddwl... os wyt ti'n teimlo'r un peth?'

Galla i deimlo fy hunan yn gwrido dan y mwgwd. Dwi ddim yn gwybod beth i'w ddweud. Mae'i lygaid yn craffu i fyw fy llygaid, yn gobeithio gweld adlewyrchiad o'i deimladau ynddyn nhw ... ond y gwir amdani yw, dwi ddim yn teimlo'r un peth.

'Callum, dwi ... dwi –'

Ond cyn i fi allu dweud gair arall, mae llaw yn taro'n ysgafn ar 'i ysgwydd. Galla i deimlo corff Callum yn tynhau gydag anniddigrwydd, ac mae e'n stopio dawnsio – ond mae e'n dal i gydio'n dynn yn fy llaw.

'Oes ots 'da chi?' hola'r llais. Llais Americanaidd.

Mae 'nghalon yn cyflymu, ac yna'n rasio. Na ... all e ddim bod.

Ond fe yw e.

Noah Flynn.

Pennod Dau ddeg pump

'Sori am dorri ar eich traws chi ...'

Mae llais Noah yn canu yn 'y nghlustiau.

'Ym, iawn,' medd Callum. Mae e'n rhy gwrtais i wrthod, a'i aeliau'n uno'n wg dan 'i fwgwd. *Y mwgwd!* Trof 'y mhen i edrych ar Noah. Mae e'n gwisgo mwgwd hefyd – un du sy'n gorchuddio hanner ucha'i wyneb. Dyw Callum ddim wedi'i nabod e. Neu, dwi ddim yn credu'i fod e wedi'i nabod e.

Mae'r sioc wedi 'nharo i'n fud, a chyn i fi allu dweud gair, mae Callum wedi camu'n ôl a llaw Noah wedi cydio yn fy llaw i, gan roi'i law arall o gwmpas 'y nghanol. Mae'n 'y nhynnu a 'nhroelli, ond gyda phob troad mae'r siom yn fwy amlwg ar wyneb Callum. Mae'n sylweddoli beth sy'n digwydd ...

'Heia Pen,' medd Noah, bron yn sibrwd, a'i acen Americanaidd yn oedi'n hir yn 'y nghlust.

Rhoddaf fy moch ar 'i ysgwydd, gan bwyso i mewn i'w goflaid gynnes a chau fy llygaid. Teimlaf don o groen gŵydd yn goglais 'y nghroen o'm corun i'm sawdl fel gwefr drydanol. Niwlog ac aneglur yw'r torfeydd o bobl sy'n dawnsio o'n cwmpas yn aneglur bellach wrth i ryddhad fyrlymu drwy 'nghorff: mae e'n iawn, does dim byd drwg wedi digwydd iddo fe.

'Dwi wedi gweld dy isie di,' aiff yn 'i flaen.

Ro'n i wedi anghofio cymaint ro'n i'n gweld 'i eisiau e.

Nid dim ond fel cariad; fel ffrind hefyd, a'i gael e o 'nghwmpas i, arogli'i wallt, teimlo'i groen ... ond falle mai fel cariad *yn bennaf*. Ro'n i wedi anghofio mor daclus ro'n i'n gallu ffitio 'mhen i'r gornel rhwng 'i ysgwydd a'i wddf, ac mor gysurlon yw 'i law yn fy llaw; 'i ddwylo, a'r croen garw ar flaenau'i fysedd ar ôl chwarae'r gitâr, yn gwthio yn erbyn fy rhai i. Y ffordd mae'i wên, a'r pantiau hyfryd yn 'i fochau, yn arddangos 'i ddannedd syth, perffaith. A'r ffordd mae'i lygaid mawr brown yn crychu tamed bach wrth iddo fe wenu. Ro'n i wedi anghofio'i arogl: glaw, lledr a mymryn o fwsg.

'Dwi 'nôl nawr,' medd.

Yna, teimlaf y cyfan yn dymchwel i lawr, fel bwced o ddŵr oer yn arllwys dros 'y mhen. *Gadawodd* Noah, gyda dim ond un nodyn pitw bach, gan anwybyddu fy holl negeseuon testun. Gadawodd e fi, yn gwbl hunanol, i ferwi mewn dicter tra oedd e bant ar wyliau, yn poeni dim am 'i deulu a fi ...

Ac mae e 'nôl nawr? Jyst wrth i fi ystyried symud 'mlaen?

Mae e'n gwasgu 'mysedd. 'Ti'n mynd i ddweud rhywbeth?' hola.

Stopiaf ddawnsio a chamu mas o'i goflaid. Gwgaf, gan edrych i fyw 'i lygaid cynnes, cyn edrych i ffwrdd, rhag i fy hyder chwalu'n rhacs.

'Beth ti'n neud 'ma?' holaf.

Mae'i ddwylo'n estyn tuag ata i, yn trio 'nhynnu 'nôl i'w goflaid, ond dwi ddim yn camu tuag ato. Dwi'n plygu 'mreichiau dros 'y mrest. 'Ro'n i isie dy weld di,' ateba.

Mae'n swnio braidd yn druenus i fi. Rywle y tu ôl i Noah, galla i synhwyro bod Callum yn gwylio, a dyw'r cefndir ddim yn aneglur nac yn niwlog bellach. Mae popeth wedi'i dynnu

’nôl i’r ffocws cywir, a’r gerddoriaeth yn uchel.

‘Ar ôl yr holl amser ’ma? Ti jyst yn glanio yma ac yn disgwyl i bopeth fod fel ro’dd e?’

Mae’i wefusau’n gwahanu, ond chlywa i ddim sŵn yn dod mas. Does dim ots ’da fi. Galla i deimlo dicter eirias yn rasio trwy ’ngwythiennau, nes bod ’y mochau’n fflamgoch. Sut *gall* e wneud hyn? Yn amlwg, dyw Noah erioed wedi ’ngweld i fel hyn. Mae golwg dorcalonnus arno fe.

Teimlaf law gadarn a chysurlon yn cydio yn f’ysgwydd. Elliot. ‘Ti’n iawn, Penny?’

Siglaf ’y mhen. Mae e’n troi at Noah wedyn. ‘Ddylet ti ddim bod yma,’ medd Elliot, yn llawer mwy addfwyn nag y gallwn *i* ddweud hynny.

‘Sori, Penny. Do’n i ddim yn bwriadu rhoi loes i ti ... ’ medd Noah, yn gryg ac yn aneglur. Sylweddolaf ’mod i erioed wedi’i weld e fel hyn: yn ymddiheuro’n ddi-baid, yn ofni f’ymateb ...

Dwi eisiau dweud wrtho fe am fynd o ’ma. Y gwna i ddelio â hyn pan fyddwn ni gartre, ddim yng nghanol *priodas* rhywun. Dyna pryd dwi’n edrych lan ac yn gweld Jane wrth ymyl ’i chacen briodas, yn pwyntio arnom ni, a golwg gandryll ar ’i hwyneb. Mae Callum yn sefyll gyda hi. Dwi’n siŵr ’mod i’n wyn fel y galchen nawr. ‘Ry’n ni’n tynnu sylw pawb,’ meddaf wrth Noah, gan rygnu ’nannedd.

‘Allwn ni fynd i rywle i siarad?’ hola.

Nodiaf ’y mhen yn anfoddog.

‘Ti’n siŵr, Penny?’ hola Elliot.

‘Dwi’n iawn, wir,’ meddaf wrtho, gan wenu’n ffug ac annaturiol.

‘Wel, os bydd angen rhywbeth arnat ti, anfona neges. Byddai yno’n syth.’

‘Diolch,’ meddaf.

Ond ry'n ni'n rhy araf. Daw aelod o dîm diogelwch y briodas atom, a Callum yn dynn wrth 'i sodlau. Mae'r swyddog diogelwch yn cyffwrdd â Noah ar 'i ysgwydd yn ysgafn. 'Esgusodwch fi, syr, ond oes gyda chi wahoddiad?'

Neidia Noah mewn syndod, cyn ymsythu. 'Fy mam-gu sy'n gwneud y bwyd.'

'Ydych chi ar restr swyddogol y staff?'

Mae Noah yn symud o droed i droed yn anniddig. 'Na'dw ...'

'Felly bydd rhaid i fi ofyn i chi adael. Nawr.'

'Ro'n ni ar fin gadael,' meddaf. Edrychaf am eiliad i lygaid Noah. 'Dere.'

'Does dim rhaid i ti fynd, Penny,' medd Callum yn ymbilgar. 'Dim ond y *gatecrasher* sy'n gorfod mynd.'

'Dwi'n gwbod. Ond mae'n iawn. A dweud y gwir, dwi ddim yn teimlo'n rhy dda nawr. Wela i di fory?' mentraf. Cyn iddo fe gael cyfle i drio newid fy meddwl, camaf yn benderfynol tuag at y drysau dwbl sy'n arwain 'nôl at fynedfa'r castell. Dwi ddim hyd yn oed yn edrych i weld a yw Noah yn 'y nilyn i, ond galla i glywed sŵn 'i draed yn atseinio dros y llawr cerrig y tu ôl i fi, sy'n arwain o'r neuadd ddawns.

Gwthiaf drwy ddrysau pren trwm y brif fynedfa a chamu ar y bont sy'n arwain at y tir mawr. Mae hi'n bwrw glaw – *wrth gwrs 'i bod hi* – ac yn wyntog, ond doedd dim cyfle i nôl fy siaced cyn gadael y parti. Lapiaf 'y mreichiau o gwmpas 'y nghorff, wrth sylweddoli 'mod i'n ofnadwy o oer. Mae 'ngwallt yn glynu wrth 'y mochau yn y glaw a'r gwynt yn mygu sŵn camau Noah y tu ôl i fi.

Neidiaf mewn braw wrth iddo lapio rhywbeth twym o 'nghwmpas. 'Dere, gwisga fy siaced.'

Ond dwi'n gwrthod. 'Na!' meddaf, gan floeddio i ganol y gwynt. Troellaf o gwmpas i edrych arno, gan rythu i fyw 'i lygaid mor eofn ag y gallaf. 'Alli di ddim dod 'nôl 'ma ac esgus bod popeth yn iawn! Gadawest ti fi – gyda dim ond un nodyn bach hurt.'

'Dwi'n gwbod ...'

'Anwybyddaist ti fy negeseuon i.'

'Dwi'n gwbod ...'

'Wnest ti hyd yn oed ddweud wrth dy *fam-gu* am beidio cysylltu â ti. Dwi'n gwbod 'mod i ddim yn gariad i ti rhagor, ond gallet ti o leia fod wedi gwneud yn siŵr fod y bobl sy'n dy garu di'n gwbod bo' ti'n saff.'

'Penny ...'

'Pam wyt ti hyd yn oed 'ma?' gofynnaf eto. Yna dechreuaf grynu, yn araf i ddechrau, ond mae'r dŵr yn cronni yng ngwadnau f'esgidiau a 'dyw hyd yn oed siaced Noah ddim yn ddigon i f'arbed rhag gwynt chwerw'r arfordir.

'Rho gyfle i fi esbonio,' medd Noah, 'ac fe ddweda i bopeth.'

Syllwn ar ein gilydd, ac mae'r foment yn ymestyn nes 'i bod hi'n teimlo fel einioes.

Fi sy'n torri cyswllt ein llygaid. 'Iawn,' meddaf. 'Gad i ni fynd i mewn.'

Pennod Dau ddeg chwech

Dwi'n agor y drws i'r tŷ, ac yn 'i hebrwng tuag at y lolfa. 'Mae'n iawn, Gemma,' meddaf, wrth iddi hi godi'i phen o'i nofel. 'Gallwn ni edrych ar ôl Bella nawr. Galli di fynd yn gynnar.'

'Iawn.' Mae hi'n edrych yn chwilfrydig ar Noah, ond yn dweud dim. Dwi'n gwybod 'i bod hi wedi clywed tipyn am ŵyr enwog Sadie Lee, ond mae hi'n gynorthwyydd rhy broffesiynol i grybwyll unrhyw beth. 'Wela i di fory,' medd, gan daflu'i chot amdani a chamu mas i'r glaw.

Mae tân isel yn yr aelwyd, a Noah yn plygu o'i flaen, gan borthi rhagor o goed tân iddo i'w adfywio. Eisteddaf ar y soffa, yn gryndod i gyd. Tynnaf y flanced ffwr ffug sydd ar gefn y soffa a'i lapio amdana i, gan ochneidio wrth deimlo'i chynhesrwydd.

'Ti isie unrhyw beth?' hola Noah, ar ôl sicrhau bod y tân yn fflamio eto. 'Beth wyt ti'n 'i gael fel arfer mewn sefyllfa fel hyn ... disgled o de?'

Siglaf 'y mhen. 'Dwi ddim isie te.' Hyrddiaf fy sodlau bant, gan adael i fysedd 'y nhraed suddo i mewn i'r carped trwchus. Mae'r soffa'n symud wrth i Noah eistedd wrth f'ymyl i, ond dwi ddim yn edrych arno fe, a dwi'n dal i rythu ar 'y nhraed wrth iddo ddechrau siarad.

'Penny, dwi isie esbonio popeth. Felly ... fe ddechreua i o'r dechrau. Ar ôl d'adael di yn Brighton, do'dd y daith ddim yr un peth. Ro'n i'n teimlo fel tase popeth yn ffug – ro'dd e'n gyfle anhygoel i weld pethe bythgofiadwy, ond y cyfan o'n i isie oedd bod 'nôl yn Brighton gyda ti. Ond ro'n i'n gwbod na fyddai hynny'n deg. Fe gytunon ni i fod yn ffrindiau, ac ro'dd isie llonydd arnat ti. Ro'dd rhaid i fi roi hynny i ti, hyd yn oed os na allwn i stopio meddwl amdanat ti – hyd yn oed am foment.

'Mae 'nhîm rheoli newydd i'n wych, gyda llaw. Dwi'n ddiolchgar i ti am hynny. Bydd rhaid i ti gwrdd â Fenella, fy rheolwraig newydd, ryw ddydd. Byddi di'n dwlu arni hi. Sylwodd hi 'mod i'n teimlo'n isel ac fe awgrymodd hi y dylwn i sgrifennu cerddoriaeth newydd ar y daith. Deunydd newydd. Ond allwn i ddim. Ro'dd e'n ... hala ofan arna i. Na – ro'dd e'n fwy na hynny: ro'dd e'n hollol frawychus. Allwn i ddim chwarae nodyn; ro'dd 'y meddwl i'n wag; ro'dd yr holl deimlade 'ma'n corddi y tu fewn i fi, ond allwn i ddim sgrifennu geiriau. Pan sylweddolodd Fenella bod dim byd yn digwydd, dechreuodd hi hala caneuon gan artistiaid eraill ata i, i weld allwn i ddod o hyd i sengl newydd. Ond do'n i ddim isie gwrando ar unrhyw beth. Ro'dd hyd yn oed 'y mherfformiadau i'n gwaethygu. Yna, aeth pethe o ddrwg i waeth. Un noson, cyn sioe, dechreuais i yfed. Yn y diwedd, ro'n i mor feddw fel na allwn i fynd ar y llwyfan. Buodd rhaid iddyn nhw feddwl am esgus i fi. Dyna pryd sylweddoles i fod rhaid i fi stopio, felly wedes i wrth Fenella bod rhaid i fi gael gwyliau.'

Edrychaf lan ar Noah, a chraffu ar 'i lygaid brown cynnes. 'O'n i ddim yn gwbod bod pethe cynddrwg â 'ny. Gallet ti fod wedi dweud wrtha i. Er nad y'n ni'n ... dy'n ni ddim yn ...' Does gyda fi ddim syniad sut i ddisgrifio beth ydyn ni. Does dim pwynt. 'Gallet ti fod wedi ffonio, a byddwn i wedi trio dy helpu di.'

Gwena. 'Ro'n i'n gwbod hynny. Wrth gwrs 'mod i'n gwbod hynny – ond do'dd hynny ddim yn iawn, chwaith. Penderfynon ni dreulio amser ar wahân er mwyn trio deall pwy ydyn ni, heb ein gilydd.'

Meddyliaf 'nôl am 'y mhrofiad gwaith gyda François-Pierre Nouveau, ac am deithio i Lundain heb deimlo unrhyw orbryder. Meddyliaf am 'y nghyfeillgarwch newydd gyda Posey. Meddyliaf am y lluniau dwi wedi'u tynnu, wrth geisio canfod f'arddull fy hunan. Dwi *wedi* tyfu ac aeddfedu yn y misoedd ry'n ni wedi bod ar wahân. Ond mae hynny hefyd achos yr hyder roddodd e i fi. Dwi'n gwybod na fyddwn i wedi gallu gwneud hynny i gyd hebddo fe. Ond dyw nawr ddim yn teimlo'n amser da i ddweud hynny. Felly, dwi'n gadael iddo fe barhau.

'Felly, rhoddais i'r gorau i'r daith. Ro'dd angen i fi fynd i rywle i ddod o hyd i'r awen – a do'n i ddim isie i unrhyw un wbod lle ro'dd y lle hwnnw. Dim hyd yn oed Sadie Lee. Na tithe, hyd yn oed. Dim ond Fenella o'dd yn gwbod, ond ro'dd hi hefyd wedi cael cyfarwyddiadau llym *iawn* i beidio â tharfu arna i oni bai bod argyfwng.'

'Weithiodd e?' holaf.

'Do. Yn y diwedd. Doedd dim siâp arna i ar y dechre. Do'n i'n gwneud dim ond diogi ar y soffa a gwylio Netflix yn ddi-baid, yn poeni sut byddai gadael y daith yn effeithio arna i, ac a fyddwn i byth yn cael gwahoddiad i ymuno â band eto. Wedyn, cwympodd popeth i'w le. Falle i fi fwyta gormod o *toasties* caws, neu falle i fi wylio gormod o benodau *Breaking Bad* gefn wrth gefn, ond ces i lond bola ar 'y nghwmni i'n hunan. Fe dyngais i nad o'dd hawl i fi fynd 'nôl i'r byd go iawn heb o leia bum cân ro'n i'n dwlu arnyn nhw. Felly dechreuais i sgrifennu a sgrifennu a sgrifennu. Ro'dd y cyfan fel rhyw freuddwyd wallgo. Allwn i ddim stopio. Ro'n i'n cofio sut o'dd bod yn greadigol, ac ro'n i'n gallu canolbwyntio eto.

'Ychydig ddyddiau'n ôl, wnes i orffen y cyfan ac ro'n i'n teimlo'n barod. Ro'dd 'da fi ryw ugain o ganeuon ro'n i'n eu casáu, deg ro'n i'n eu hoffi, a phump ro'n i'n *dwlu* arnyn nhw. Ro'n i'n barod i ailymuno â'r byd eto. Cysylltu â Mam-gu wnes i yn gynta. Dyna pryd clywais i 'i bod hi yn Brighton gyda Bella. Dwedodd hi wrtha i am yr Alban ... a dyma fi'n meddwl y gallwn i roi syrpréis i ti fan hyn.'

'Felly does 'da hyn *ddim byd* i'w wneud â Callum?'

'Callum? Pwy yw Callum? Y boi o'dd yn dawnsio gyda ti?'

Er bod 'da fi ddim byd i deimlo cywilydd amdano, galla i deimlo fy wyneb yn llosgi. 'Sdim ots,' mwmialaf.

'Penny, mae'n iawn. Dwi'n deall. Ro'n i'n hanner disgwyl y byddet ti'n cwrdd â rhywun arall. Alla i ddim disgwyl i ti aros amdana i – fyddai hynny ddim yn deg. Mae e'n fachan lwcus ...'

'Na, nid dyna sut ma' pethe ...' Dwi'n meddwl sut i esbonio'r peth, ond mae'n rhy gymhleth. Siglaf 'y mhen. 'Felly, beth ydyn ni? Beth wyt ti isie i ni fod?'

Mae'n estyn draw ac yn rhoi'i law ar fy llaw. 'Dwi isie beth bynnag wyt ti isie. Dwi isie bod yn rhan o dy fywyd di unwaith 'to. Ac i ti fod yn rhan o 'mywyd i. Os yw hynny'n golygu 'mod i'n gariad i ti – grêt! Ond os mai dim ond ffrind fydda i – galla i ymdopi â hynny hefyd. A dweud y gwir, dwi wedi profi i'n hunan 'mod i'n methu byw *hebddot* ti.'

Dyma'r geiriau dwi wedi ysu eu clywed ers oesoedd. Ond allwn i ddim rhuthro i mewn i berthynas eto. Byddai'r holl broblemau wnaeth ein gwthio ni ar wahân yn y lle cynta – ein gyrfaoedd, 'i enwogrwydd, ac yn fwy na dim, y pellter – yn dal yno. Does dim wedi newid o ran hynny. Ond allwn i fod yn ffrind iddo fe? Gallwn, fe allwn i.

Nawr ein bod ni yma, yn bell o'r briodas a'r ddrama a'r holl bobl eraill, dwi'n ymlacio ac mae 'nicter i'n diflannu. Beth wn i am y pwysau ar Noah? Dwi jyst yn falch 'i fod e 'ma nawr. Mae e'n saff. Mae e'n hapus. Ac ry'n ni'n iawn. 'Wrth gwrs 'mod i isie bod yn ffrind i ti,' meddaf. 'Allwn i ddim byw heb hynny chwaith.'

'Perffaith.' Gwena, ac mae hi'n wên go iawn – hyd yn oed os oes arlliw o siom yn 'i lygaid. 'A pe byddet ti isie mwy na hynny ... '

'Byddwn i'n siŵr o roi gwbod i ti.'

Alla i ddim dala hyn i mewn rhagor. Pwysaf 'mlaen a'i lapio mewn cwtsh enfawr. Mae e'n 'y ngwasgu i'n ôl, ac am eiliad, ry'n ni wedi rhoi'r byd yn 'i le.

'Ti'n golygu popeth i fi, Penny,' sibryda Noah yn 'y ngwallt. 'Byddi di'n gariad i fi am byth.'

Pennod Dau ddeg saith

Dihunaf dan y gynfas wen fore trannoeth, yn teimlo fel taswn i'n nofio mewn goleuni euraid braf. Mae'r awyr y tu fas yn llwyd gydag arlliw o binc, a gronynnau o lwch fel diamwntiau ym mhelydrau gwan yr heulwen sy'n treiddio trwodd. Mae'r bwthyn yn dawel, fel tase wedi cymryd hoe i anadlu'n ddwfn ar ôl gwallgofrwydd y noson gynt. Mae hi'n oerach hefyd. Tynnaf y blancedi lan at 'y ngên, a gwthio fy hunan yn ddyfnach i mewn i'w cynhesrwydd. Dwi ddim eisiau codi eto.

Rholiaf i'r ochr ac mae fy llygaid yn taro ar y mwgwd euraid y bues i'n 'i wisgo neithiwr, wedi'i adael ar bwys y gwely.

Ddoe.

Diwrnod a ddiflannodd mewn chwinciad, ond a oedd hefyd yn teimlo fel einioes.

Alla i ddim credu 'mod i'n cysgu dan yr un to â Noah eto. Yn y diwedd, aeth e i gysgu yn stafell Bella. Mae e 'nôl. Rhaid i fi binsio fy hunan, i fod yn siŵr nad breuddwyd yw'r cyfan.

Dwi'n ail-fyw ein sgwrs neithiwr yn 'y mhen, a theimlaf gynhesrwydd braf yn lledu o fysedd 'y nhraed hyd 'y mhen. Mae'n *dda* 'i gael e 'nôl. Ond mae rhywbeth rhyfedd ynglŷn â'r hyn ddwedodd e. Wnaeth e wir ailymddangos, trwy gyd-ddigwyddiad llwyr, y foment ro'n i'n dawnsio 'da bachgen arall? Doedd e ddim yn gwybod nad oedd sbarc yno i fi, ac y byddwn i wedi dod â phethau i ben cyn iddyn nhw hyd yn oed ddechrau. Doedd e ddim yn gwybod nad oedd Callum yn fy siwtio i. Ddwedodd e nad oedd ots 'da fe – a'i fod e hyd yn oed yn disgwyl y peth – ond sut gallai hynny fod yn wir?

Sut gallai e feddwl y byddwn i'n barod ...?

Ac os o'n i'n barod i symud 'mlaen, pam oedd e'n credu y gallai e ddod a sarnu'r cwbl?

Dwi'n sylweddoli bod 'i 'ddiflaniad' yn dal i 'mrifo i. Ydw, dwi'n falch 'i fod e 'nôl. Ond dwi'n bendant ddim yn barod i ruthro i mewn i unrhyw beth heblaw cyfeillgarwch.

Hefyd, alla i ddim cael gwared ar y llais bach diflas 'na sy'n dweud 'i fod e'n celu rhywbeth oddi wrtha i. Rhywbeth pwysig. Darn coll o'r pos, a fyddai'n golygu fod 'i ddiflaniad yn gwneud synnwyr.

Mae fy ffôn yn suo, ac yn anfoddog, dyma estyn braich o gynhesrwydd y cwilt i'w gipio o'r bwrdd bach ar bwys y gwely. Mae 'da fi lawer o negeseuon i'w darllen – oddi wrth Megan, Callum a Mam. Ond oddi wrth Elliot y mae'r un ddiweddara, a dyna'r un dwi'n 'i hagor gynta.

Ti ar ddihun, fy lassie fach Albanaidd?

Ydw!!

Eisteddaf lan yn y gwely wrth glywed cnoc ysgafn ar y drws. 'Dere mewn!' galwaf.

Mae pen Elliot yn pipan rownd y drws, cyn iddo fe sleifio i mewn, yn dawel fel llygoden fach. Mae e'n rhoi dwy ddisgled o de i lawr ar y bwrdd bach wrth y gwely ac yn dod i mewn dan y dwfe wrth f'ymyl. 'Felly ... beth ddigwyddodd? Dwed wrtha i! Oes 'na Noapen unwaith 'to?'

Taflaf 'y ngobennydd ato, ond mae e'n osgoi'r ergyd gan wenu'n fuddugoliaethus.

'Dyw Noapen *ddim* yn bodoli. Dy'n ni *ddim* yn gwpl.'

Mae gwên Elliot yn troi'n wg yn sydyn iawn. 'Ti'n iawn?'

Nodiaf. 'Ydw, dwi'n iawn. Fi wnaeth y penderfyniad.'

'Ti? Beth ddwedodd e am yr "egwyl greadigol"?'

'A dweud y gwir, ro'dd yn swnio fel tase pethe wedi mynd yn wael iawn iddo fe a bod e wir angen amser bant.'

Gwga Elliot. 'Wel, os buodd hynny'n help iddo fe, falle'i fod e werth y drafferth.

'Dwedodd e mai dim ond cyd-ddigwyddiad o'dd 'i fod e'n barod i siarad 'to neithiwr.'

'Ie, dwed ti,' medd Elliot yn bwdlyd. 'Wnaeth e jyst digwydd dod i mewn pan o't ti'n dawnsio 'da Callum, ar ôl i ti'i gyflwyno fe i fi. Cyd-ddigwyddiad? Hy!'

Codaf f'ysgwyddau. 'Dyna mae e'n ddweud.'

'Hmmm. Ife Callum yw'r rheswm ti ddim am fynd 'nôl gydag e?'

Siglaf 'y mhen. 'Nage. A bod yn onest, dwi ddim yn credu bod Callum yn iawn i fi – ac ro'n i'n gwbod hynny ymhell cyn i Noah gyrraedd 'ma. Bydd rhaid i fi ffeindio ffordd o ddweud hynny wrtho fe'n garedig.'

'Felly, dim Callum, a dim Noah?'

'Ie, dyna ni. *Dim ond Penny* ar hyn o bryd.'

'Wel, mae *dim ond Penny* yn grêt. Mae Alexiot yn 'i chefnogi hi bob cam. Falle galli di fod yn PenPo ...'

'Does *dim* angen llysenw arna i, ar gyfer perthynas â fi fy hunan!'

'Pam lai? Gallet ti ddechrau trend newydd: "sengl a hapus"! Jyst dychmyga'r holl selébs yn 'i wneud e ... LeaBr, TaySwi, HarSty ...'

Dwi'n 'i fwrw e â 'ngobennydd drosodd a thro, wrth iddo fe weiddi enwau enwogion yn ddi-baid, nes i'r ddau ohonon ni gwympo ar y llawr, yn rowlio chwerthin.

Dwi'n cydio yn 'i law. 'Felly, mae'r Alban wedi bod yn garedig wrthot ti?'

Mae e'n gwasgu fy llaw yn ôl. 'Ydy. Mae Alex a finne wedi cael cymaint o hwyl – ac mae rhagor i'w weld o hyd. Dwi wir yn edrych 'mlaen at fynd i'r Ynys Hir a gweld beth arall sy 'da'r Alban i'w gynnig. A siaradais i â dy fam. Mae hi'n hapus i fi aros gyda chi nes bod pethe wedi setlo gartre. Hales i decst at Mam a dweud beth oedd y cynllun. Dyw hi ddim yn bles, ond dyw hi ddim am fy stopio i na mynnu 'mod i'n mynd adre. Mae hi wedi gweld sens, fwy neu lai.'

'Da iawn,' meddaf.

'Dwi jyst angen lle i anadlu. Mae'r tŷ 'na'n fy mygu i. Ta beth: sut wyt ti am ddweud wrth Callum?'

Gwingaf. 'Dim syniad.'

'Mae 'da fi deimlad, o'r ffracsiwn eiliad dreulies i yn 'i gwmni e, nad yw e'r math o foi sy'n arfer cael 'i wrthod.'

'Dwi'n gwbod beth ti'n feddwl,' meddaf. 'O wel.'

Yn sydyn, mae Elliot yn eistedd lan yn y gwely, a'i drwyn yn sniffian yr awyr fel ci hela. 'Arogl bacwn yw hwnna? Dere i ni fynd lawr i gael brecwast.'

Clywaf sgwrsio bywiog yn y gegin wrth i ni fynd lawr y staer, ond mae'r sgyrsiau'n tawelu pan af i i mewn. Mae Mam, Dad, Sadie Lee ac Alex yn troi i edrych arna i. Yr unig bobl sydd ddim yno yw Noah a Bella.

'Bore da,' meddaf, mor sionc ag y galla i.

'Popeth yn iawn, cariad?' hola Mam.

'Hollol iawn. Fues i 'rioed yn well. Ooo Dad – wyau sy 'da ti?'

Diolch byth, mae pawb yn dechrau siarad eto ar ôl gweld 'mod i'n normal, ac heb ddiodde chwalfa emosiynol. Y tu fewn, mae pethe rywfaint yn wahanol. Dwi'n clustfeinio am sŵn traed Noah ar y staer, a'm llygaid yn chwilio am gip o'i wallt brown anniben. Ond 'y nhrwyn sy'n rhoi'r cliw cynta i fi. Mae arogl cologne arbennig Noah yn treiddio i mewn i'r gegin (yn gryfach, hyd yn oed, nag arogl y bacwn), a churiad 'y nghalon yn cyflymu i filiwn o filltiroedd yr awr.

'Bore da, bawb,' medd Noah, mor ddidaro ag erioed.

'Noah!' mae Mam yn codi ar 'i thraed ac yn rhoi dwy gusan fawr iddo ar 'i foch – mae'n rhaid 'i bod hi mor hwyr yn dod i mewn neithiwr fel na chafodd hi gyfle i ddweud helô. 'Hyfryd dy weld di eto. Gobeithio dy fod ti'n ... well?'

'Ydw, diolch, Dahlia. A dwi'n teimlo'n eitha llwglyd nawr, hefyd. Beth y'ch chi'n goginio i ni fan'na, Rob?'

Mae Mam yn chwerthin. 'Stedda, Noah. Mae brecwast bron yn barod. Ond yn anffodus, fydda i ddim yn bwyta gyda chi – rhaid i fi fynd 'nôl i'r castell i drio cael rhyw fath o drefn ac i wneud yn siŵr na ddigwyddodd unrhyw beth trychinebus neithiwr!'

'Oes wir raid i ti hastu o 'ma, Mam?' holaf.

Mae hi'n ochneidio'n ddramatig. 'Oes, yn anffodus. Ond wela i di cyn i ti fynd 'da Elliot ac Alex.'

'Grêt!'

Mae Noah yn troi ata i. 'Ti'n mynd i rywle?'

'Mae Alexiot wedi trefnu trip bach o gwmpas yr Alban ar eu diwrnod ola 'ma, ac maen nhw wedi gofyn i fi fynd hefyd yn lle mynd adre heddi gyda Mam a Dad.'

'O, swnio'n cŵl,' medd Noah.

O iyffach, ddylwn i 'i wahodd e? meddyliaf yn sydyn, gan deimlo pwl bach o bryder. Ond Dad sy'n siarad nesa.

'Beth yw dy gynllunie di, Noah?' hola.

'Dwi ddim yn siŵr. Mae ambell beth 'da fi i'w drafod gyda Mam-gu, felly bydda i 'ma am sbelen fach, wedyn af i'n ôl i drefnu sesiynau yn y stiwdio a gweithio ar rai o 'nghaneuon newydd. Ro'n i wedi gobeithio cael tamed bach o amser i siarad â Penny, ond os na fydd hi o gwmpas ...'

Mae Noah yn mynd yn ôl i Efrog Newydd yn barod? Mae 'nghalon i'n suddo, er nad ydw i'n gwybod yn iawn p'un ai tristwch neu ryddhad dwi'n 'i deimlo. Dwi ddim yn gwybod beth i'w ddweud i ateb, ond yna clywaf sŵn suo mawr – achubiaeth gan fy ffôn. Eto. Dwi'n ymwybodol fod Noah yn rhythu arna i wrth i fi giledrych ar y neges.

'O waw!' meddaf.

'Beth yw e?' hola Elliot.

'Neges oddi wrth Posey! Dwi'n credu ... falle bod gweld Leah wedi'i helpu hi!'

Trof y neges er mwyn i Elliot ei gweld.

Penny!! Wnei di byth gredu hyn! Cawson ni ein ymarfer cynta ddoe ar y llwyfan ac roedd criw o fyfyrwyr hŷn wedi cael gwahoddiad i'n gwylio ni, felly roedd cynulleidfa go iawn 'da ni. Ac ... FE WNES I'R CYFAN HEB UNRHYW OFN!!

'Gwaith da!' medd Elliot.

Alla i ddim cadw'r wên oddi ar fy wyneb. Tecstiaf yn ôl.

'Mae hynny'n anhygoel! Sut wnest ti 'ny?'

Roedd e'n rhyfedd ... defnyddiais i'r dechneg 'na ddisgrifiodd Leah i fi – y peth am y goeden? Fe weithiodd e! Cyn i fi fynd ar y llwyfan, dychmygais i'r goeden y tu fewn i fi, yn fy ngwneud i'n gadarn fel angor ar y llwyfan. Wedyn, pan oedd hi'n bryd i fi fynd arno, stopiais i deimlo'n ofnus. Yn lle ofni 'mod i am siomi pawb, ro'n i'n gwybod 'mod i ddim ar 'y mhen fy hunan yno: ro'n i'n rhan o gwmni, felly ro'n i'n ymuno â pherfformwyr eraill wrth gerdded arno. Dwi'n credu mai dyna ran o'r broblem sydd wedi fy nala i 'nôl – meddwl bod pawb yn canolbwyntio arna i. Ond mae'r cast a'r criw i gyd yn rhan o'r sioe. Wrth wrando ar Leah, sylweddolais ei bod hi dan lawer mwy o bwysau na fi am ei bod hi'n unawdydd. Buodd rhaid iddi hi fod yn llawer dewrach na fi.

Dwi'n falch bo' ti wedi ffeindio ffordd i berfformio. Ond paid â meddwl nad wyt ti mor ddewr â Leah. Mae hi'n seren, ac rwyt ti'n seren hefyd! Ydy hyn yn golygu bo' ti'n cadw'r rhan?

Falle!

Wel, mae 'falle' yn gam mawr ymlaen! ☺☺☺

'O, dwlen i'i gweld hi a rhoi cwtsh enfawr iddi,' meddaf.

'Pwy yw Posey?' hola Noah.

'Mae hi'n ...' ond sut galla i hyd yn oed ddechrau esbonio popeth sydd wedi digwydd dros y mis diwetha? Dwi'n sylweddoli bod llawer wedi newid yn ystod y cyfnod y buodd Noah bant. Mae'n anodd i fi siarad ag e ... hyd yn oed edrych arno fe. Yn sydyn, mae'r emosiynau roedd pawb yn meddwl fyddai'n effeithio arna i, yr emosiynau a gadwais i'n ddwfn y tu mewn i fi, yn brigo i'r wyneb. 'Dwi ... dwi jyst ...'

Ond alla i ddim aros yn yr un stafell ag e rhagor. Gwthiaf 'y nghadair yn ôl, cydio'n frysiog yn 'y nghot a rhedeg o'r gegin. Rhedaf mas o'r tŷ, a dwi'n dal i redeg nes i fi gyrraedd ymyl y llyn, lle dwi'n stopio ac yn pwyso yn erbyn y bont garreg.

Wrth i ddagrau bigo fy llygaid, dwi'n dweud wrtha i fy hunan yn gadarn i beidio â bod mor hurt: y gwynt main sy'n achosi hyn. *Rwyt ti wedi cael misoedd i ddod at dy hunan, Penny Porter.*

Mae e d'isie di 'nôl, yw ateb y llais arall yn 'y mhen – dyw hwnnw ddim yn llais mor synhwyrol â'r cynta. *Dylet ti fod gyda fe. Chi'n berffaith i'ch gilydd.*

Ond gadawodd e fi, medd y llais cynta'n llym, *a ti'n iawn ar dy ben dy hunan. Ti yw PenPo, cofia.*

Rhythaf i lawr ar f'adlewyrchiad. Mae 'ngwallt browngoch yn dawnsio fel fflamau yn y gwynt a'r heulwen. O 'nghwmpas, mae coed y goedwig yn goelcerth o liwiau oren, efydd a choch.

Mae hi'n hydref a finnau'n Ferch yr Hydref ... ond p'un ai bod hyn 'am byth,' wn i ddim. Amser a ddengys.

Pennod Dau ddeg wyth

Ar ôl dychwelyd i'r bwthyn, dwi'n osgoi'r gegin ac yn anelu'n syth am fy stafell i guddio. Ond cyn hir, mae Elliot yn pipan rownd y drws ac yn dweud, 'Mae Noah wedi mynd mas gyda Sadie Lee a Bella, os licet ti ddod lawr staer.'

'Diolch, Wiki,' meddaf. Dwi'n chwarae ag edefyn rhydd ar y dwfe, â 'mhen wedi plygu'n isel. Teimlaf fy matres yn symud oddi tanaf wrth i Elliot eistedd i lawr wrth f'ymyl.

'Gwranda – fyddai dim ots 'da Alex a finne taset ti isie mynd 'nôl gyda dy rieni, fel oeddet ti wedi bwriadu i ddechre. Dwi'n gwbod bod y dyddie dwetha wedi bod yn eitha anodd i ti. Ond galli di, ti'n gwbod, ymdopi 'da *Dychweliad y Flynn*.'

'Wir?' meddaf, gan edrych lan.

'Wrth gwrs y galli di,' meddai, a'i lais yn feddal a charedig.

Mae fel tase Elliot wedi darllen fy meddwl. Dwi ddim eisiau bod yma ar hyn o bryd. Dwi ddim hyd yn oed eisiau bod yn Brighton.

Gwenaf, ond yna mae'r wên yn troi'n wg. 'Dwi'n teimlo'n hollol *embarrassed* am Callum hefyd,' cyfaddefaf.

'Odi e wedi cysylltu?'

'Ydy. Tecstiodd e i weld o'n i'n iawn. Dylwn i ymddiheuro

wrtho fe, siŵr o fod.'

'Does dim rhaid i ti wneud unrhyw beth iddo fe. Ond falle byddet ti'n teimlo'n well.'

'Dwi'n credu bo' ti'n iawn. Hola i Dad i weld os gall e fynd â fi draw i'w dŷ e cyn i ni fynd i'r maes awyr.'

Mae Elliot yn pwyso 'mlaen ac yn rhoi cwtsh enfawr i fi, a finnau'n 'i wasgu e'n ôl yn dynn. Mae e wedyn yn llithro oddi ar y gwely ac yn gadael i fi godi gweddill 'y mhethau a'u rhoi yn 'y nghês. Yr unig beth na alla i'i ffitio i mewn (cês bach dros-nos yw e) yw'r dillad wisgais i barti nos y briodas, felly dwi'n pacio'r rheiny i fag plastig ac yn 'i gario dros 'y mraich.

'Ti'n dod 'te, Penny?' hola Mam wrth i fi sefyll wrth ddrws y gegin.

'Os yw hynny'n iawn?'

'Wrth gwrs!' Mae hi'n 'y nghusanu ar 'y nhalcen. Mae Dad yn codi 'nghês ac yn 'i lwytho i'r car.

'Fyddai ots 'da chi tasen ni'n galw yn nhŷ rhieni Callum ar y ffordd? Mae angen i fi gael sgwrs gydag e.'

'Dim problem o gwbl. Ydy popeth 'da ti? Mae isie i ni fwrw am 'nôl cyn bo hir.'

'Barod!' cadarnhaf.

Helpaf Mam a Dad i lwytho gweddill y pethau i'r car, cyn ffarwelio ag Alex ac Elliot. Dwi'n teimlo'n euog am beidio â ffarwelio â Sadie Lee a Bella, ond dwi'n gwybod y bydd cyfle arall i'w gweld nhw cyn iddyn nhw fynd 'nôl i Efrog Newydd.

Ar y daith fer i gartref Callum, dwi'n cnoi f'ewinedd i lawr at y bonyn wrth geisio penderfynu beth i'w ddweud. Dwi'n gwybod bod angen i fi ymddiheuro am redeg bant, ond oes angen i fi ymddiheuro am beidio â theimlo'r un peth ag e?

Cyn pen dim, ry'n ni yno, yn tynnu i mewn i'r dreif mawr ac yn parcio ein car llog pitw bach rhwng dau Range Rover crand.

Mae Mam a Dad am aros yn y car, a dwi'n falch bod y ffleit cyn hir, fel bod rheswm da dros beidio aros yn hir.

Mae 'nhraed yn crensian ar y dreif wrth i fi gerdded lan at y drws ffrynt. Canaf y gloch a siglo'n ôl ar fy sodlau, gan wthio 'nwylo i bocedi blaen fy jîns.

Callum sy'n ateb, ac ochneidiaf yn nerfus. 'Helô,' meddaf yn frysiog.

'O, helô,' yw ateb Callum, gan bwyso yn erbyn ochr y drws. Dyw e ddim yn 'y ngwahodd i mewn, sylwaf, ond mae hynny'n iawn 'da fi.

'Dwi jyst isie ymddiheuro am neithiwr. Ro'dd e'n ... hen beth cas i'w wneud,' meddaf, yn un ribidirês gyflym.

Mae Callum yn meddalu wedyn, a'i freichiau'n dadgroesi. 'Dere rownd y cefn – os ewn ni tu fewn, chawn ni ddim llonydd gan 'y mrodyr i.' Mae e'n camu mas ac yn f'arwain rownd i gefn y tŷ. Yno, y tu hwnt i'r ardd, mae golygfa dros y caeau sy'n arwain i lawr at yr arfordir lle buon ni'n cerdded o'r blaen. Dwi'n sefyll wrth 'i ymyl, a'r ddau ohonom yn pwyso dros hen gât bren, yn gwylio'r defaid yn pori'r borfa.

'Felly ... ti'n iawn?' hola.

'Ydw, dwi'n iawn. Ces i dipyn o syrpréis, a wnes i ddim ymateb yn dda iawn.'

'Wel, galla i ddeall hynny. Daeth y boi 'na aton ni mor sydyn.' Mae dwylo Callum yn troi'n ddyrnau, ond mae'n eu rhyddhau nhw eto'n glou. 'Felly, wyt ti a fe gyda'ch gilydd nawr?'

'Na'dyn, ddim yn union ... dwi ddim yn gwbod.'

Mae e'n troi fel bod 'i gefn yn pwyso'n erbyn y gât.

'Ydy 'ny'n golygu y galla i fynd â ti mas am ddêt arall?' Mae'n edrych arna i, a'i lygaid yn ddisglair.

Dwi wedi bod yn ofni'r foment hon, ond dwi'n gwybod bod well i fi fynd trwyddi hi'n gyflym, fel rhwygo plaster oddi ar 'y nghroen. 'Mae isie tamed bach o amser arna i, i glirio 'mhen. Allwn ni jyst bod yn ffrindiau?'

Mae Callum yn edrych i ffwrdd, ac yna i lawr ar y llawr. 'Wel, bydd rhaid i fi setlo ar hynny, 'te. Mae'n well na dim, ond bydd rhaid i ti roi tips i fi ar dynnu portreadau, iawn?' Mae'n dala fy llygaid eto, gan wenu.

'Unrhyw bryd,' gwenaf yn ôl. Teimlaf ryddhad yn ymledu trwy bob rhan ohonof, a dwi'n ddiolchgar iddo am wneud hyn mor hawdd i fi.'Licet ti fynd am dro arall? Galla i ddangos rhaeadr fach bert sy ddim yn rhy bell o fan'yn ...'

'O – alla i ddim. Well i fi fynd 'nôl i'r car ... ry'n ni'n dala'r awyren cyn bo hir.'

Mae golwg dorcalonnus ar 'i wyneb, ac o'r ffordd mae e'n symud yn gyflym oddi wrth y gât, galla i weld 'i fod e'n grac eto. Ond dwi'n siŵr y byddwn i'n grac hefyd. Er 'mod i nawr yn trio peidio â chodi'i obeithion, dwi'n teimlo fel taswn i'n 'i gamarwain e.

'Dim problem,' meddai, wrth i ni gerdded 'nôl tuag at y car.

Mae e'n codi'i law wrth i ni yrru bant, ac yna mae Mam yn troi yn 'i sedd i'm hwynebu i. 'Aeth popeth yn iawn?'

'Do, diolch,' atebaf, gan bwyso 'mhen yn erbyn y ffenest. Gyda Callum, doedd dim drama fawr, dim gemau – dim ond 'i fod e eisiau 'ngweld i eto. A gyda Noah ...? O, dwi ddim yn gwybod sut i deimlo.

Mae fy meddwl i'n gawlach llwyr; alla i ddim gwneud pen na chynffon ohono fe. Rhaid i fi ddianc rhag y cyfan. Rhaid i fi ganolbwyntio ar yr hyn sy'n 'y ngwneud *i'n* hapus, nid ar boendod y bechgyn yn 'y mywyd.

Ond mae 'da fi syniad. A bydd angen help Posey arna i i'w roi e ar waith.

Pennod Dau ddeg naw

Oddi wrth: Melissa.Iwobi@NouveauStudios.com
I: Penny Porter

Penny, mae'r rhain yn A.R.DD.E.R.CH.O.G. Dwi wir yn credu bod cyfle i ti ddatblygu'r syniad yma ymhellach. Dalia ati i weithio! Dwi'n gwybod y gwnei di lwyddo.

Mel xx

O.N. Dangosais i rai o'r rhain i FPN ac fe nodiodd e, ac rwyt ti'n gwybod beth mae hynny'n ei olygu. Ti ar y trywydd cywir!

Caeaf yr ebost, gan deimlo gwên yn lledu dros fy wyneb. Roedd gwir angen hwb bach i'm hyder i, ac mae neges Melissa wedi gwneud hynny – a f'ysgogi i roi cynllun ar waith.

Dwedais i wrth fy rhieni am y cynllun yn ystod y daith adref ar yr awyren, ac roedd fy meddwl i mor brysur yn cynllunio popeth fel na wnes i deimlo'n bryderus o gwbl. Roedd Posey – yn syth o'r *ail* ymarfer heb ddioddef unrhyw banig ar y llwyfan – yn barod i gwrdd â fi'r prynhawn hwnnw. Dwi wedi gofyn iddi gwrdd â fi yn yr Oriel Genedlaethol, lle hoffwn i roi cynnig ar syniad sydd gyda fi ar gyfer 'y nghyfres ffotograffiaeth.

'Alli di ddweud *unrhyw beth* wrtha i am dy brosiect?' hola Posey.

'Mae popeth yn gyfrinachol am nawr,' meddaf. 'Ond fe gei di wbod cyn hir. Jyst cadwa olwg am unrhyw blant ar eu ffonau.'

'Iawn, fe wna i hynny.'

Croeswn Sgwâr Trafalgar, sy'n llawn dop o dwristiaid yn gorweddian ar y grisiau neu ar golofnau'r cerfluniau anferth o lewod ar y pedair cornel. Gallwch chi ddweud pwy yw'r twristiaid achos y camerâu hurt o enfawr sydd o gwmpas eu gyddfau, a dwi'n pendroni tybed faint ohonyn nhw sy'n gwybod sut i ddefnyddio eu hoffer gwych (a drudfawr). Falle os na chaiff 'y mreuddwyd i fod yn ffotograffydd 'i gwireddu, gallwn i gynnal cyrsiau – neu fod yn athrawes ffotograffiaeth. Wedyn meddyliaf am yr holl droeon hynny dwi wedi bod mas â 'nghamera mawr. Falle bod pobl yn meddwl 'mod i'n dwrist hefyd.

Wrth i ni gerdded lan y grisiau i'r Oriel Genedlaethol, mae Posey'n dweud, 'Alla i ddim credu bo' ti wedi dod yr holl ffordd yma. Ddylet ti ddim bod lan yn yr Alban yn rhywle?'

'Ar bwys Inverness. Ond paid â phoeni – mae'r briodas wedi bennu ac ro'n i i fod i ddod 'nôl ta beth. Hefyd, ro'dd rhaid i fi adael y lle.' Dwi'n cnoi 'ngwefus. 'Daeth Noah 'nôl.'

'Do fe?'

'Do, ond allwn i 'mo'i wynebu e, ddim yn iawn.'

'O.' Mae hi'n gweld 'mod i'n cochi at fôn 'y nghlustiau, felly dyw hi ddim yn gofyn rhagor. 'Beth am draw fan'na?' medd, wrth i ni gerdded i mewn i'r oriel gynta. Mae hi'n pwyntio at grŵp o bobl ifanc, sy'n edrych fel tasen nhw ar drip ysgol. Wrth i ni symud atyn nhw, galla i glywed rhai ohonyn nhw'n siarad Ffrangeg. Maen nhw i gyd ar eu ffonau, yn eistedd o flaen darlun enfawr o frwydr, o'r unfed ganrif ar bymtheg.

'Perffaith,' meddaf.

Wrth f'ymyl i, mae menyw hŷn yn rhythu'n ddig ar y myfyrwyr ac yn twt-twtian wrth 'i ffrind. Dwi'n siŵr i fi'i chlywed hi'n mwmial rhywbeth am "y genhedlaeth 'na" cyn crwydro bant i'r stafell nesa.

Ein cenhedlaeth ni sydd gyda hi mewn golwg, sef y genhedlaeth sydd wastad ar eu ffonau.

Ond wrth i Posey a finnau gerdded o gwmpas i ochr arall y grŵp, edrychaf i lawr ar rai o sgriniau'r myfyrwyr a gweld eu bod nhw'n defnyddio un o apiau'r oriel. Maen nhw i gyd yn canolbwyntio'n ddwys ar wybodaeth am y llun sydd o'u blaenau nhw.

Hmm, ie, "y genhedlaeth 'na". Y genhedlaeth sydd wastad ar eu ffonau ... yn eu defnyddio i gyfathrebu, i chwarae, i gysylltu, ac ie, i ddysgu hefyd.

Mae un o'r myfyrwyr yn dala fy llygaid a gwenaf yn ôl. Fel arfer, mae'n gas 'da fi siarad â dieithriaid, ond dwi'n gwbod, os ydw i am fod yn ffotograffydd gwych, bod angen i fi oresgyn fy nerfusrwydd. 'Hei, ti'n gallu siarad Saesneg?' holaf.

'Ydw,' ateba'r ferch, mewn Saesneg hollol berffaith.

'Ym, fyddai ots 'da ti taswn i'n tynnu llun o dy grŵp di? Dwi'n gwneud prosiect yn yr ysgol a byddai'n anhygoel tasech chi'n gallu bod yn rhan ohono.'

Yn annisgwyl, mae wyneb y ferch yn goleuo. 'O, wrth gwrs! *Écoutez donc, les mecs!*' galwa, gan droi at 'i ffrindiau. '*Elle veut prendre un photo de nous ...*'

Maen nhw i gyd yn dechrau gosod eu hunain mewn safleoedd ffurfiol amrywiol, ac mae'n rhaid i fi chwerthin. 'Nage, ym, yn union fel yr oeddech chi, os yw hynny'n iawn?'

Maen nhw'n codi eu hysgwyddau, cyn dechrau darllen

rhagor am y darlun, gan golli diddordeb yn go glou yn y ferch ryfedd gyda'r camera. Tynnaf luniau bach anffurfiol ohonyn nhw a dweud 'Merci' wrth y ferch. Wedyn, mae Posey a finnau'n symud 'mlaen.

'Gest ti beth o't ti isie?' hola Posey.

Nodiaf. 'Dwi'n credu.'

'Ti'n dal ddim am ddweud wrtha i beth yw dy gynllun mawr di?' hola, gan wenu'n slei.

Winciaf a rhoi 'mys ar 'y ngwefusau. 'Dwi'n addo mai ti fydd un o'r rhai cynta i wbod.'

Chwardda. 'Gobeithio wir! A dweud y gwir,' aiff yn 'i blaen, 'mae syched ofnadwy arna i. Licet ti ddiod neu rywbeth?'

'Wrth gwrs! Ond dylen ni fynd i rywle i ddathlu bo' ti'n gwneud mor dda gyda'r ymarferion nawr. Ble licet ti fynd?'

Mae Posey'n gwenu. 'Dwi'n gwbod bod hyn yn swnio'n hurt, ond beth am McDonald's?'

Alla i ddim peidio â chwerthin.

Felly, mewn cyflymder sydd falle wedi torri record byd Guinness, gwibiwn 'nôl ar draws Sgwâr Trafalgar a lan y Strand i'r McDonald's cynta welwn ni. Mae'r ddwy ohonom yn archebu milcshêcs ac yn eistedd ar stolion plastig coch, gan gicio'n coesau fel tasen ni'n ddeg oed eto.

'Ti wedi dweud wrth Leah am d'ymarferion llwyddiannus?' holaf. 'Byddai hi'n dwlu clywed am hynny.'

Mae Posey'n ysgwyd 'i phen. 'Dim eto. Mae 'na ran ohona i'n ofni rhoi melltith ar y cyfan.'

Pwysaf 'y mhen i'r ochr. 'Iawn. Wel, ar ôl i ti gael *perfformiad agoriadol* llwyddiannus, galli di ddweud wrthi hi dy hunan!'

Mae fy ffôn yn canu ac wrth weld pwy sy'n ffonio, dwi bron â gwichian gan gyffro.

'Pwy sy 'na?' hola Posey.

‘Wnei di byth gredu hyn ...’ Trof y sgrin a gadael i Posey ddarllen drosti’i hun: mae’r enw ar y sgrin yn dweud ‘Leah Brown’.

‘Waw, ’na ryfedd!’ medd Posey.

‘Paid â phoeni, ddweda i ddim byd wrthi nawr,’ meddaf, gan lithro ’mys ar hyd y sgrin i ateb yr alwad. ‘Leah?’

‘Hei, P.’ Mae sŵn blinedig a digalon i’w llais hi.

‘Ydy popeth yn iawn?’ holaf. ‘Ti’n iawn?’ Ond eisoes, dwi’n gwybod bod rhywbeth o’i le.

‘Mae fy label wedi mynd yn nyts. Mae’n rhaid i fi ffonio pawb sy wedi bod yn fy stiwdio i’n ddiweddar.’

‘Pam? O iyffach, beth sy wedi digwydd?’

Mae saib hir ar ochr arall y linell. ‘Fy albwm i. Mae rhywun wedi rhyddhau fy sengl gynta ac mae hi dros y rhyngrwyd i gyd.’

Pennod Tri Deg

Mae wyneb Posey'n gwbl welw, ein milcshêcs wedi'u gwthio o'r neilltu, a phwll o lysnafedd blas fanila yng ngwaelod pob cwpan. Yn syth ar ôl dod oddi ar y ffôn gyda Leah, ffoniais i Megan a gofyn iddi hi ddod i gwrdd â ni yma.

'Alla i ddim credu'r peth,' medd Posey eto, am y canfed tro. 'Pwy fyddai'n gwneud rhywbeth fel 'na?'

Siglaf 'y mhen. 'Does 'da fi ddim syniad.' Wrth i ni aros am Megan, chwiliaf ar fy ffôn am 'gân newydd Leah Brown'. Mae'r chwiliad yn llwytho cannoedd o ganlyniadau o wahanol wefannau clecs. Mae'n debyg na chafodd hi'i rhyddhau trwy safleoedd lawrlwytho; yn hytrach, ebostiodd rhywun gopi o ansawdd gwael o drac sain at newyddiadurwr. Petai hwn yn recordiad o unrhyw artist arall, mae'n siŵr na fyddai neb yn cymryd sylw achos yr ansawdd gwael. Ond mae cân gyfrinachol fel hon yn beth cwbl wahanol i Leah – mor newydd ac amrwd – ac mae hi'n seren mor enfawr, fel bod y rhyngrwyd yn hollol dwlali am y peth. Llithraf i lawr drwy lu o negeseuon sy'n rhoi dolen i'r copi anghyfreithlon. Mae pethau wedi mynd yn draed moch nawr – does dim ffordd i dîm Leah roi stop ar y cyfan, waeth faint o arian a dylanwad fydden nhw'n eu taflu at y broblem.

Yr unig beth da yw bod pob sylw ar y gân yn gadarnhaol. Mae pawb yn dwlu arni hi – ac maen nhw eisiau'r fersiwn llawn. Gwrandawaf ar damaid ohoni, ond dwi ddim yn 'i chofio hi felly mae'n rhaid nad oedd hi'n un o'r rhai glywon ni. Mae'r tyndra yn 'y mrest – a fuodd yn cynyddu fesul munud – yn dechrau llacio. Mae'n rhaid mai rhywun arall wnaeth hyn, nid un o fy ffrindiau i.

'Gobeithio nad yw hi'n meddwl y gallwn i wneud rhywbeth fel 'na,' medd Posey.

Cydiaf yn 'i llaw. 'Wrth gwrs na fyddai hi. Fyddai'r un ohonon ni'n gwneud hynny.'

'Hei, ferched!'

Edrychaf lan a gweld Megan yn codi'i llaw wrth ddod tuag aton ni, a gwrid yn 'i bochau ar ôl rhuthro i gwrdd â ni. Diolch byth, mae hi mewn hwyliau da, yn wahanol i'r diwrnod o'r blaen, ac yn rhoi cwtshys mawr i Posey a finnau.

'Beth sy'n bod? Beth oedd mor bwysig fel bod rhaid i fi redeg 'ma?'

'Ffoniodd Leah Brown,' cychwynnaf. Yna, anadlaf yn ddwfn, gan adael i'm llygaid graffu ar wyneb Megan. 'Mae rhywun wedi rhyddhau cân o'i halbwm newydd ac mae hi dros y rhyngrwyd i gyd.'

Neidia Megan i eistedd ar stôl, a'i llaw dros 'i cheg. 'Wir? Odi pethe cynddrwg â 'ny?'

'Wel, mae'r gân ym *mhobman*. Ro'dd rhaid iddi hi gysylltu â ni i gyd i wneud yn siŵr nad y'n ni'n rhan o'r peth.'

'Wrth gwrs nad y'n ni! Ddwedodd hi bod dim hawl 'da ni i recordio.'

'Dwi'n gwbod. Ond ro'dd rhaid i'r stiwdio wneud hyn. Maen nhw'n cysylltu â phawb sy wedi bod yno dros yr wythnos dwetha.'

Mae Megan yn ymlacio, a'i hysgwyddau'n gollwng, ond mae dagrau yn llygaid Posey. 'Hei, paid â llefen,' medd Megan yn garedig.

'Dwi'n casáu'r ffaith fod Leah yn credu gallen ni fod wedi gwneud hyn. Mae cymaint 'da hi i ddelio 'da fe'n barod, ac ro'dd hi mor neis,' medd Posey.

'Ond weithiau ma' pethe fel hyn yn gallu bod o fantais. Dyw diffyg cyhoeddusrwydd ddim yn beth da ...' yw ateb Megan.

Gwgaf. 'Dyw hynny *ddim* yn wir.'

'Ocê, ond, hei ... mae pethe fel hyn wedi digwydd i lot o gantorion!'

'Ond sut mae hynny'n gwneud y peth 'ma'n llai difrifol?'

'Dwi ddim yn dweud nad yw e'n ddifrifol. Dwi jyst yn dweud y bydd hi'n iawn.'

Edrych ar ein gilydd wna Posey a finnau, a dwi'n nodio. Mae Megan yn iawn. Wnaiff un digwyddiad fel hyn ddim sarnu gyrfa Leah. Ond dwi wedi gweld nawr faint o ymdrech mae hi'n 'i rhoi i bob cân, a dwi'n gwybod mai dyma'r tro cynta iddi hi sgrifennu rhywbeth mor bersonol. Hefyd, fel Noah, mae hi'n berffeithydd – fyddai hi ddim eisiau i unrhyw beth fod yn gyhoeddus nes 'i bod hi'n barod.

Mae fy ffôn i'n canu ac ry'n ni i gyd yn edrych ar fy sgrin. Leah eto. Atebaf yn syth, cyn amneidio ar y merched i dawelu, er mwyn i fi'i chlywed hi'n well. 'Helô?'

'Heia Penny. Mwy o newyddion – dyw e ddim yn dda, mae arna i ofan.'

'Beth yw e?' Teimlaf 'y nghalon yn llamu i 'ngwddw.

'Maen nhw wedi ynysu'r trac fel bod pob elfen yn hollol glir a dwi'n cofio'n union ble'r o'n i pan ganais i'r fersiwn hon. Yn ystod ein sesiwn *ni* yn Llundain. Ddigwyddodd e ddim yn unman arall, ar unrhyw adeg arall.'

'Ond ... sut mae hynny'n bosib? Dwi erioed wedi clywed y gân o'r blaen, dwi'n addo. Dim un o'r rhai ganaist ti i ni yw hi.'

Mae wyneb Posey'n gwelwi, a Megan yn llyncu'i phoer.

A fi? Mae 'nghalon yn rasio.

'Canais i hi'r diwrnod hwnnw – falle pan oeddet ti lan lofft yn paratoi i dynnu lluniau? Ta beth, y pwynt yw, mae'n rhaid mai un o dy ffrindiau di wnaeth.'

'Wir?' Mae fy llais yn crynu wrth i fi siarad â hi. 'O, Leah, dwi *mor* flin am hyn.'

'Drycha, mae'n rhaid i fi fynd. Rhaid i fi ... weithio mas beth dwi am wneud nesa. Siarada i 'da ti wedyn.'

'Iawn,' meddaf, ond mae hi wedi mynd. Rhythaf mewn anghrediniaeth ar y ffôn yn fy llaw. Edrychaf lan ar Posey a Megan. Mae golwg euog ar y ddwy. Yna, mae golwg ddiniwed ar y ddwy. 'Mae ... hi...' Alla i ddim canfod y geiriau.

'Beth sy'n bod, Penny?' hola Megan.

'Mae Leah yn cofio ble'r oedd hi pan ganodd hi'r fersiwn yna o'r gân. Yn 'i sesiwn gyda ni.'

'Ond dwi ddim wedi'i chlywed hi o'r blaen!' medd Megan. Cofiaf nawr. Aeth hi lan lofft i fynd i'r tŷ bach pan o'n i'n paratoi i dynnu'r lluniau. Felly dim ond un person arall sydd ar ôl.

Ond all hynny ddim bod yn wir.

Mae'r ddwy ohonon ni'n troi at Posey.

'Wnes ... wnes i ddim byd,' meddai, a'i llais yn gryndod i gyd.

'Ond ti o'dd yr unig un yno,' medd Megan. 'Mae'n *rhaid* mai ti wnaeth. Sut gallwn i neu Penny fod wedi recordio os nad o'n ni hyd yn oed yn y stafell?' Mae'i llais wedi caledu, a gwelaf ddagrau'n cronni yn llygaid Posey.

Ond dwi ddim yn cydymdeimlo â hi. Yr unig beth dwi'n 'i deimlo yw ... gwacter. Ac yna, galla i deimlo rhywbeth arall. Dicter. Dwi wedi cael 'y mradychu.

'Penny, mae'n rhaid i ti 'nghredu i ... fyddwn i byth yn ...'

'Dim rhyfedd nad oeddet ti isie dweud wrth Leah sut rwyt ti'n dod 'mlaen,' ffrwydraf, a chryndod yn fy llais. 'Beth oeddet ti'n feddwl y byddet ti'n 'i ennill trwy werthu'i chân i ryw wefan?'

Mae wyneb Posey'n troi o fod yn wyn fel y galchen i fod yn goch fel tomato, a dagrau'n llifo i lawr 'i bochau. 'Ro'n i ...' ond dyw hi ddim yn gorffen y frawddeg. Yn hytrach, mae hi'n cipio'i bag, sydd o dan y ford, yn neidio oddi ar 'i stôl ac yn rhedeg mas o'r bwyty.

Siglaf 'y mhen mewn anghrediniaeth.

'Waw,' medd Megan, gan dorri'r tawelwch.

'Alla i ddim credu y byddai Posey'n gwneud rhywbeth fel 'na!'

'Dwi'n gwbod. Mae'n anodd credu,' medd Megan, 'ond eto, dy'n ni ddim wir yn 'i nabod hi. Dim ond ychydig wythnosau'n ôl gwrddaist ti â hi –'

'Digon gwir.'

'Ac mae hi wastad yn dawel iawn yn yr ysgol, er 'i bod hi wedi cael y brif ran.' Mae hi'n codi'i hysgwyddau. 'Mae Madame Laplage yn ysgol dda iawn, ond mae'n ofnadwy o gystadleuol, ac ar ddiwedd y dydd mae hi isie bod yn seren ryw ddydd. Mae maeddu'r gystadleuaeth a chael blaen dy droed drwy'r drws yn bwysig iawn i fyfyrwyr Madame Laplage.'

Siglaf 'y mhen. 'Byddai llawer mwy 'da hi i'w ennill trwy

fod yn ffrind da i Leah yn hytrach na'i bradychu hi. Alla i ddim credu bod rhywun yn gallu bod mor dwp!' meddaf, wedi cyrraedd pen 'y nhennyn. Er hynny, tyfu mae'r amheuon yng ngwaelod fy stumog. Mae'n gas 'da fi gredu hyn, ond mae Megan wedi taro'r hoelen ar 'i phen. Er 'mod i'n *credu* bod 'da fi berthynas arbennig â Posey, oedd yn ein gwneud hi'n ffrindiau go iawn, dwi ddim *wir* yn gwybod llawer amdani hi.

Tecstiaf Leah:

Posey wnaeth. Hi oedd yr unig un yn y stafell pan oeddet ti'n canu.

Mae Leah yn tecstio'n ôl:

Waw! Roedd hi i'w weld yn ferch mor neis. Dwi'n trafod y camau nesa gyda 'nghyfreithwyr. Fe rof i wybod i ti.

Mae Megan yn rhoi'i llaw ar fy llaw, gan 'y nhynnu o drobwll fy meddyliau. 'Ti'n gwneud y peth iawn, Pen. Mae 'na bobl o hyd sy'n benderfynol o strywo gyrfaoedd sêr mawr fel Leah.'

Gorfodaf fy hunan i wenu. 'Ti'n iawn.'

'Ti isie mynd mas o fan hyn a mynd i siopa yn Covent Garden am sbel fach?'

'Iawn,' meddaf.

'Cŵl. Fe ddangosa i'r colur 'ma dwi wedi'i ffansïo.'

Siopa yw'r peth olaf dwi eisiau'i wneud, ond mae ychydig o oriau cyn bod 'y nhrên yn mynd. Falle gwnaiff hyn godi 'nghalon i. Mae Megan yn cydio yn fy llaw ac yn 'y nhynnu drwy'r drysau, i ganol torfeydd prysur y Strand. Ymlwybrwn i piazza enfawr Covent Garden, un o fy hoff lefydd yn Llundain. Am unwaith, mae'r tywydd yn heulog braf – diwrnod hyfryd o hydref sy'n f'atgoffa, eto, pam mai dyma fy hoff dymor.

Mae jwglwr yn perfformio o flaen torf fawr, a'i feicroffon yn taflu'i lais dros yr adeiladau carreg o gwmpas y sgwâr. Arhoswn am eiliad i'w wylio, ac mae'n rhaid i fi sefyll ar flaenau 'nhraed i weld dros y môr o bennau o'm blaen. Mae'r jwglwr yn towlu ffagl yn uchel i'r awyr gan 'i dala ar yr eiliad olaf, a Megan a finnau'n ebychu gyda gweddill 'i gynulleidfa.

Mae hi'n tynnu 'mraich. 'Dere, gad i fi'i ddangos e i ti cyn i'r dorf 'ma ddechre symud.'

Aiff â fi i siop golur hardd a moethus â drychau enfawr dros y waliau, sy'n f'atgoffa o rai o'r stafelloedd gwisgo welais i gyda Noah. Mae'r colur yn llawer rhy ddrud i fi, ond ry'n ni'n cael hwyl yn rhoi cynnig ar fathau gwahanol o lipstic a *highlighters*.

'Drycha ar y lliw yma. Byddai e'n edrych *mor* neis arnat ti,' medd, gan agor y lipstic a'i lithro dros gefn fy llaw. Mae'r lliw pinc yn fendigedig, ond daw'r pris â dagrau i'm llygaid.

'Alla i ddim am nawr,' meddaf.

'Iawn, os wyt ti'n siŵr. Dwi jyst am brynu'r stwff 'ma, a gallwn ni fynd wedyn.'

Aiff Megan â phedwar neu bum peth at y cownter a thalu. Yna, mae'n rhoi'i braich yn 'y mraich ac yn f'arwain mas o'r siop.

'Felly, beth ddigwyddodd gyda Callum a ti? Roeddet ti'n mynd i gwrdd â fe yn yr Alban, nag o't ti?'

'O ...' Alla i ddim atal y gwrid sy'n lledu dros fy wyneb. Er i fi siarad ag e'n frysiog cyn gadael yr Alban, dwi'n dal i deimlo'n ddiflas am y ffordd y gadewais i bethau. Gwthiaf yr euogrwydd sy'n cripian i gefn fy meddwl. 'Wel, y newyddion pwysica yw fod Noah 'nôl.'

'BETH? DAL SOWND.' Ry'n ni'n sefyll yn ein hunfan yng nghanol y stryd. 'Mae Noah 'nôl? Ac fe welaist ti fe? Beth ddwedodd e? Beth ddwedaist ti? Ydych chi 'nôl gyda'ch gilydd?'

Chwarddaf wrth glywed y llif cwestiynau. 'Wow am funud fach! Dy'n ni *ddim* 'nôl gyda'n gilydd.'

'O,' meddai Megan yn bwdlyd.

'Chawson ni ddim cyfle i siarad yn iawn, achos des i 'nôl i fan hyn.'

'Rhedeg bant wnes ti.'

'Nage! Ro'n i isie rhoi syrpréis i ...' byddwn i wedi dweud "fy ffrind", ond dwi ddim yn rhy siŵr nawr. 'Ro'n i isie rhoi syrpréis i Posey.'

'*Aaac* ro'dd angen i ti redeg bant.'

'Iawn, ro'dd angen i fi redeg bant am sbel fach,' cyfaddefaf. 'Do'n i jyst ddim yn gwbod beth i'w wneud 'da fe, achos Callum a phopeth ... ro'dd pethe'n rhy gymhleth.'

'Wel, mae hynny'n iawn. Dwi'n falch bo' ti wedi dweud wrtha i. Dwi'n siŵr y gwnei di sortio popeth gyda Callum. Bydd e'n deall am Noah, gan mai fe yw dy enaid hoff cytûn.'

Gwgaf. 'Dwi ddim yn rhy siŵr bod boi sy'n d'adael di am fis heb ddweud gair yn gallu bod yn "enaid hoff cytûn" i ti.'

'Ti a Noah yn berffaith i'ch gilydd. Dwi'n gwbod hynny.'

Gwenaf yn wan. 'Alli di gadw'n dawel am hyn am y tro? Dwi ddim yn siŵr a yw e isie i bobl wbod 'i fod e 'nôl.'

Mae Megan yn rhoi'i bys ar 'i gwefus. 'Paid â phoeni, mae dy gyfrinach yn saff 'da fi.'

'Diolch,' meddaf, gan wenu.

'Cŵl. Cofia, os byddi di byth isie cyngor am Noah, ti'n gwbod galli di droi ata i.'

Pennod Tri deg un

Mae gên Elliot bron â chwympo i ganol ei fowlen o greision ŷd. 'Ond ro'dd hi'n edrych fel merch mor ffein!'

'Dwi'n gwbod.'

Dwi newydd ddweud popeth wrtho fe am y ddrama gyda Leah a'r gân, ac mae e wedi gwrando ar y gân ganwaith a mwy erbyn hyn. 'O leia mae'r gân yn anhygoel. Dwi'n dwlu arni hi! Betia i bydd pawb yn yr ysgol yn siarad am y peth.'

'Yn f'ysgol i hefyd.'

'Ti'n barod? Bydda i'n hwyr. Mae 'da fi bapur hanes enfawr i'w gyflwyno, felly alla i ddim bod yn hwyr.'

'Ydw, dwi'n barod.'

Dilynwn y drefn arferol, sef cerdded cyn belled â'r gornel gyda'n gilydd, cyn gwahanu i fynd i'n gwahanol ysgolion. Ond nawr, wrth gwrs, mae'n wahanol achos bod y drefn yn dechrau'n syth ar ôl i ni ddihuno. Mae Elliot wedi symud i mewn i stafell Tom dros dro. Mae'n rhyfedd 'i gael e yn yr un tŷ, yn hytrach na drws nesa. Er 'mod i'n dwlu cael fy ffrind gorau dan yr un to â fi, byddai'n well 'da fi tase hynny dan amgylchiadau gwell. Ond, dwi'n gwybod y gwnaiff 'y nheulu i unrhyw beth a phopeth y gallan nhw i roi cartref diogel a chariadus iddo fe. Mae angen hynny arno'n fwy na dim ar yr adeg ansicr hon.

Wrth i fi gyrraedd gwaelod y grisiau sy'n arwain at f'ysgol, derbyniaf neges WhatsApp hir oddi wrth Posey.

Annwyl Penny. Dwi'n siŵr mai fi yw'r ferch olaf rwyt ti am glywed wrthi, a dwi'n eitha sicr bo' ti, fel Megan, yn fy nghasáu i. Ond dwi eisiau i ti wybod na fyddwn i byth yn gwneud beth wnest ti a Megan fy nghyhuddo i ohono. Rhaid i ti fy nghredu i. Dwi ddim yn gwybod pwy ryddhaodd y gân yna, ond nid fi wnaeth. Gobeithio wnei di sgrifennu'n ôl. Posey x

Mae 'mola i'n troi wrth ddarllen y neges. Dwi eisiau'i chredu hi, ond mae'r dystiolaeth yn dweud y cwbl. Dwi'n gwybod nad fi wnaeth, a doedd Megan ddim yno. Felly dyma fi'n cau fy ffôn heb ateb.

Gwibia'r diwrnod heibio wrth i fi drio gwthio'r digwyddiad rhwng Leah a Posey i gefn fy meddwl. Mae'n anodd, achos bod Elliot yn hollol iawn. Mae pawb yn yr ysgol yn siarad am y peth, er nad ydyn nhw'n gwybod bod 'da fi unrhyw beth i'w wneud ag e.

Hyd yn oed amser cinio, wrth i fi gerdded i mewn i'r ffreutur, mae Kira ac Amara'n siarad amdano. 'Dwlen i tasai 'na fersiwn ohoni hi ar Spotify,' medd Kira. 'Byddai hi'n mynd yn syth i dop fy rhestr chwarae i!'

Mae'r chwiorydd yn codi'u pennau wrth i fi roi fy hambwrdd i lawr. 'Hei, Penny! Ti 'di clywed newyddion Megan?'

'Megan?' Codaf un ael.

'Ie. Mae hi'n cael parti. Betia i fod un o'r gwahoddiadau hyn yn dy locer di.' Mae Kira'n estyn amlen ddu, sy'n ddisglair dan y fflwrolau llachar. Mae sêl cwyr arni – sydd bellach wedi torri – cwyr coch fel gwaed.

'O waw!' meddaf wrth gydio yn y cerdyn trwchus sydd y tu

mewn iddi. Gwahoddiad i barti Calan Gaeaf ar fferm y tu fas i Lundain.

'Ie, mae hi wedi gwahodd bron pawb yn y chweched, ac ambell berson o'i hysgol newydd hi hefyd. Ti am ddod? Betia i bydd dy fachan newydd di yno.'

Llyncaf 'y mhoer, a syllu i lawr ar y gwahoddiad i geisio cuddio'r gwrid ar fy wyneb. Dwi heb gael cyfle i siarad â nhw am y sefyllfa ddiweddara gyda Callum.

'Hmm, siŵr o fod,' meddaf. 'Gwisg ffansi yw e?'

'Ym, sut gallai fe fod yn barti Calan Gaeaf heb wisgoedd?' medd Amara. 'Dylen ni feddwl am rywbeth *anhygoel* i'w wisgo.'

'Dwi ddim yn gwbod ... dwi ddim yn rhy hoff o bartïon mawr. A dylwn i tsecio 'mod i wedi cael gwahoddiad cyn trefnu unrhyw beth.'

Ar ôl gorffen 'y nghinio, af yn syth at fy locer. Nid yn annisgwyl, mae amlen ddu yn sboncio i'r llawr wrth i fi agor y drws.

Tynnaf lun o'r gwahoddiad gyda fy ffôn a'i hala at Megan. O fewn chwarter eiliad, mae hi'n fy ffonio.

'Plis gwed dy fod ti'n dod!' mynna, heb hyd yn oed ddweud helô. 'Fe wna i'n siŵr y gwnei di joio ... ac fe wna i'n siŵr bod lle diogel i ti ddianc iddo fe. Byddai hyn yn golygu lot i fi. Dyma fy siawns i greu argraff yn yr ysgol a ...' O'r diwedd, mae hi'n anadlu. 'Ma'r parti ddiwrnod cyn 'y mherfformiad mawr i ar y llwyfan.'

Blinciaf yn syn. 'Beth ti'n feddwl?'

Mae llais Megan yn tawelu, fel tase hi wedi'i hamgylchynu gan lawer o bobl, a hithau ddim eisiau iddyn nhw 'i chlywed hi. 'Gadawodd Posey'r sioe heddi. Achos yr ofn o fod ar lwyfan, medde hi. Ond dwi'n credu mai euogrwydd yw'r rheswm.'

'Waw,' yw'r unig beth y galla i ddweud.

'Felly, ti'n dod? Plis?' Mae tinc hapus yn 'i llais eto.

'Iawn, gaf i weld beth alla i wneud.'

'Ieei!' medd Megan, gan wichian yn llawn cyffro. 'Dwi'n addo i ti, hwn fydd y parti gorau *erioed*.'

Pennod Tri deg dau

'Beth ti'n feddwl, Elliot?'

Pwysa Elliot 'nôl yn 'i gadair, gan fwytho'i ên fel tase barf drwchus drosto. 'Dwi'n meddwl bo' chi'ch tair yn edrych fel y gwrachod mwya brawychus dwi erioed wedi'u gweld ... ond dwi'n amau mai dyna'r fath o wisg oedd 'da Megan mewn golwg.'

Dwi'n credu, falle, 'i fod e'n iawn. Mae Kira ac Amara wedi dod draw er mwyn i ni baratoi at y parti gyda'n gilydd, ac ry'n ni wedi bod yn tyrchu trwy gasgliad gwisgoedd Mam i ddod o hyd i'r gwisgoedd mwya gwrachaidd a dros-ben-llestri posib. Penderfynon ni fynd fel y tair gwrach o Hocus Pocus, fy hoff ffilm Calan Gaeaf erioed. Fi sydd wedi cael rôl Sarah Jessica Parker, sef Sarah Sanderson. Kira yw Winifred ac Amara yw Mary. Mae Alex wrth law gyda'i golur dros-ben-llestri hefyd – ewinedd ffug hir a gwallt mawr gwyllt. Wrth edrych yn y drych nawr, dwi'n dechre amau ein bod ni wedi gor-wneud pethau – ond allwn ni ddim troi'n ôl nawr.

Mae Kira'n chwerthin. 'Dwi'n teimlo fel chwaer Sanderson go iawn nawr.'

'Dal sownd, mae dy wig di'n gam,' medd Alex wrtha i, gan

dacluso cudynnau clymog hir 'y ngwallt melyn newydd.

'Beth wnei di os gweli di Callum?' hola Alex.

Anfonodd Callum neges ata i'n gofyn a o'n i'n mynd i'r parti a ph'un ai a allen ni siarad eto. 'Bydd rhaid i fi siarad ag e,' meddaf, 'dim ond er mwyn bod yn onest ag e, unwaith ac am byth. O leia all e ddim gweld 'y nghywilydd i dan yr holl golur a'r gwallt ffug.'

Mae Amara'n pwyntio'i hysgub ffug tuag ata i. 'Ni'n mynd i gael amser da. *Ti'n* mynd i gael amser da. Dyw'r byd i gyd ddim yn troi o gwmpas Callum.'

'Felly, ble mae'r parti 'ma 'to?' hola Elliot, gan archwilio'r gwahoddiad.

'Ar fferm yn Sussex, tua hanner awr bant mewn car. Mae Kira'n cael benthyg car 'i mam, felly bydd hi'n gallu mynd â ni.'

'Sut yffach mae Megan yn gallu fforddio hyn i gyd? Ers pryd mae 'da hi ddigon o arian i dalu am barti enfawr?'

Mae'r cwestiwn wedi bod yn 'y mhoeni i hefyd. 'Dim syniad,' atebaf. 'Ond mae arian 'da'i rhieni hi ... falle bod hyn i gyd i ddathlu ennill y brif ran yn sioe yr ysgol. Mae'n dipyn o beth.'

Mae yna saib wedyn, a thawelwch yn drwm yn yr awyr, cyn i Elliot chwalu'r cyfan â'i chwerthin afreolus. 'Sori,' medd, yng nghanol pwl arall o chwerthin, 'Alla i ddim dy gymryd di o ddifri yn y wisg 'na!'

Dwi'n edrych ar Kira ac Amara, a'r ddwy'n edrych arna i. Yna, fel tasen ni'n darllen meddyliau ein gilydd, ry'n ni'n esgus bwrw Elliot â'n hysgubau.

'Iawn, well i ni fynd, cyn i ni sarnu ein colur ysblennydd!' A neidiaf oddi ar y gwely.

'Mwynhewch, y gwrachod gwallgo. A chofiwch 'mod i isie gwbod *popeth* am y parti!' ychwanega Elliot.

'Wrth gwrs!'

Brysiwn i lawr y staer, ac mae Dad yn ebychu mewn ofn – go iawn – wrth ein gweld ni. 'Ferched, rhoddoch chi ofan i fi!'

'Dyna'r syniad, Dad!' atebaf, gan grechwenu a chwerthin yn wrachaidd.

'Ro'n i am ddweud wrthoch chi am gadw'n saff, ond dwi'n credu bydd pawb yn trio osgoi'r tair ohonoch chi.'

'Ha ha, doniol iawn,' wfftiaf, gan godi ael yn sarcastig. Ond yna caf gip ar fy hunan yn nrych y cyntedd, a theimlo 'nghalon yn neidio mewn braw. Bydda i wastad yn gwneud ymdrech fawr gyda gwisg ffansi – beth yw'r pwynt fel arall? Ac yn sicr, ry'n ni wedi gwneud ymdrech fawr.

Mae car mam Kira ac Amara wedi'i barcio o flaen ein drws ffrynt. 'Alli di ddychmygu tasen ni'n cael ein stopio yn edrych fel hyn?' medd Amara.

'Gobeithio na fydd rhaid i ni stopio am betrol!' meddaf.

'Paid â phoeni,' medd Kira. 'Llenwais i'r tanc ar y ffordd draw.'

Gadawn draffig Brighton a throi am y draffordd a fydd yn ein harwain i'r gogledd, trwy gefn gwlad Sussex, i gyfeiriad Llundain. Taflaf gip ar fy ffôn, ond yna'i roi i gadw'n glou: dwi wedi colli llawer o alwadau gan Noah a dwi'n gwybod 'mod i'n osgoi'r sefyllfa. Mae'n wir – mae angen i ni siarad eto, ond alla i ddim wynebu'r peth.

Ar ôl dod oddi ar y draffordd a chael ein dal gan oleuadau traffig, ry'n ni'n codi ofn ar fachgen bach yn y car drws nesa. Ry'n ni'n ffrwydro i bwl enfawr o chwerthin a dim ond wrth i'r golau droi'n wyrdd ry'n ni'n callio.

Aiff y *satnav* â ni i lawr heol gefn droellog, sydd mor gul fel bod drychau'r car yn cyffwrdd â'r cloddiau bob ochr. Dwi'n ddiolchgar nad fi sy'n gyrru – byddwn i'n ofnadwy o nerfus fan hyn.

Cyn hir, ry'n ni'n sownd y tu ôl i lond bws o bobl mewn gwisg ffansi, sydd hefyd – dwi'n cymryd – ar eu ffordd i'r parti. Mae'n rhaid mai hwn oedd y "bws parti" y soniodd Megan amdano, yr un i bobl heb lifft. Dwi'n falch nad ydw i ar hwnna – mae dim ond meddwl am y peth yn gwneud i fi deimlo'n chwyslyd.

'Dwi'n falch nad ydw i ar y bws gyda'r holl bobl 'na,' medd Kira, gan adleisio fy meddyliau.

'O iyffach, finnau hefyd! Alla i ddim dychmygu unrhyw beth gwaeth,' meddaf.

Mae Amara'n gwenu arna i. 'Fyddi di'n iawn, Penny? Ti isie rhyw fath o arwydd neu air arbennig neu rywbeth, pan fydd un ohonon ni'n barod i fynd adre?'

Meddyliaf am y ffilm *Hocus Pocus*. Pan mae angen i'r chwiorydd ddod at 'i gilydd, mae Winifred yn gweiddi 'CHWIORYDD!' O glywed hynny, maen nhw i gyd yn ymgasglu at 'i gilydd. Felly awgrymaf, 'Os yw un ohonon ni isie mynd, gallwn ni weiddi "CHWIORYDD!" yn union fel y ffilm.'

'Dwlu ar y syniad! Perffaith,' medd y ddwy arall yn frwd. Gwenaf arnyn nhw'n ddiolchgar. Dwi wir yn gwerthfawrogi fy ffrindiau; maen nhw'n deall fy ngorbryder ac wastad yn gwneud popeth y gallan nhw i fy helpu i. Ry'n ni i gyd yn gwybod nad un o'r efeilliaid fydd yn chwythu'r chwiban i fynd adre o'r parti.

Mae'r bws o'n blaenau ni'n gyrru trwy fynedfa eang y fferm, a ninnau'n 'i ddilyn.

Ry'n ni'n gegrwth. Mae'r lle fel Calan Gaeaf ar steroids: gwelwn gannoedd o bwmpenni wedi'u cerfio ar hyd y llwybr, gan greu rhyw fath o garped coch iasol. O'r coed noeth, mae gweoedd pry cop yn hongian, ac i gwblhau'r olygfa, clystyrau o fyrnau gwair.

Yn yr awel fain, mae fflamau'r canhwyllau'n aflonydd, a theimlaf ias oer. Dwi'n falch 'mod i wedi gwisgo teits dan fy ffrog a'm staes.

Cerddwn ar hyd rhodfa'r pwmpenni, gan gydio'n dynn yn ein gwahoddiadau. Mae swyddog diogelwch (gyda phwl o hiraeth, meddyliaf am Larry, swyddog diogelwch Noah) yn gwirio ein gwahoddiadau cyn ein gadael ni i mewn. Dwi'n rhyfeddu o weld cymaint o bobl yma, ond yna sylweddolaf nad parti Megan yn unig yw hwn heno – mae digwyddiadau eraill yma ar y fferm hefyd. Mae'r swyddog yn disgleirio'i fflachlamp ar y llawr i ni, i gyfeiriad sgubor enfawr. Dyna le mae parti Megan yn cael 'i gynnal, mae'n rhaid.

'Mae hyn yn boncyrs,' medd Kira. 'Dwi'n teimlo tamed bach yn ofnus.'

'Paid poeni – finne hefyd!' atebaf.

Mae rhes hir o bobl yn aros i fynd i mewn i'r sgubor, ac ry'n ni'n cwtsho gyda'n gilydd ar ddiwedd y rhes. Ar y pen blaen, mae dyn arswydus yr olwg mewn gwisg Joker, yn agor ac yn cau'r drws ac yn tywys pobl i mewn. Wrth agosáu, sylweddolaf mai Luke yw e, dêt Megan am y noson. Mae'n rhaid 'i fod e'n dwlu arni hi, i weithio ar y drws fel hyn.

'Croeso i'r Tŷ Arswyd ... os y'ch chi'n ddigon dewr,' medd, a'i geg goch yn crechwenu.

'Ym ... diolch?' meddaf yn betrusgar. Mae hi mor amlwg mai myfyriwr drama yw Luke.

'Dwi'n awgrymu y dylech chi ddal dwylo eich gilydd wrth gerdded trwodd ... A chofiwch, *peidiwch â stopio nes cyrraedd y pen draw ... Mwahahaha!*' Yna, mae e'n agor y drws, a Kira, Amara a finnau i gyd yn sgrechian wrth gael ein gwthio i mewn. Yna, mae'r drws yn cau'n glep y tu ôl i ni. Cawn ein taflu i dywyllwch dudew.

Mae'r tair ohonom wedi'n gwasgu'n dynn at ein gilydd, a dwylo'r ddwy arall yn cydio yn fy rhai innau wrth i ni gamu'n araf bach yn ein blaenau. 'O iyffach, Penny, dwi'n siŵr bod rhywbeth yn 'y nghyffwrdd i. Dwi'n casáu hyn,' medd Kira.

Dwi ddim yn hoffi hyn chwaith, a dechreuaf rygnu 'nannedd. 'Dewch, mae hyn i fod yn hwyl. Dwi'n siŵr nad yw e – AAA!'

Sgrechiaf nerth 'y mhen wrth i ddyn mewn mwgwd hoci grafangu amdana i drwy'r tywyllwch, a chyllell yn 'i law. Eiliad yn ddiweddarach, mae Amara'n sgrechian wrth weld merch – a'i hwyneb hi'n glwyfau gwaedlyd i gyd – yn neidio ar fariau cawell, lai na throedfedd i ffwrdd. Heb feddwl ddwywaith, ry'n ni'n dechrau rhedeg trwy'r ddrysfa dywyll, ag adrenalin yn rasio drwy ein cyrff. Er 'mod i'n sgrechian, mae'n deimlad rhyfedd. Dwi'n credu 'mod i'n mwynhau fy hunan a dweud y gwir. Mae rhywbeth ynglŷn â chael ofn ofnadwy, o wybod nad y'ch chi mewn perygl go iawn, sy'n *lot* o sbort.

Gwelwn ddau ddrws, un â'r label PERYGL! DIM MYNEDIAD!! a'r llall yn dweud Y FFORDD YMA. Cyn i unrhyw un allu fy stopio, gwthiaf drwy'r drws PERYGL!

Mae'n rhaid mai hwn yw'r un cywir. Ar ôl i fy llygaid arfer â'r goleuni, ry'n ni mewn sgubor enfawr a cherddoriaeth yn chwarae a'r llawr yn llawn dawnswyr, a goleuadau lliwgar yn troelli uwch 'y mhen i guriad DJ bywiog yn y gornel.

Ond nid y DJ yw'r person cynta dwi'n 'i weld.

Y person cynta dwi'n 'i weld yw ... Noah.

Pennod Tri deg tri

Mae e wedi'i wisgo fel ysbryd, sy'n addas iawn gan 'i fod e'n treiddio fel ysbryd i 'mywyd i bob munud. Mae e'n wyn i gyd, a hyd yn oed 'i wyneb a'i wallt wedi'u gorchuddio â phowdr gwyn. Blinciaf, gan feddwl am funud falle'i fod e'n ysbryd *go iawn* a 'mod i'n dychmygu pethau.

Mae e wrthi'n brysur yn craffu ar weddill y dorf felly dyw e ddim yn edrych i 'nghyfeiriad i, diolch byth – gan nad ydw i'n barod i'w wynebu e eto. Cydiaf yn llaw Kira a'i thynnu i mewn i gornel dywyll. Mae Amara'n edrych o'i chwmpas, a'i llygaid ar agor led y pen, yn ceisio dyfalu beth sy'n bod arna i. Dwi'n falch ein bod ni mewn gwisgoedd mor wallgo a 'mod i'n ferch benfelen heno, gan y bydd hi'n anoddach i Noah ddod o hyd i fi.

'Beth sy'n bod?' hola Kira.

'Dwi newydd weld ysbryd,' atebaf.

Mae Kira'n troi 'i golygon at y dorf. 'Bydd rhaid i ti fod yn fwy penodol ... ma' gormod o ysbrydion fan hyn!'

'Beth dwi'n feddwl yw ... Noah.'

'Ti'n jocan!' Yna, mae'i llygaid fel soseri. 'Dwi'n deall nawr. Chwilio am yr haid o ferched, ife?'

'Beth ti'n feddwl?' holaf, gan ddilyn 'i golygon a theimlo f'ysgwyddau'n suddo. Sylwais i ddim gynnau; ro'n i'n canolbwyntio cymaint arno fe. Ond o gwmpas Noah mae cylch o ferched yn sefyll *jyst* yn ddigon pell i ffwrdd i beidio ag edrych fel tasen nhw ar fin neidio arno, ond hefyd yn *ddigon* agos fel y gallan nhw ddala'i lygad tase fe'n edrych ar un ohonyn nhw. Ond yn sydyn, mae Noah yn troi i ffwrdd ac yn mynd mas.

Ochneidiaf yn ddwfn mewn rhyddhad.

Mae Amara'n codi un ael arna i. 'Ti ddim isie siarad ag e?'

'Na'dw ... ydw ... ond nid nawr,' meddaf. 'Ond beth mae e'n 'i *wneud* fan hyn?'

Os yw e yma, mae'n rhaid bod Megan wedi'i wahodd e. Ar ôl iddi hi *addo* y byddai hi'n cadw'n dawel am y peth, penderfynodd hi fwrw 'mlaen a'i wahodd e i barti lle byddai cannoedd o bobl yn 'i weld e ac yn dechrau siarad amdano eto. Ac yna, yn ôl y disgwyl, mae'r merched oedd o'i amgylch e gynnau i gyd ar eu ffonau nawr, yn cyfnewid sibrydion cyffrous – *Mae hwn yn mynd yn syth ar fy Snapchat i! Ife Noah Flynn oedd e, wir?* – sy'n tasgu oddi ar waliau'r sgubor.

Mae Kira'n tynnu ar 'y mraich i. Cyn i fi ofyn beth sy'n bod, gwelaf Megan yn ymlwybro tuag aton ni, yn edrych yn hollol hyfryd mewn gwisg cath, sy'n dynn ac yn ddisglair amdani. Mae hyd yn oed blewiach y gath yn edrych yn dda: smotyn bach du ar 'i thrwyn yn cyd-fynd yn hyfryd â'i gwallt browngoch, sy'n cwympo'n gwrls bywiog dros 'i hysgwyddau.

'Ti'n edrych yn grêt, Megan,' meddwn, fel côr.

'Chi'ch tair yn edrych yn hollol cŵl!' medd Megan. Mae hi'n pwyso 'mlaen i gusanu'r awyr o'n cwmpas. 'Dwi ddim isie cael lipstic drosta i i gyd!' mae'n gwichian.

Alla i ddim rhoi cusan yn ôl iddi. 'Megan, beth mae Noah yn neud 'ma?' holaf.

Mae golwg bwdlyd arni hi nawr. 'O, ti wedi'i weld e'n barod? Ro'n i isie iddo fe fod yn syrpréis. Ro'n i isie bod yna pan fyddech chi'ch dau'n cymodi.'

'Cymodi? Beth ti'n feddwl yw hyn? Rhyw fath o sesiwn gwnsela?'

Wrth weld f'anniddigrwydd, mae Megan yn gwgu. 'Pam wyt ti'n grac? O'n i'n meddwl y byddet ti'n hapus.'

'Dwi'n cofio dweud wrthot ti – yn hollol glir – i beidio â sôn gair wrth neb 'i fod e 'nôl!'

Mae Megan yn rholio'i llygaid. 'Gwed ti, Penny. 'Y mharti *i* yw hwn, a galla i wahodd pwy bynnag dwi'n moyn. Doedd dim rhaid i Noah ddod os nad oedd e isie, wedyn fyddai neb ddim callach 'i fod e 'nôl ar dir y byw, os mai dyna oedd 'i ddymuniad e. Paid â rhoi'r bai arna i. Jyst defnyddia hyn fel cyfle. Ta beth, *dwi'n* mynd i joio 'mharti. Gwna di beth bynnag ti'n moyn.'

I ffwrdd â hi wedyn, mor ddifrifol ag y gall rhywun fod wrth wisgo cynffon cath. Ochneidiaf a throi at Kira. 'Mae hi'n iawn, on'd yw hi? Os o'dd Noah isie aros o'r golwg, fyddai e ddim wedi dod i barti dwl fel hwn.'

'Falle, ond gallai Megan fod wedi rhoi rhybudd i ti.'

Gwenaf yn wan. 'Drychwch, does dim rhaid i chi aros fan hyn 'da fi. Mae 'da fi bobl i siarad â nhw, a ... wel, fydd e ddim yn sbort.' *Callum, wedyn Noah, wedyn ymddiheuriad i Megan* ... dwi ddim yn edrych 'mlaen at y sgyrsiau hynny.

'Ti'n siŵr?' hola Amara.

'Ydw, ewch chi. Ffeindia i chi wedyn.'

'Cofia,' medd Kira wedyn, 'CHWIOOORYDD!'

'Siŵr o gofio!' Yna, gwyliaf nhw'n cerdded bant, cyn lapio 'mreichiau ar draws 'y mola, gan gofio cymaint ro'n i'n arfer casáu partïon fel hyn.

Er gwaetha'r ias tu fas, mae hi'n rhy dwym fan hyn yng nghanol llwyth o gyrff yn dawnsio dan belydrau cryf y goleuadau, y peiriannau niwl, a'r aer yn llawn arogleuon *cologne*, persawr rhad a chwys. Gobeithio na chymra i ormod o amser i ddod o hyd i Callum.

Anadlaf yn ddwfn cyn syllu o gwmpas y stafell. Teimlaf yn well o wybod bod dihangfa 'da fi; mae'r dasg o 'mlaen i'n tynnu'r min oddi ar 'y ngorbryder. *Galla i wneud hyn.*

Brysiaf o amgylch ymylon y dorf, ond does dim sôn am Callum. Gwelaf gynffon Megan yn plethu trwy'r dawnswyr a chael cip ar Kira ac Amara o dro i dro, ond diolch byth, wela i mo Noah. Tybed pa fath o wisg mae Callum wedi'i dewis?

Mae staer yn arwain o ymyl y stafell at lefel *mezzanine*, lle mae'r bar. Dringaf y staer, gan obeithio cael golwg well ar y llawr islaw, ond ar ôl cyrraedd y top does dim angen edrych ymhellach. Dyna Callum, yn sefyll o gwmpas y bowlen pwnsh gyda rhai o'i ffrindiau, yn arllwys gwirodydd euraid o fflasgiau i mewn i'r pwnsh. Maen nhw i gyd wedi'u gwisgo fel fampirod, sy'n reit addas. Gwelaf ddiferyn o waed yn dylifo o gornel ceg Callum wrth iddo fe chwerthin.

Mae'i lygaid yn agor led y pen wrth iddo 'ngweld i – er 'i bod hi'n amlwg ar y dechrau nad yw e'n hollol siŵr pwy ydw i. 'Penny?' hola, ar ôl syllu arna i am rai eiliadau.

'Hei, Callum,' meddaf.

'Ti'n edrych yn ...' Galla i weld 'i fod e'n cael trafferth meddwl am rywbeth caredig i'w ddweud, ac mae e'n hollol fud. Ro'n i'n gwybod y byddai 'ngwisg, a 'mhenderfyniad i beidio â mynd am rywbeth fel "cath-fach-ciwt-mewn-gwisg-dynn" yn golygu 'mod i'n edrych yn wahanol i'r merched eraill, ond feddyliais i ddim y byddai hynny'n rhoi'r fath sioc i Callum.

'Ti isie siarad?' holaf.

'O-oo,' medd 'i ffrindiau fel un, gan bwyntio'u bysedd i'n cyfeiriad ni.

Gwgaf arnyn nhw, ond chwerthin eto wna Callum. 'Iawn. Licet ti drio'r pwnsh gynta?'

Siglaf 'y mhen, felly mae e'n codi'i ysgwyddau ac yn 'y nilyn i draw at y rheilen sy'n edrych i lawr ar y llawr islaw. O gwmpas y rheilen, mae cadwyn o oleuadau bach siâp pwmpenni – ddim yn union fel y goleuadau bach pert yn fy stafell, ond yn ddigon tebyg ac yn creu awyrgylch braf. Wrth syllu arnyn nhw, dwi'n gwybod 'mod i'n gwastraffu amser yn lle dechrau'r sgwrs y mae'n rhaid 'i chael. Edrychaf i fyw llygaid Callum, a fe sy'n siarad gynta.

'Penny, pan glywais i bo' ti'n dod i'r parti, ro'n i'n gwybod bod rhaid i fi siarad â ti unwaith eto.' Mae'n estyn mas ac yn dal fy llaw, sy'n edrych mor wahanol i'r arfer gyda'i hewinedd hir, coch. 'Drycha, aeth priodas Jane ddim yn union fel ro'n i isie, ond ro'n i'n gweud y gwir pan wedais i 'mod i'n joio bod gyda ti, a 'mod i isie gwneud 'ny'n amlach. Hefyd, dwi'n credu bo' ti'n ffotograffydd uffernol o dalentog, a dwi'n siŵr y gallen i ddysgu lot wrthot ti. Ti hefyd yn anhygoel o brydferth – ' mae e'n edrych ar 'y ngholur du anniben a'r wig melyn clymog – 'fel arfer.'

Er gwaetha 'mhenderfyniad, teimlaf 'y mochau'n gwrido. Doedd hyd yn oed Noah ddim yn dweud pethau mor neis wrtha i.

'Felly dwi'n gwbod y byddwn i'n cicio'n hunan os na fyddwn i'n trio unwaith 'to. Ti'n credu gallen ni fynd mas 'to?'

'Callum ... dwi ddim yn meddwl 'mod i isie bod mewn perthynas am sbel fach.' Dwi ddim yn siŵr a wnaeth e 'nghlywed i. Mae rhywbeth arall yn mynd â'i sylw, dros f'ysgwydd.

'O na, dim hyn 'to,' medd dan 'i anadl, cyn tynnu'i law o fy llaw, a chulhau'i lygaid.

'Beth?' Trof. Yna, ar ben y grisiau, mae Noah-fel-ysbryd. Sut gall rhywun mewn gwisg ysbryd edrych mor hollol olygus a cŵl? Sut mae gwisg ysbryd mor brydferth amdano fe?

'Noah, plis,' meddaf. 'Dwi isie cael y sgwrs 'ma 'da Callum.' Ond mae Noah yn ymddwyn fel taswn i ddim yna. Mae'i lygaid e'n rhythu ar Callum, ac maen nhw'n herio'i gilydd.

Dwi'n casáu hyn.

Mae Callum yn teimlo'n fwy hyderus, nawr bod 'i ffrindiau wedi symud yn nes i'w gefnogi, a'i fod e wedi ymsythu i'w daldra llawn – sydd ychydig fodfeddi'n dalach na Noah. 'Drycha, boi, pam na wnei di adael llonydd i Penny am sbel yn lle 'i stelcian hi fel rhyw *ex* seimllyd?'

'Fi'n "stelcian" hi?' medd Noah, a sŵn chwerthin yn 'i lais.

Edrychaf yn wyllt rhwng y ddau, a 'mhen yn symud 'nôl a 'mlaen fel taswn i'n gwylio gêm dennis yn Wimbledon. Ac nid fi yw'r unig un. O'n cwmpas ni, mae ffonau'n pwyntio atom, yn recordio pob eiliad. Y peth olaf sydd 'i eisiau ar Noah – a minnau – yw i'r ddadl fynd yn feiral ar-lein. Rhaid i fi roi stop ar bethau.

'Y ddau ohonoch chi – peidiwch!' gwaeddaf, ond yn sydyn mae'r llawr yn simsanu a theimlaf don o wres yn llifo drwy 'nghorff. Mae cledrau 'nwylo'n chwys domen, a dwi'n gwybod na fydd hwn yn bwl y gallai'i atal trwy anadlu'n ddwfn.

'Penny –' Mae Noah yn adnabod yr arwyddion ac yn camu'n fras tuag ata i. Dyw Callum ddim yn fy nabod i cystal, ond mae e'n cydio yn 'y mraich ac yn ceisio gwthio'i hunan rhyngof i a Noah.

'Gadewch lonydd i fi,' bloeddiaf yn gryg, gan wthio heibio i'r ddau ohonyn nhw a rhuthro am y grisiau. Mae'r dorf yn gwahanu i wneud lle i fi, er bod ffonau'n dal i 'nilyn i.

Diolch byth, ar ben y grisiau, gwelaf wyneb cyfarwydd Kira. Hyd yn oed dan 'i thrwyn ffug, galla i ddweud 'i bod hi'n welw ac yn bryderus. 'Clywais i'r enwau "Noah" a "Callum" a rhuthro lan ...'

'Chwiorydd ... *chwiorydd* ... CHWIORYDD!' meddaf eto, gan anadlu'n llafurus. Mae gwefusau Kira'n sythu'n llinell denau ac mae hi'n cydio yn fy llaw. 'Dere.'

Dwi mor ddiolchgar iddi; mae hi'n rheoli'r sefyllfa'n syth ac yn fy llusgo i lawr y staer a mas o'r sgubor. Af gyda hi, yn fyr f'anadl, yn ddall, gan redeg a baglu bob yn ail. Mae hi'n parablu'n ddi-baid, a llif 'i llais yn gysurlon.

'Fe wnes i'n siŵr 'mod i'n gwbod ble'r oedd pob allanfa wrth i ni gerdded i mewn. Dwi'n gwbod bod hyn yn swnio'n ddwl, ond dwi'n meddwl y byd ohonot ti, Penny, a dwi'n hoffi meddwl am y pethe hyn rhag ofn y byddi di f'angen i. Dwi wastad yn gwbod ble mae'r ffordd gyflymaf i adael.'

Dwi ddim yn ateb, ond yn gwasgu'i llaw ac yn teimlo 'nghalon yn chwyddo mewn hapusrwydd. Allwn i ddim siarad hyd yn oed taswn i eisiau gwneud. Mae 'mhen yn llawn cwestiynau. *Pam oedd Noah yno? Beth oedd e eisiau? Pam wnaeth Megan 'i wahodd e?* Ac yn fwy na dim: *Pam mae bechgyn yn credu y gallan nhw ymladd dros ferch fel tase hi'n rhyw fath o wobr?* Doedd e ddim yn debyg i'r Noah dwi'n 'i nabod o gwbl.

Ar ôl cyrraedd y car, dringaf i mewn i sedd y teithiwr wrth i Kira droi'r system awyru ymlaen. Mae hi'n mwytho 'ngwallt a dwi'n ceisio rheoli f'anadl. 'Ti'n saff, ti'n iawn, does dim byd am ddigwydd i ti,' sibryda.

Byddwn i'n dwlu gallu'i chredu hi.

Mae'n teimlo fel tasen ni'n eistedd yno am oesoedd, ond dim ond ychydig funudau sy'n mynd heibio. Pan deimlaf guriad 'y nghalon yn sefydlogi a sŵn f'anadl yn tawelu, codaf 'y mhen.

'Diolch, Kira,' meddaf. 'Sut dysgaist ti wneud hynny?'

Mae hi'n codi'i hysgwyddau. 'Falle ein bod ni wedi gwglo *helpwch rywun sy'n cael pwl o banig* fwy nag unwaith. Ro'n ni isie gwbod beth i'w wneud taset ti yn y sefyllfa 'na eto.'

Agoraf fy llygaid mewn syndod. Alla i ddim credu fy lwc – mae 'da fi ffrindiau mor dda. 'Diolch,' meddaf, ond mae hynny'n swnio'n annigonol.

Gwibia Amara at y car cyn dringo i mewn. 'Awn ni adre? Mae'r parti 'ma'n rhyfedd, ta beth.'

Dwi ddim yn credu 'mod i erioed wedi bod mor hapus i gael ffrindiau mor gadarn a charedig. Wrth i ni yrru i ffwrdd, ceisiaf beidio â meddwl am ddigwyddiadau'r awr ddiwethaf, a chanolbwyntio ar wella.

Un peth ar y tro, Penny, mentraf yn dawel bach. *Un peth ar y tro.*

Pennod Tri deg pedwar

Yng ngolau dydd, gyda gweddill 'y ngholur wedi'i rwbio (a'i sgrwbo, a'i grafu, a'i sgrwbo eto) oddi ar fy wyneb, dwi'n gwybod bod angen i fi wynebu'r sefyllfa. Cyn i fi allu newid fy meddwl, agoraf fy ffôn a gwasgu rhif Noah.

Mae'n ateb ar ôl caniad neu ddau. 'Penny?'

'Noah. Sori am redeg bant neithiwr.'

'Na, fi ddylai fod yn sori – o'n i ddim yn sylweddoli bo' ti yng nghanol sgwrs arall neu fyddwn i byth wedi torri ar dy draws di. Amseru gwael, yn amlwg.'

'Gallet ti ddweud 'ny,' meddaf, gyda chwerthiniad bach.

'Gwranda, oes cyfle 'da ti heddi i ni siarad wyneb yn wyneb?' hola.

'Ym ... wrth gwrs. Ti'n aros yn y Grand gyda Sadie Lee a Bella?' Ar lan y môr yn Brighton mae'r Grand Hotel, ac mae'n gartref iddyn nhw pan fyddan nhw'n ymweld â ni.

'Na'dw,' medd, 'ond wna i decstio'r cyfeiriad i ti, os wyt ti'n siŵr?'

'Ydw.'

'Cŵl. Wela i di cyn hir,' medd, cyn rhoi'r ffôn i lawr.

Cerddaf 'nôl i'r gegin lle mae Mam yn brysur yn golchi'r

llestri. 'Popeth yn iawn, cariad?' hola.

'Mae Noah isie cwrdd. Dwi'n credu 'mod i am fynd mas am sbel fach – os nad wyt ti isie i fi helpu 'da unrhyw beth?' Cnoaf 'y ngwefus.

Cerdda o ben arall y gegin i roi cwtsh mawr i fi. 'Byddi di'n iawn. Bydd yn ddewr, bydd yn gryf, Penelope fach annwyl.'

'Diolch, Mam.' Dyw hi ddim wedi 'ngalw i'n hynny ers i fi fod yn ferch fach, ac mae'n gwneud i fi wenu.

Edrychaf eto ar y cyfeiriad halodd Noah ata i. Fel y gwesty, dwi'n gwybod 'i fod e ar lan y môr, ond mae'n anghyfarwydd – falle bod caffi newydd wedi agor, a'i fod e eisiau 'ngweld i yno. Gwgaf. Hoffwn i gwrdd yn rhywle llawer mwy preifat, yn enwedig ar ôl neithiwr. Yn union fel ro'n i'n amau, roedd y rhyngrwyd ar dân â lluniau o Noah a Callum yn cweryla drosta i. NOAH FLYNN: GARTRE HEB GARIAD, sgrechia'r penawdau.

Dechreuaf gerdded i lawr y bryn tuag at y môr, gan dynnu coler fy siaced yn dynn o gwmpas 'y ngwddf, i f'amddiffyn rhag brath oer y gwynt. Neithiwr, trodd y calendr o Hydref i Dachwedd, ac mewn amrantiad newidiodd y tywydd hefyd. Meddyliaf am yr haf, a dymuno iddo fe bara am byth.

Ond does dim byd yn para am byth.

Dim hyd yn oed i eneidiau hoff cytûn.

Ar ôl cyrraedd glan y môr, arhosaf yn stond a syllu ar y tonnau tymhestlog. Mae'n edrych mor wahanol nawr, o'i gymharu â sut roedd e bryd hynny: dan yr awyr dywyll a'r cymylau enfawr, mae'r môr yn llwyd ac yn oer. Erbyn hyn, mae'r cytiau glan môr – a oedd mor lliwgar gynt – bron yn ddi-liw, fel tase ffilter sepia dros fy llygaid. Fel arfer, yn fy meddwl i, mae Brighton yn llachar ac yn heulog – ond gwelaf harddwch yn fersiwn gaeafol Brighton hefyd. Mae'n fwy difrifol ac urddasol.

Yn ôl fy ffôn, dwi wedi cyrraedd y cyfeiriad a roddodd Noah i fi. Ond does dim caffi yma – does dim hyd yn oed siop fach. Ry'n ni'n bell oddi wrth y pier a'r bandstand, a does dim byd yma ond rhesi o dai Fictoraidd, a'r rhan fwyaf ohonyn nhw wedi'u troi'n fflatiau.

Dwi ar fin tecstio Noah pan gaf neges oddi wrtho:

Pwysa gloch fflat 5

Edrychaf lan, gan blygu 'ngwddwg rhag ofn i fi'i weld e yn un o'r ffenestri, ond does dim golwg ohono. Codaf f'ysgwyddau a rhythu ar res o fotymau. Wrth ymyl rhif 5 mae cerdyn taclus ac arno'r enw *F. Jones*. Pwysaf y botwm ta beth, ac ychydig eiliadau'n ddiweddarach, mae'r drws yn clicio'n agored. Mae'r cyntedd yn hardd, a siandelïer haearn cywrain yn 'i ganol. Clywaf sŵn 'y nhraed yn atseinio ar y llawr marmor. Ar y wal, sylwaf ar hysbysfwrdd sy'n llawn posteri a hysbysiadau, a phentyrrau bychain o lythyrau wedi'u stwffio i dyllau colomennod.

Caf neges arall:

Cer yn y lifft i lawr 3

Gwgaf. Y lifft? Dyna pryd dwi'n 'i weld e, ac yn llyncu 'mhoer. Un o'r liffts hen ffasiwn 'na yw e, gyda gât sy'n agor a chau.

Mae'n fach, felly dim ond un neu ddau berson allai ffitio ynddo ar y tro. "Clyd" yw'r gair, dwi'n meddwl. Mae'n edrych yn llawer hŷn na fi – mae e siŵr o fod yn hŷn na Mam a Dad – a dyw'r syniad o fynd i mewn iddo ddim yn apelio ata i o gwbl. Er hynny, dwi'n chwilfrydig. Camaf i mewn i'r lifft, pwyso'r botwm i'r trydydd llawr, cau fy llygaid a gobeithio am y gorau.

Mae cryndod y lifft yn codi ofan arna i, ond dwi'n esgyn yn glou, diolch byth. Er hynny, dwi'n tynnu'r gât yn ffyrnig ar ôl cyrraedd y top, gan ddod yn agos at rwygo gewin. Ond mae'r olygfa ar ôl cyrraedd yn ddigon i wneud i fi ochneidio mewn ffordd wahanol. Mae'r lifft yn agor i mewn i fflat – heb ddrws ffrynt na dim i wthio trwyddo. Ond cyn i fi gael cyfle i edrych o 'nghwmpas, mae fy ffroenau'n lledu. Galla i arogli tân.

'Sori!' Mae pen Noah yn pipian rownd y gornel. Mae'i ddwylo mewn menig ffwrn blodeuog, ac mae'n dal tun cacen, sy'n dal sbwng du fel golosg. 'Cacen o'dd hi i fod, ond ... dwi ddim yn credu 'mod i wedi etifeddu sgiliau pobi Mam-gu. Cer i ymlacio ar y soffa tra 'mod i'n ... cael gwared ar hon.'

Ymlacio? Mae 'nhraed wedi rhewi yn yr unfan o flaen y lifft. Mae holl arwynebedd y cyntedd wedi'i orchuddio â phethau Noah. Mae'n rhaid 'i fod e wedi agor ffenest i gael gwared ar yr arogl llosgi, gan fod awel yn chwythu drwy'r fflat ac arogl y môr yn 'y nihuno o 'mreuddwyd. Mae'r awel hefyd yn taflu darn o bapur tuag at 'y nhraed. Plygaf i lawr i'w godi: darn o gerddoriaeth yw e, â llawysgrifen traed brain Noah drosto. Mae tameidiau o eiriau caneuon, rhai wedi'u croesi mas a'u hailysgrifennu, dan nodau a symbolau cerddorol. Gosodaf y papur yn ofalus 'nôl ar y bwrdd bach, gan roi pentwr o allweddi i'w ddal yn ei le.

Cymeraf 'y nghamau cynta i mewn i'r fflat. Af rownd y

gornel, ac yn sydyn dwi'n gegrwth wrth weld maint y lle. Mae'r gegin (lle mae Noah wrthi'n taflu'r gacen i'r bin sbwriel) yn agor mas i'r lolfa a'r stafell fwyta, ac mae dwy ffenest enfawr – ac iddyn nhw silffoedd llydan sy'n 'y ngwahodd i eistedd yng nghwmni llyfr da – yn arddangos golygfa ddi-ben-draw o'r môr.

Ar wahân i'r olygfa hon, mae popeth yn nodweddiadol o ... Noah. Nefoedd Noah Flynn yw fan hyn. Mae o leia bedwar offeryn cerdd gwahanol i'w gweld o gwmpas y lle. Yn hytrach na bwrdd bwyd, mae piano, a gwelaf fod gitârs niferus yn pwyso yn erbyn y soffa siâp L. Mae hyd yn oed y soffa'n nodweddiadol ohono fe, gyda'i gorchudd lledr brown a'r flanced lwyd a melyn sy'n gorwedd rywsut-rywsut dros 'i chlustogau. Mae gweithiau celf enfawr yn hongian o'r waliau – rhai lluniau o gerddorion roc eiconig fel Robert Plant a Jimmy Page o Led Zeppelin, ynghyd â chanfasau eang o batrymau llachar. Ar y bwrdd coffi, mae MacBook tenau Noah, a llwyth o sticeri bandiau drosto. Ar bron bob arwyneb fflat arall mae cwpanau coffi papur gwag.

Mae golwg anniben o gartrefol ar y lle, er mai dim ond ers ychydig ddyddiau mae Noah yn byw yma. *Tybed pwy sydd biau'r lle 'ma*, meddyliaf. Ydyn nhw'n gwybod fod Noah wedi'i feddiannu a rhoi'i stamp 'i hunan arno fe'n barod? Wrth edrych yn fanylach, dim ond Noah wela i. Dros y lle tân (sy'n edrych fel tase erioed wedi cael 'i ddefnyddio) mae hyd yn oed ffotograffau o Sadie Lee a Bella.

Teimlaf 'y nghalon yn llamu wrth weld llun Polaroid ohonon ni'n dau. Mae 'mreichiau wedi'u lapio o'i gwmpas ar draeth Brighton, a'r ddau ohonom yn wên o glust i glust wrth chwarae o gwmpas o flaen y camera. Mae'i fysedd dros 'y mysedd i, yn 'y nala i'n dynn. Dyddiau da.

'Iawn, dwi ddim yn gallu pobi, ond galla i o leia arllwys diod. Licet ti rywbeth?' hola.

Mae fy llwnc yn sych ac mae angen i fi wneud rhywbeth gyda 'nwylo, felly nodiaf. 'Dŵr, plis.'

'Un ddiod o ddŵr, ar y ffordd.'

Cymeraf y gwydryn o'i law a llowcio'i hanner ar unwaith. Ar ôl dod o hyd i 'nhafod eto, edrychaf i fyw 'i lygaid tywyll hudolus. 'Noah, mae'r lle 'ma'n anhygoel. Pwy sy biau fe?'

Mae Noah yn gwenu. 'Fi.'

Pennod Tri deg pump

'Ti'n jocan!'

'Na'dw. Fi sy biau fe.'

Mae fy meddwl yn rasio. 'Ond ... beth... sut gall hynny fod? Pwy yw "F. Jones" 'te?'

'O, hynny.' Mae Noah yn gwgu. 'Dwi ddim wedi newid yr arwydd ar y drws eto, a ta beth, mae e'n cadw popeth yn breifat. Ond F. Jones yw Fenella Jones, fy rheolwraig newydd yn y DU. Pan adewais i'r daith, cawson ni sgwrs hir am beth ro'n i wir isie. Dwedodd hi fod 'da hi le bach yn Brighton ro'dd hi isie'i werthu ac ro'dd e'n edrych fel rhywbeth call i fi wneud. Hefyd, mae'r olygfa yn ... eitha cŵl.'

Dilynaf 'i olygon mas drwy'r ffenest, ac mae'n rhaid i fi gytuno ag e. Os edrychi di o'r ongl iawn, mae'n edrych fel tase'r môr yn dod reit lan at ymyl 'i stafell fyw. Ond yna mae ystyr 'i eiriau'n 'y mwrw i. 'Ond mae hynny'n golygu ... ers pryd wyt ti wedi bod yn byw fan hyn?'

'Ers i fi adael y daith,' yw 'i ateb petrusgar.

'Beth?' Blinciaf sawl gwaith, yn methu penderfynu sut i brosesu'r wybodaeth newydd hon. 'Ti wedi bod yn byw yn Brighton yr holl amser 'ma?'

'Ydw.' Mae'n amneidio arna i i eistedd i lawr, a dwi'n falch. Dwi ddim yn siŵr faint rhagor y gall 'y nghoesau i 'nala i lan.

'Ond ... pam? O'n i'n credu bo' ti'n dwlu ar Efrog Newydd? Os oeddet ti am brynu unrhyw le, ro'n i'n siŵr mai dyna le fyddai fe.'

'Ti wedi *gweld* prisiau fflatiau Efrog Newydd? Iyffach, mae'n gwneud i hyd yn oed Llundain edrych yn rhad!' Wrth weld yr olwg ddryslyd ar fy wyneb, mae'i lais yn meddalu. 'Iawn, doedd e'n ddim i'w wneud â phrisiau fflatiau. Ro'n i isie gweld a allwn i wneud hyn. Ro'n i isie gweld a allwn i fyw 'ma.'

'Ac os na allet ti, beth wedyn? Mae prynu fflat yn beth mawr.'

'Ro'dd 'da fi rywfaint o arian ers y daith, ac os na fyddwn i'n lico'r lle, byddai'n dal i fod yn fuddsoddiad da. Cred ti fi, mae'r cwmni rheoli newydd 'ma'n rhoi llawer mwy o bwysau arna i i fod yn synhwyrol gyda f'arian.'

'O, mae hynny'n beth call, siŵr o fod.' Tynnaf edefyn rhydd ar fy siaced. Dwi ddim yn teimlo'n ddigon cyfforddus i'w thynnu hi eto.

Mae Noah yn symud yn agosach ata i, fel bod ein pengliniau bron â chyffwrdd. 'Penny, dwi isie bod gyda ti fwy nag unrhyw beth. Ond dwi hefyd yn gwbod na alla i ddisgwyl i ti ollwng popeth yn dy fywyd – dy freuddwydion – i ddod ar daith gyda fi drwy'r amser. A beth wedyn – finne yn Efrog Newydd yn ystod f'amser bant, ac yn cadw'n perthynas ni i fynd o bell? Na, mae 'da ti ddwy flynedd o astudio ar ôl. Mae'n rhy anodd. Fe sylweddolon ni hynny'n eitha clou.'

Nodiaf 'y mhen, a 'nghalon yn suddo wrth gael f'atgoffa am yr holl resymau dros fethiant 'Noah a fi'.

'Felly, ro'n i isie gweld p'un ai allwn i fod fan hyn yn Brighton, ond heb i ti feddwl 'mod i wedi symud yma jyst er dy fwyn di, a rhoi pwysau arnat ti. A Penny, dwi'n *dwlu* ar y lle. Cyflwynodd Fenella fi i gerddorion anhygoel sy'n byw 'ma ac ry'n ni wedi bod yn jamio gryn dipyn. Dwi wedi sgrifennu mwy o ganeuon newydd wrth syllu mas ar y môr na wnes i erioed yn Brooklyn. Mae'r strydoedd yn fwrlwm o greadigrwydd. Mae'n teimlo'n ... mae'n teimlo'n syndod o gartrefol.'

'Wir?'

'Ydy, wir. Ers i Mam a Dad ...' Mae'n anadlu'n hir a chras, sy'n f'atgoffa mor anodd yw hi iddo fe i siarad amdanyn nhw. 'Ers iddyn nhw farw, dwi ddim wedi teimlo bod unrhyw le'n gartref i fi. Mae Sadie Lee wedi bod yn anhygoel, ond dwi ddim yn perthyn ar 'i haelwyd hi, ddim rhagor. Ro'n i'n defnyddio cerddoriaeth i ddianc. Pan gwrddais i â ti gynta, ro'n i'n rhedeg bant oddi wrth 'y mhroblemau i gyd, ond ti o'dd yr un oedd yn cadw 'nhraed ar y ddaear. Dechreuais i feddwl, falle y byddai'r dre fach lan môr cŵl 'ma'n cael yr un effaith arna i. Ac mae hi wedi effeithio arna i. Am nawr, dyma le dwi isie bod.' Mae e'n estyn mas ac yn cydio yn fy llaw. 'Hynny yw, os nad oes ots 'da ti. Achos os yw hyn am fod yn broblem, galla i symud neu galla i ...'

Pwysaf yn ôl yn y soffa, gan adael i 'nghorff suddo i mewn i'r lledr. 'Noah ...'

'Dwi'n gwbod, mae lot 'da ti i feddwl amdano. Does dim isie i ti ddweud unrhyw beth eto. Ro'n i isie dweud hyn i gyd wrthot ti yn yr Alban, ond meddwl wnes i y byddai popeth yn gwneud mwy o synnwyr taswn i'n gallu'i ddangos i ti.'

Mae e'n iawn. Nawr 'mod i yma galla i weld pa mor ... pa mor gartrefol y mae hi 'ma. Mae popeth yn teimlo'n real nawr. Dwi ddim yn credu y gallwn i fod wedi dychmygu'r peth tase fe heb 'i ddangos i fi.

Codaf fy llygaid. 'A'r parti?'

Mae Noah yn chwerthin yn dawel. 'Ro'n i'n credu bo' ti'n gwbod 'mod i'n dod. Dyna wedodd Megan wrtha i. Felly pan welais i ti gyda'r boi 'na 'to ... dyma fi'n colli 'nhymer yn llwyr. Dyw e ddim yn esgus. Dwi'n trio esbonio.'

'Ces i sioc dy weld di yno.' Cyn iddo fe siarad eto, meddyliaf 'nôl am yr holl adegau hynny lle'r o'n i'n *credu 'mod* i wedi gweld Noah. Falle mai fe oedd e, go iawn. 'Ti wedi 'ngweld i ers i ti fod yn Brighton?'

'Ro'dd hi'n anodd peidio! Mae'r dre 'ma'n llawer llai nag y meddyliais i. Ond triais i aros mas o dy ffordd di. Fel wedais i, ro'n i isie i ni sortio hyn i gyd yn annibynnol.' Mae'n cnoi'i wefus. 'Wnes i'r peth iawn?'

Meddyliaf am yr holl loes achosodd 'i absenoldeb a'i dawelwch. Meddyliaf am f'ymgais i symud 'mlaen, ond bod rhywbeth yn 'y nal i'n ôl. Meddyliaf am y Noah-ysbrydion fu'n dilyn 'y nghamau. A meddyliaf cymaint dwi wedi dod 'mlaen – gyda 'mhyliau panig, fy ffrindiau newydd, fy ffotograffiaeth. Y cyfan dwi eisiau'i wneud yw rhannu hynny gyda'r person dwi'n 'i garu fwyaf yn y byd i gyd. Gyda'r person sy'n 'y ngwella i. Os yw hynny'n golygu bod rhaid anghofio am y boen a'r loes – galla i wneud hynny.

Galla i wneud hynny'n llwyr.

Ond mae un peth arall. 'Beth am Sadie Lee a Bella?' holaf.

'Wel ... dyna'r prif beth ro'dd angen i fi drafod â Sadie Lee yn yr Alban. Ond rhoddodd hi syrpréis i fi hefyd. Felly ti'n gwbod sut mae'r bartneriaeth gyda dy fam yn gweithio mor dda?'

'Ydw ...'

'Maen nhw wedi bod yn siarad ers sbel am sefydlu busnes gyda'i gilydd. Fel 'ny gallan nhw barhau i wneud y digwyddiadau mawr, proffil uchel 'ma.'

'Wir?' Mae fy stumog yn troi'n llawn cyffro: gallai hyn fod yn berffaith i Mam hefyd. Mae Mam a Dad wastad wedi pryderu am y busnes, a sut gallan nhw gadw pethau i fynd, ond gyda Sadie Lee fel partner ... fyddai dim stop arnyn nhw.

Nodia Noah. 'Maen nhw o leia isie rhoi cynnig arni. Gan fod Bella'n dwlu ar y lle 'ma ... maen nhw am aros am sbel fach.'

Alla i ddim peidio. Neidiaf oddi ar 'y nghornel o'r soffa a glanio yn 'i freichiau. 'Ydy hyn wir yn digwydd? Ti o ddifri am hyn?'

'Yn hollol ddifrifol.'

Am eiliad, dwi'n hollol fud. Mae Noah yn 'y nhynnu'n dynn at 'i frest, a dwi'n gadael i'n hunan ymlacio mewn ffordd dwi heb wneud ers misoedd. Codaf 'y ngên, gan syllu i fyw'i lygaid mawr brown, gan gofio pob tamaid euraid ynddyn nhw, a'r ffordd mae blew 'i amrannau'n cyrlio'n ysgafn, gan bwyntio at 'i aeliau trwchus. Edrychaf i lawr dros 'i drwyn cryf, yr arlliw o farf ar 'i ên, ac yn olaf at 'i wefusau bendigedig o lawn.

Mae e'n pwyso 'mlaen, a'i ddwylo'n mwytho 'nghefn ac yn fy rhwystro rhag cwympo. Yna, mae'i wefusau'n cyffwrdd â'm gwefusau i, yn ysgafn i ddechrau, cyn gwasgu'n chwantus.

Yn sydyn, mae'r tân gwyllt y bues i'n hiraethu amdano'n ffrwydro eto yn fy meddwl, gan dasgu gwreichion aur ac arian o flaen fy llygaid. Mae e'n tynnu'n ôl am eiliad ond dwi'n rhoi 'nwylo yn 'i wallt anniben ac yn 'i dynnu ataf yn dynn eto. Mae e'n blasu fel caramel a halen y môr, a'i arogl mwsg cyfarwydd yn llenwi pob anadl. Dwi eisiau cusanu fel hyn am byth.

Cusan sy'n teimlo mor berffaith fel 'mod i'n disgwyl i angylion ddechrau canu a thrwmpedi i seinio ffanffer unrhyw funud.

Wrth dynnu'n ôl eto i anadlu, gwasgwn ein hwynebau'n dynn yn erbyn 'i gilydd, gan na allwn ni ddioddef gwahanu hyd yn oed am eiliad. Mae e'n mwytho 'moch ac yn sibrwd yn dyner:

'Ti a fi, Penny. Ro'n i'n golygu pob gair pan wedais i "am byth".'

1 Tachwedd

Mae Bachgen Brooklyn 'nôl

Noswaith dda, ddarllenwyr annwyl!

Addewais i y byddai blogiau diweddara *Merch Ar-lein* yn fwy gonest a diflewyn-ar-dafod, felly mae'n rhaid i fi rannu'r newyddion yma gyda chi ... Mae Bachgen Brooklyn 'nôl, ond nid Bachgen Brooklyn yw e nawr ... ond Bachgen Brighton!

Weithiau daw ysbrydion ein gorffennol yn ôl i darfu arnon ni, ac mae'n anodd gwybod weithiau p'un ai a ydyn nhw'n ysbrydion cyfeillgar ai peidio. Felly, mae'n wir: mae BB 'nôl yn fy mywyd. Mae e 'nôl yn ein bywydau ni i gyd.

Mae'n rhyfedd – ro'n i wir yn credu, taswn i'n ddigon penderfynol, y gallwn i gladdu'r holl deimladau oedd 'da fi tuag ato fe. Ond, fel y digwyddodd pethau, doedd hyd yn oed pishyn golygus o'r Alban ddim yn ddigon i'w dileu nhw. Dyna pryd sylweddolais i fod y teimladau'n ddwfn ac yn real, ac NA allwn i eu hanwybyddu nhw!

Dwi'n deall nawr, pan fydd brwydr rhwng y galon a'r pen, mai'r galon sy'n ennill bob tro. Waeth faint fydd dy ben di'n sgrechian, bydd llais dy galon di wastad yn uwch ac yn gryfach. Dwi ddim yn siŵr sut aiff hyn, a dwi braidd yn nerfus, a bod yn onest, ond dwi wedi gorchfygu 'mhryderon ac yn cymryd un dydd ar y tro.

Dwi mor hapus fel 'mod i'n wên o glust i glust bob munud, bob dydd, ac yn mwynhau bob eiliad. Mae'n teimlo mor normal – ond eto, mae popeth yn newydd ac yn gyffrous.

Rhaid i fi fynd. Mae'n amhosib meddwl – diolch i sŵn fy nghariad hollol hardd, hurt o dalentog, yn canu'r gitâr. (Mae dweud hynny'n teimlo *mor* rhyfedd ☺☺☺.)

Merch Ar-lein, yn mynd oddi ar-lein xxx

ON Mae cymaint o ramant yn y blog heno fel bod cerddorfa o offerynnau llinynnol yn cyfeilio iddo! ☺x

Pennod Tri deg chwech

'Iechyd da, i'r *ail* gwpwl gore yn y byd am ddod 'nôl at 'i gilydd.' Cwyd Elliot ei wydryn. Gwahoddais i Elliot ac Alex draw i fflat Noah am ddathliad bach – archebon ni bizzas o Pizzaface, ac fe fwyton ni nhw ar y llawr (am nad oes bwrdd bwyd 'da Noah), oddi ar blatiau amryliw – a dim un yn matsio – o gefn y cwpwrdd. Dim jocan oedd e pan wedodd e nad yw e'n coginio llawer. Mae'r rhan fwyaf o'r offer cegin yn edrych fel tasen nhw heb gael eu cyffwrdd.

Cwtshaf yn erbyn ysgwydd Noah a dweud 'Iechyd da' yn ôl gyda fy nŵr pefriog.

'Rhaid i fi weud, mae'n grêt bo' ti am aros 'ma, Noah,' aiff Elliot yn 'i flaen gyda gwên. 'Nawr falle gallwn ni gael y Penny normal, hapus 'nôl – yn lle'r un surbwch sy wedi bod yn hofran rownd y lle'n ddiweddar.'

'Hei!' meddaf. Taflaf damaid o fara garlleg at 'i ben, ond mae'n glanio yn 'i wydryn gyda sŵn 'plop' uchel.

''Y ngwin i!' ebycha.

'Shot dda!' medd Alex, gan chwerthin.

Dyma sut dylai pethau fod. Y pedwar ohonon ni, yn treulio amser gyda'n gilydd heb boeni am ddim yn y byd.

‘Felly, gwed wrtha i, beth y’ch chi wedi bod yn wneud ers i fi fod bant?’ medd Noah, gan droi at Alex yn gynta.

‘Dim byd gwahanol i’r arfer i fi,’ medd Alex. ‘Dwi wedi dechrau swydd newydd, a dwi’n ennill mwy o arian yn gweithio mewn bwyty nag o’n i yn y siop *vintage*. Dwi’n credu eu bod nhw isie i fi hyfforddi i fod yn rheolwr, a byddai hynny’n grêt. Heblaw am hynny, dwi wedi bod yn treulio tipyn o amser gyda’r mwlsyn ’ma.’ Mae’n taro Elliot yn ’i asennau, fel ’i fod e bron ag arllwys ’i win unwaith eto.

Mae Noah yn troi at Elliot, sy’n ebychu’n ddramatig. ‘Wel, oeddet ti’n gwbod ’mod i’n byw gyda Penny ar hyn o bryd?’

Crycha Noah ’i dalcen, a daw golwg bryderus i’w wyneb. ‘Ro’n i wedi clywed sôn, ond heb fawr o fanylion.’

Mwytha Alex law Elliot yn dyner wrth i hwnnw amneidio â’i ysgwyddau. ‘Wna i ’mo dy ddiflasu di gyda’r manylion. Mae fy rhieni i’n seicopaths, felly ro’dd rhaid i fi symud mas.’ Chwardda, ond mae tinc ffals i’r chwerthiniad. Does neb arall yn chwerthin, felly aiff Elliot yn ’i flaen, a’i fys yn symud o gwmpas ymyl ’i wydryn. ‘Maen nhw’n cweryla lot. Dwi’n credu mai ysgaru wnân nhw yn y pen draw, ond alla i ddim godde bod yn y tŷ wrth iddyn nhw drio gweithio pethe mas. Ond fydd hi ddim yn broblem i fi am lawer hirach ta beth. Mae pethe gwell ’da fi i feddwl amdanyn nhw, fel cael lle yn y brifysgol a gwneud yn siŵr bod Alex yn dod gyda fi.’

‘Bydda i’n dod gyda ti, ti’n gwbod ’ny. Gad i ni fod yn onest, pa ddewis sy ’da fi?’ medd Alex gan chwerthin, cyn codi llaw Elliot at ’i geg a’i chusanu.

‘Sori, boi. Mae’n drist clywed am dy fam a dy dad,’ medd Noah. ‘Ti ’di penderfynu i ba brifysgol ei di ’to? Y tro dwetha glywes i, ro’dd ’da ti rywle yn Llundain mewn golwg?’

‘O’dd, dyna ti. University College London, os galla i.’

'Os gall unrhyw un wneud, wel ti yw hwnnw,' medd Noah. 'Ti yw'r person clyfra dwi'n nabod ... heblaw amdana i, wrth gwrs ...'

Mae Elliot yn codi'i law o'i flaen yn fawreddog ac yn moesymgrymu. 'Wel, diolch i chi, syr. Ro'n i'n poeni y byddai Penny'n gweld f'isie i, ond fydd hynny ddim yn broblem nawr, gan eich bod chi ddim yn cuddio fel Miss Havisham rhagor,' medd, gan wincio.

'Hei, byddai i'n dal i weld d'isie di!' protestiaf. 'Ond rhag ofn nad oeddet ti wedi sylwi, ers i fi ymweld â Megan, dyw dod i Lundain ddim yn broblem o gwbl nawr.'

'Hei, sôn am Megan – odi hi wedi cysylltu ers y parti?'

Siglaf 'y mhen. 'Na'dy. Ond dyna sut mae hi ... ac mae hi'n ofnadwy o brysur gydag ymarferion y sioe. Mae'r noson agoriadol nos fory.'

'Wel gwed wrthi hi 'mod i'n gobeithio y gwnaiff hi dorri'i choes. Yn llythrennol.'

'Elliot!'

'Beth? Gwahodd Noah i'w pharti er mwyn iddi hi gael clochdar am y peth yn 'i hen ysgol hurt, heb boeni dim am dy deimladau di na pha fath o ddrama fyddai hynny'n 'i hachosi – do'n i ddim yn 'i hoffi hi lot o'r blaen, a dyw hyn *ddim* wedi helpu o gwbl. Ro'n i wedi symud o *Hatred Level Elevated* i lawr i *Guarded*, ond dwi 'nôl ar lefel *Severe* nawr.'

'Am beth yffach wyt ti'n sôn, Wiki?'

'Dwi'n defnyddio graddfa lefelau bygythiad yr *US Homeland Security* – a *Severe* yw'r uchaf.'

Gwgaf. 'Dyw hi ddim cynddrwg â 'ny. Mae hi wedi cael amser anodd yn yr ysgol o'r dechrau. A ti'n nabod Megan – mae hi wastad yn mynd dros ben llestri gyda phethe fel hyn.'

'Does dim isie i ti'i hamddiffyn hi o hyd, Penny. Dwi wedi

cael llond bola ar wrando arnat ti'n gwneud hynny o hyd. Weithie, dwlen i taset ti jyst yn agor dy lygaid. Mae hi'n ferch ofnadwy.'

Teimlaf freichiau Noah yn tynhau o 'nghwmpas, ond dwi ddim eisiau iddo fe ymladd 'y mrwydrau drosta i. 'Ffrind hyna Megan ydw i,' meddaf yn bwyllog, 'felly mae'n rhaid i fi feddwl y gore ohoni hi drwy'r amser.'

'Byddai'n well 'da fi taset ti ddim yn gwneud 'ny; ti'n cael dy wastraffu arni hi,' medd fy ffrind gorau'n rwgnachlyd, cyn codi'i aeliau arna i. 'Noah, dylet ti ofyn i Penny beth mae hi wedi bod yn 'i wneud tra oeddet ti bant – gyda'i ffotograffiaeth, dwi'n feddwl.'

'O?' Pwysa Noah 'nôl er mwyn iddo weld fy wyneb yn well. Mae 'mochau'n fflamgoch erbyn hyn.

'Dwi ddim isie sôn am y peth ...' mwmialaf.

'Wrth gwrs, mae'n brosiect *cyfrinachol*,' mentra Elliot eto.

'Oes 'da hyn unrhyw beth i'w wneud â dy stwff lefel A di?' hola Noah, a'r geiriau'n swnio'n rhyfedd yn dod o'i enau e. Yn yr Unol Daleithiau, mae 'na system wahanol – SATs a dosbarthiadau *Advanced AP* a phethe rhyfedd fel 'na – felly dyw e ddim cweit wedi arfer â'r gwahaniaeth rhwng yr arholiadau TGAU wnes i'r llynedd a'r arholiadau lefel A y bydda i'n eu sefyll y flwyddyn nesa. (Dwi eisoes wedi esbonio cymhlethdodau'r chweched dosbarth i Noah. Fe: 'Felly maen nhw'n 'i alw'n "goleg", ond dyw e ddim yn goleg fel dwi'n meddwl am goleg?' Fi: 'Na'dy, dim "coleg" fel "prifysgol" yw e. Dim ond system wahanol cyn mynd 'mlaen i'r brifysgol.')

Siglaf 'y mhen, gan gnoi 'nhafod.

'Iawn, oes 'da hyn unrhyw beth i'w wneud â'r profiad gwaith wnest ti dros yr haf gyda'r ffotograffydd crand 'na?'

'*Faaalle*,' meddaf, gan ddifaru dweud cymaint â hynny hyd

yn oed. 'Dwi'n addo dweud wrthot ti pan fydd e'n barod. Dim ond syniad yw e ar hyn o bryd a dwi'n poeni y gwnaiff e ddiflannu os gwna i siarad amdano fe neu hyd yn oed feddwl gormod amdano.'

'Dwi'n teimlo fel 'na am ganeuon weithie,' medd Noah. 'Dwi'n falch bo' ti'n canolbwyntio mor galed ar dy ffotograffiaeth. Do'n i ddim yn sylweddoli cymaint ro'n i'n gweld isie'r ochr yna ohonot ti nes i fi drio tynnu fy lluniau fy hunan o'r môr. Ro'n nhw'n uffernol! Dwi wir yn credu y gallai Bella fod wedi gwneud jobyn gwell.' Mae'n cusanu f'ysgwydd, a dwi'n gwenu o glust i glust.

'Ry'ch chi'ch dau mor hyfryd, chi'n gwneud i fi fod isie chwydu,' medd Elliot.

'Na, dwi'n credu mai gormod o bitsa yw'r broblem!' chwarddaf.

Cydia Elliot yn 'i stumog a griddfan mewn poen. 'O iyffach, dwi'n credu falle bo' ti'n iawn,' medd, a chodi ar 'i draed.

'Mae'r stafell molchi lawr y cyntedd ac i'r dde, boi,' galwa Noah ar 'i ôl.

Yr eiliad honno, mae fy ffôn yn canu. 'Well i fi ateb hon,' meddaf wrth Noah o weld wyneb Leah ar y sgrin.

Mae yntau'n nodio'i ben, gan godi'i aeliau'n bryderus, ond dwi'n sibrwd 'esbonia i wedyn,' cyn camu mas i'r cyntedd.

'Hei, Leah,' meddaf ar ôl cael ateb. 'Sut wyt ti?'

'O, ti'n gwbod, palu 'mlaen. Dwi'n gweld bod Noah 'nôl – mae'i gyfri Twitter e'n brysur 'to. Odi hynny'n golygu'i fod e wedi bod mewn cysylltiad?'

Er nad yw hi'n gallu 'ngweld i, dwi'n gwenu. 'Ydy,' meddaf, yn teimlo braidd yn anesmwyth er 'mod i'n gwybod nad oes rheswm i fi deimlo fel hynny. 'Ydy wir. I dorri stori hir yn fyr, ry'n ni wedi penderfynu rhoi cynnig arall arni.'

Clywaf wich ar ochr arall y lein. 'Hwrê! Dwi mor hapus drosoch chi! Dwi isie clywed y manylion i gyd, ond dwi'n ffonio'r tro 'ma i roi diweddariad i ti ar yr holl fusnes 'na gyda'r gân. Odi dy liniadur di gyda ti?'

'Na'dy, dwi ddim ...' meddaf, 'ond galla i fenthyg un Noah.' Cerddaf 'nôl i'r lolfa gan bwyntio at y MacBook ar y ford. 'Alla i?' gofynnaf i Noah.

'Wrth gwrs,' medd, a'i basio i fi. Af 'nôl i'r gegin, rhoi'r gliniadur i lawr ar y cwpwrdd a'i danio.

'Fydd unrhyw beth yn digwydd i Posey?' holaf. Er iddi hi wneud rhywbeth ofnadwy, gobeithio na fydd unrhyw beth arall yn digwydd iddi hi. Roedd colli'i rhan yn y sioe yn ddigon o ergyd.

'Gwranda, mae 'nghyfreithwyr a'r technegwyr wedi bod yn edrych ar y peth ers dyddiau,' esbonia Leah.

Gollyngaf anadl. Mae hyn yn beth mawr i Leah. 'Dwi mor flin bod hyn wedi digwydd i ti. Oes cynllun 'da ti?'

'Dy'n ni ddim am erlyn neb am nawr. Ac mae'r label wedi penderfynu defnyddio'r holl ffws i hybu gwerthiant rhagarchebion. Bydda i'n slafo dros y dyddiau nesa ond bydd y sengl yn barod i'w rhyddhau cyn gynted â phosib.'

'Wel, mae hynny'n beth da, o leia. Am hunllef.' Ochneidiaf mewn rhyddhad o glywed mor rhesymol yw Leah am yr holl beth. Gallai hi fod wedi erlyn Posey, ond mae 'da fi deimlad 'i bod hi wedi cael 'i chosbi ddigon fel mae hi.

'Ta beth,' aiff yn 'i blaen. 'Ddoe, ffeindion nhw rywbeth diddorol *iawn*. Dwi wedi hala e-bost atat ti gyda dolen ynddo fe. Ar ôl i ti'i wylio, wna i adael i ti benderfynu beth i'w wneud. Nawr, well i fi fynd. Dwi mor hapus amdanat ti a Noah. Pan fydda i'n Llundain nesa, bydd rhaid i bawb gwrdd.'

'Wrth gwrs,' meddaf.

Aiff Leah cyn i fi gael cyfle i'w holi ymhellach am y ddolen yn yr e-bost, felly dwi'n mewngofnodi'n syth, a'm bysedd yn sgrialu dros y bysellfwrdd. E-bost Leah sydd ar y brig. HOLLOL BREIFAT A CHYFRINACHOL yw'r teitl, ac mae'n gwneud i fi lyncu 'mhoer.

Agoraf yr e-bost a chlicio ar y ddolen, sy'n arwain at fideo ar sianel breifat. Gwyliaf y fideo unwaith, ac yna eilwaith.

Ac eto.

'Beth sy'n bod, Penny? Ti'n wyn fel y galchen.' Elliot sy'n sefyll yno wrth y drws, yn rhythu arna i'n rhythu ar y cyfrifiadur. Mae Noah ac Alex wedi codi'u pennau i edrych arna i hefyd.

Llyncaf 'y mhoer yn galed. 'Mae'n debyg bo' ti'n iawn wedi'r cyfan, Wiks. Allwn ni ddim trysto Megan o gwbl.'

Pennod Tri deg saith

Fideo o gamerâu CCTV y stiwdio recordio yn Octave yw'r deunydd mae Leah wedi'i anfon ata i. Mae Megan yno, yn gwneud rhywbeth gyda'i ffôn, ac yna mae hi i'w gweld yn gadael 'i ffôn ar y ddesg gymysgu, ar ben y botwm sy'n dod â'r sain i mewn o'r stafell recordio byw. Wedyn mae hi'n codi ac yn gadael. Dyna pryd y daeth hi lan lofft a gofyn i fi ble'r oedd y tŷ bach, dwi'n credu. Felly, er nad oedd hi yn y stiwdio'i hunan bryd hynny, roedd hi'n dal i recordio'r gân.

Alla i ddim credu fy llygaid. Pam fyddai Megan yn gwneud rhywbeth fel hyn eto? A pham bod mor hurt â meddwl na fyddai hi'n cael 'i dal?

Dangosaf y fideo i Elliot, Noah ac Alex, ac mae wyneb Elliot yn sgrechen 'Wedes i, on'd do fe?'

Mae Noah yn rhoi'i fraich o gwmpas 'y nghanol. 'Beth ti isie neud, cariad?'

Caeaf 'i liniadur gyda chlep, cyn troi i'w wynebu, er mwyn pwyso fy wyneb yn erbyn 'i ysgwydd. 'Dwi ddim yn gwbod,' mwmialaf, gan dynnu fy hun oddi wrtho a siglo 'mhen.

'Milcshêc, milcshêc,' gwaedda Elliot, gan gofio am y tro hwnnw pan daflon ni ein milcshêcs dros Megan i dalu 'nôl iddi.

Chwarddaf yn chwerw. 'Elliot ... dwi o ddifri! Rywsut, os na weithiodd hynny'r tro cynta, dwi ddim yn credu y gwnaiff e weithio nawr.' Dwi'n tuchan yn uchel, mewn rhwystredigaeth. 'Dyw Leah ddim am erlyn, felly mae hi'n gadael i fi wneud beth dwi'n credu sy orau.' Yna, rhoddaf fy llaw ar 'y ngheg mewn braw, cyn ochneidio: 'Posey! Ro'n i mor gas wrthi hi! Wnes i 'mo'i chredu hi er 'i bod hi'n dweud y gwir yr *holl* amser 'ma!'

'Galli di gymodi â hi,' medd Elliot yn addfwyn. 'Ond, taswn i'n ti, fyddwn i ddim yn dweud wrth Megan nad yw Leah am erlyn. Aeth rhyw foi i'r carchar am gwpwl o flynyddoedd am ryddhau rhai o ganeuon Madonna.'

'Wir?'

'Do. Mae torri hawlfraint yn fusnes difrifol yn y diwydiant cerddoriaeth. Yn enwedig os yw rhywun wedi gwneud hynny am elw, sef beth ddigwyddodd fan hyn, mae'n debyg.'

Meddyliaf am yr holl arian mae Megan wedi bod yn 'i dowlu o gwmpas yn ddiweddar: y colur drud yn Covent Garden, y parti Calan Gaeaf drudfawr. Mae meddwl am hynny'n hala ias lawr 'y nghefn. Mae hi wedi 'nhrin i'n wael o'r blaen, ac fe lwyddais i faddau iddi hi bryd hynny. Ond nawr mae hi wedi chwarae gyda nid un, ond dwy o fy ffrindiau i: Leah (yn ddifrifol o wael) a Posey hefyd. Llwyddodd Megan i 'mherswadio i mai *Posey* rannodd y gân, er 'i bod hi'n gwybod yr holl amser mai *hi* wnaeth. Dinistriodd hi 'nghyfeillgarwch newydd, enillodd hi'r brif ran yn y sioe a mwynhau'i statws newydd yn Madame Laplage: o berson bach dibwys i Miss Poblogaidd.

Mae hi'n haeddu clod am hynny. Mae hi'n gwybod sut i chwarae'r gêm, a sut i ennill.

Mae'n gwneud i fi ferwi mewn cynddaredd. Alla i byth ymddiried ynddi hi eto.

Daw Elliot ataf a sibrwd yn 'y nghlust: 'Dial!'

Yn ffodus, y cyfan mae hynny'n 'i wneud yw chwalu 'nicter. Chwarddaf. 'Elliot, licen i tase hi werth e. Ond y tro 'ma, dwi ddim yn credu'i bod hi. Dwi byth isie siarad â hi 'to. Dwi isie hi mas o 'mywyd i.'

'Ooo, mae'n rhaid bod rhywbeth y galli di'i wneud? Ddylai hi ddim cael dianc heb unrhyw gosb.'

Dwi'n taro 'mys ar 'y ngwefus isaf. 'Ti'n gwbod be, Wiks? Ti'n iawn. Dwi'n credu *bod* rhywbeth gall hi 'i hunan wneud, i wneud iawn am y cyfan.' Gwenaf. Wna i ddim gadael iddi hi wrthod.

'Dere 'mlaen, gwed,' medd Elliot, gan dapio'i droed yn ddiamynedd.

Siglaf 'y mhen. 'Na wnaf ... ond ry'ch chi fois yn rhydd nos fory, on'd y'ch chi? Licech chi ddod i Lundain i weld sioe?'

Ar ôl i Elliot ac Alex adael, dim ond Noah a fi sydd ar ôl ac alla i ddim atal y dagrau sy'n cronni yn fy llygaid. Falle bod Megan wedi bod yn ffrind gwael iawn i fi, lawer gormod o weithiau i'w cyfri nawr, ond buodd hi hefyd yn ffrind da i fi, amser maith yn ôl. Hyd yn oed yn ddiweddar, roedd hi'n barod i agor 'i chalon i fi. Ac roedd hi'n ofalus iawn ynglŷn â fy ngorbryder. Ond dwyt ti byth *wir* yn dod i nabod rhai pobl. Weithiau gallan nhw fod yn wych; weithiau maen nhw'n waeth na baw isa'r domen. Rhaid i ti benderfynu faint y galli di'i dderbyn o'r ochr wael.

Ond dwi wedi cael llond bola ar dderbyn ochr wael Megan.

'Penny, mae'n iawn. Doeddet ti ddim i wbod.'

'Nag o'n i? Mae Elliot yn iawn: ro'dd yr arwyddion yno. Mae hi wedi gwneud ffŵl ohona i.'

'Ond roeddet ti'n ffrind da, ti'n *berson* da, sy'n meddwl y gorau o bobl ac yn dewis credu y gallai hi fod yn well. Nid dy fai di oedd hynny o gwbl.'

'Y pethe ddwedais i wrth Posey ...'

'Wnaiff Posey faddau i ti. Doeddet ti ddim yn gwbod.'

'O, gobeithio dy fod ti'n iawn. Mae hwn yn rhywbeth mae'n rhaid i fi'i esbonio wyneb yn wyneb – dyw tecst ddim yn ddigon da mewn sefyllfa fel hyn.'

'Felly, alli di roi unrhyw gliwiau i fi ynglŷn â'r prosiect cyfrinachol 'ma?'

'Wnest ti newid y pwnc yn hwylus iawn fan 'na,' meddaf, gyda gwên fach. 'Ond dim ond achos 'mod i'n grac, dyw hynny ddim yn golygu 'mod i am ddatgelu 'nghyfrinachau i gyd.'

Mae Noah yn rhoi'i law ar 'i frest, gan esgus bod mewn sioc. '*Moi?* Yn trio cael cyfrinachau mas ohonot ti?'

'Dwi'n addo, gei di wbod pan fydd popeth yn barod.'

'Iawn, galla i fyw 'da hynny.'

Ochneidiaf, ac ry'n ni'n cwtsho lan ar y soffa. Mae DVD ymlaen yn dawel yn y cefndir – un o hen raglenni natur y BBC, sef dewis Elliot. Ry'n ni'n ymgolli yn y rhaglen, 'y mhen ar 'i frest, a dwi'n rhyfeddu o weld cystal ry'n ni'n ffitio gyda'n gilydd.

'Beth amdanat ti?' holaf, a'm llygaid yn hofran dros y detholiad o offerynnau cerdd ar hyd y stafell.

'Hmm? Beth ti'n feddwl?'

'Pryd ga i weld ar beth wyt ti wedi bod yn gweithio?'

'A, nid ti yw'r unig un sy'n gallu gwneud i rywun aros.'

'O, wir?'

'Na, ti wir yn credu y galla i ddweud "na" wrth dy wyneb bach ciwt di? Dwi'n gweithio ar rywbeth hollol sbesial a bydd rhaid i ti aros am hynny, ond am nawr, gad i fi chwarae rhywbeth tamed bach yn wahanol i ti.'

Mae'n symud draw at y piano – sy'n dipyn o syndod i fi,

gan nad ydw i erioed wedi'i weld e'n gwneud hynny o'r blaen. Mae'n eistedd i lawr o flaen yr allweddell, gan ymestyn 'i fysedd i'w twymo. Wedyn, mae'n dechrau chwarae alaw brydferth, a'i ddwylo'n hedfan lan a lawr dros y nodau'n gyflym ac yn rhwydd.

Wedyn mae'n dechrau canu'r llinellau cynta, ac mae mor anhygoel 'i glywed e'n canu'n fyw eto (dwi wedi bod yn gwrando ar e'i albwm tra oedd e bant, wrth gwrs) fel 'mod i'n anghofio gwrando ar y geiriau. Ar ôl dechrau canolbwyntio arnyn nhw, sylweddolaf mai cân ynglŷn â rhywun sy'n teimlo fel tase fe'n boddi, ac yn cael 'i orchfygu gan fôr mawr tywyll yw hi. Mae hi'n drist ac yn araf, ond yn ofnadwy o deimladwy, ac yn adeiladu i *crescendo* epig wrth agosáu at y diweddglo.

Tra bod y nodyn ola'n oedi'n hir yn yr aer rhyngom ni'n dau, dwi'n cymeradwyo'n frwd.

'Ti'n 'i lico hi?' Mae Noah yn edrych yn nerfus ond yn falch.

'Mae'n anhygoel!' meddaf yn frwd.

'Ysgrifennais i hi yn ystod y cyfnod tywyllaf, pan gyrhaeddais i Brighton am y tro cynta ar ôl gadael y daith. Fel ddwedais i, dechreuodd y geiriau a'r gerddoriaeth ... lifo mas ohona i. Ond ro'dd yn rhaid i hon fod ar y piano, nid y gitâr. Ro'n i isie sŵn mwy cadarn a dwys. Dwi heb 'i hala hi at Fenella 'to.'

'Bydd hi'n dwlu arni, fel fi, dwi'n addo.'

'Wel, diolch yn fawr iawn i chi,' medd, gan ddynwared acen arbennig Sadie Lee.

'Ti'n gwbod, dwi'n dal yn ffaelu credu bo' ti am fyw fan hyn.'

'Mae'n wallgo, on'd yw e? Dwi isie i ti fynd â fi i wneud y pethe arferol i gyd. Falle gwna i ddechre siarad ag acen Brighton.'

'Naaa! Dwi'n dwlu ar y ffaith bo' ti'n siarad fel rhywun o

Efrog Newydd.' Ceisiaf ddynwared acen Americanaidd wrth ddweud hynny, ond mae'n swnio fel cymysgedd ofnadwy o acenion Gwyddelig, Indiaidd a Ffrengig.

'Iawn, iawn, dim acenion!' ebycha. 'Ond dwi isie gwneud yr holl bethe twristaidd. Falle gallwn ni fynd i weld y frenhines yn Buckingham Palace?'

'A mynd am de prynhawn!'

'Gwylio'r pêl-droed!'

Gwgaf ar hynny. 'O na, paid ti â dechre rhyw obsesiwn â phêl-droed hefyd.'

'Ha, dim gobaith!' chwardda Noah. 'Os nad o'n i'n ffan o chwaraeon yn yr Unol Daleithiau, dwi ddim yn credu bod symud fan hyn am newid hynny.'

'Gallwn ni wneud pethe eraill hefyd, fel ymweld â'r baddondai Rhufeinig neu fynd i ŵyl neu dysgu sut i siarad yn ddi-baid am y tywydd.'

''Mond bo' ti gyda fi, dwi'n barod i roi cynnig ar unrhyw beth.'

'Mae hyn am fod yn gymaint o sbort,' meddaf. Alla i ddim cofio'r tro diwetha i fi deimlo mor hapus a bodlon â hyn. Cwtshaf yn nes at frest Noah, gan deimlo 'nhraed yn plethu ar un ochr o'i soffa siâp L. Tu fas, mae'r lleuad yn taflu'i golau tuag atom trwy un o'r ffenestri mawr, ac mae'n glanio'n union ar fysedd ein traed. Byddai hi mor braf gallu potelu golau'r lleuad a mynd ag e adre gyda fi.

Mae'r syniad hwnnw'n f'atgoffa o rywbeth ro'n i eisiau'i anghofio.

'Well i fi fynd adre,' meddaf, gan edrych ar y cloc.

'Dwi mor falch ein bod ni'n gwneud hyn.'

'Finnau hefyd.'

'Ti'n siŵr nad wyt ti isie i fi ddod gyda ti ac Alexiot fory?'

'Ydw, mae hyn yn rhywbeth mae'n rhaid i fi'i wneud ar 'y mhen 'y'n hunan.'

'Wel, paid â phoeni. Byddi di'n iawn. Dwi'n credu ynot ti.'

Dyna'r hwb sydd 'i angen arna i i setlo fy stumog. Bydd fory'n un o'r dyddiau caletaf i fi eu hwynebu erioed.

Pennod Tri deg wyth

Fore trannoeth, mae'r ysgol yn artaith pur. Mae pawb yn siarad am barti Megan – pa mor cŵl oedd e a sut maen nhw'n gobeithio y gwnaiff hi gynnal un arall y flwyddyn nesa. Yn ôl pob tebyg, does dim all atal 'i chynllun i ennill poblogrwydd. Wel, heblaw am y rhwystr bach sydd 'da fi ar y gweill.

Alla i ddim canolbwyntio drwy'r dydd, ac mae pethau cynddrwg fel bod rhaid i Miss Mills alw f'enw dair gwaith cyn i fi godi 'mhen o'r diwedd.

'Penny?' Mae hi wedi cael llond bola.

'Sori, Miss, ro'dd fy meddwl i'n bell.'

'Ti'n gweud wrtha i! Ga i dy weld di am funud fach ar ôl y wers?'

'Ym ...' Edrychaf i lawr ar fy ffôn. Ro'n i'n gobeithio gadael yn syth ar ôl y wers ffotograffiaeth. Mae'r ffaith fod gen i wers rydd yn golygu y galla i gyrraedd Llundain mewn da bryd i darfu ar Megan a rhoi 'nghynllun ar waith.

'Penny ...?'

'Iawn, wrth gwrs,' meddaf. Galla i sbario munud neu ddwy, gan 'mod i'n teimlo'n ddigon euog yn barod am anwybyddu fy hoff athrawes.

Felly, ar ôl i'r gloch ganu, dwi'n cerdded draw at 'i desg, lle mae hi'n gosod papurau mas.

'Dwi heb weld llawer arnat ti'n ddiweddar,' medd, heb edrych arna i.

'Dwi wedi bod yn gweithio. Dwi ... jyst ddim yn barod i ddangos 'y mhrosiect eto.'

Mae hi'n edrych lan arna i nawr, a'i llygaid yn craffu ar fy wyneb. Ceisiaf edrych yn ddiniwed. Fydda i ddim fel arfer yn cuddio gwaith oddi wrthi hi – hyd yn oed gwaith anorffenedig – ond mae hyn yn rhywbeth gwahanol. Dim ond un person sydd wedi'i weld e hyd yn hyn, a hi sydd wedi f'annog i ddatblygu'r syniad. Mae'r peth yn dal i deimlo fel swigen ddisglair berffaith. Mae'n rhy fregus, a dwi'n ofni os gwnaiff gormod o bobl edrych arno fe cyn y bydd e'n barod, mai ffrwydro wnaiff e.

'Iawn. Wel, cyhyd â dy fod ti ddim yn esgeuluso dy waith, mae popeth yn iawn. Mae hwn yn amser pwysig i ti,' medd, gan wenu. 'Darllenais i dy flog di. Dwi'n falch dy fod ti'n hapus. Ond gwna'n siŵr nad yw hynny'n golygu y byddi di'n gwastraffu'r holl gynnydd rwyt ti wedi'i wneud hyd yn hyn. Rwyt ti'n seren ar dy ben dy hunan, Penny.'

'Wna i ddim, dwi'n addo.'

'Wela i di fory, 'te.'

'Wela i chi, Miss.'

Pan gamaf trwy ddrws Miss Mills, mae Kira'n aros amdana i. Dwi'n cnoi 'nhafod. Os nad af i'n go glou, fydd dim digon o amser ...

'Ti'n mynd lan i Lundain wedyn? Ninne hefyd. Allwn ni ddod gyda ti? Ti wedi bod yn yr ysgol o'r blaen, felly byddi di'n gwbod ble mae hi a fyddi di ddim yn mynd ar goll.'

Mae hi'n siarad mor gyflym fel 'mod i'n cael trafferth

prosesu'r hyn mae hi'n 'i ddweud. 'Arhosa ... beth? Chi'n mynd i'r sioe yn nes 'mlaen heno?'

'Ym, ble ti wedi bod, Pen? Mae Megan isie i *bawb* fynd i'w sioe hi.'

'Gwahoddodd Megan chi i gyd?'

'Do, fe wedodd hi bod hi wedi cael llwyth o docynnau ychwanegol, a ti'n gwbod sut mae hi. Mae hi isie i bawb weld 'i pherfformiad mawr cynta.'

Llyncaf 'y mhoer. Bydd hyn yn gwneud 'y nghynllun hyd yn oed yn anoddach.

'Felly, ti'n mynd lan?' hola Kira eto.

'Ydw, ond mae 'da fi wers rydd nawr, felly ro'n i am adael yn syth i gael gweld Megan cyn y sioe.'

'O, trueni. Ocê, wel, welwn ni di yno, 'te.'

Mae 'da fi jyst digon o amser i gyrraedd y trên. Mae angen i fi ddal yr un cynnar yma i gael unrhyw obaith o roi fy nghynllun ar waith. Cnoaf 'y ngwefus wrth feddwl am y peth.

Mae fy ffôn yn suo, a neges destun yn ymddangos ar y sgrin.

Haia Penny. Drycha, sori, ond does 'da fi ddim amser i gwrdd â ti cyn y sioe. Mae pethau braidd yn wallgo. Dwi'n siŵr bo' ti'n deall.

Does dim cusanau ar y diwedd, dim emojis ... Mae Megan yn bendant yn dal dig ers y parti. Gan 'i bod hi bellach wedi swyno pawb yn yr ysgol – 'i hen ysgol a Madame Laplage – does dim angen 'i hen ffrind arni hi.

Fuodd hi byth yn ffrind i ti, atgoffaf fy hunan.

Wnaeth hi ddim byd ond dy ddefnyddio di.

Mae dagrau'n cronni yn fy llygaid. Ro'n i'n credu, trwy'r cyfan, 'mod i'n adnabod Megan a'i bod hithau'n f'adnabod i. Ond yna daw 'i geiriau 'nôl i 'mhen i, sef yr hyn ddwedodd hi am fyfyrwyr Madame Laplage.

Mae pawb isie bod yn seren.

Does neb eisiau hynny'n fwy na Megan.

Mae hi'n barod i wneud beth bynnag sydd raid ... beth bynnag fydd y canlyniadau.

A fi yw'r unig berson all 'i rhwystro hi.

Pennod Tri deg naw

Mae'r theatr yn dawel yn ystod yr oriau olaf cyn y sioe. Mae popeth yn 'i le, a phobman yn dawel – fel y tawelwch hwnnw cyn storm. Cafodd y set 'i dylunio i'n cludo ni'n ôl i Ddinas Efrog Newydd, a chaf f'atgoffa o'r adeg y gwnaeth ein hysgol ni berfformio *Romeo and Juliet*. Penderfynodd ein hathro drama osod y cynhyrchiad hwnnw yn Brooklyn. Falle'i fod e'n ffan o *West Side Story* hefyd. Galla i weld fod y set o ansawdd llawer gwell na set ein sioe ysgol, ac os caeaf fy llygaid galla i bron ddychmygu fy hunan ar stryd yn Manhattan. Dwi'n falch i Megan roi taith mor drylwyr i fi'r tro diwetha, gan 'mod i'n llwyddo i ddod o hyd i'r lle heb unrhyw drafferth.

Cyrhaeddaf ddrws y brif stafell wisgo. Arno, mae darn o bapur wedi'i binio, sy'n dweud MARIA mewn sgrifen traed brain. Anadlaf yn ddwfn, a churo'r drws.

'Dewch i mewn!' medd llais swynol Megan.

Mae gwên fawr ar 'i hwyneb sy'n disgyn i'r llawr wrth iddi weld mai fi sy'n dod drwy'r drws. Does 'da fi ddim syniad pwy roedd hi'n 'i ddisgwyl; ond nid y fi, yn amlwg.

'O. Heia,' medd, yn bigog. 'Chest ti 'mo'n neges i?' Mae hi'n troi'n ôl at y drych, lle mae wrthi'n taenu'i haen gynta o golur.

Mae'i gwallt browngoch wedi'i frwsio ganwaith ac mae'n sgleinio fel drych. Rhaid cyfaddef, mae hi'n edrych fel seren go iawn. Trueni iddi hi gael 'i dwylo ar y rhan mewn ffordd mor dwyllodrus.

'Do, fe wnes i,' atebaf. 'Ond mae hyn yn bwysig.'

'Mor bwysig fel na allai e aros tan wedyn?'

Penderfynaf ddweud 'y nweud, cyn colli plwc.

'Dwi'n gwbod mai ti rannodd cân Leah.'

Mae Megan yn oedi am eiliad, ac yna'n rhoi'i brwshys colur i lawr. Mae hi'n troi i edrych arna i.

'Paid â meiddio dweud 'ny! Wedes i nad fi wnaeth. Do'n i ddim hyd yn oed yno. Dim ond Posey allai fod wedi gwneud.'

Rholiaf fy llygaid, a phlygu 'mreichiau ar draws 'y mrest. 'Dal sownd, Megan. Mae fideo CCTV 'da Leah.'

'Ocê,' medd Megan yn sigledig. O leia nawr mae hi'n ddigon gonest i edrych yn llai hunangyfiawn.

'Ti'n gwbod y gallai hi d'erlyn di,' af ymlaen.

Mae wyneb Megan yn gwelwi. 'Odi hi am wneud 'ny?'

'Na'dy,' meddaf. 'Ti ddim werth y drafferth.'

'Os felly, dwi ddim yn credu bod unrhyw beth arall 'da ni i'w ddweud wrth ein gilydd. Os yw hyn yn golygu bod dim rhaid i fi fod yn ffrind i ti rhagor, mae hynny er gwell.'

Dwi'n gegrwth. 'Beth ydw i erioed wedi'i wneud i ti?' ebychaf.

'Beth ti wedi'i wneud? Ro'dd y rôl 'na bron â bod ar blât i fi; ro'dd y ferch 'na am adael. Ac yna ro'dd rhaid i ti roi hwb *mawr* i'w hyder hi – ac ro'dd 'da ti'r wyneb i ddod â fi gyda ti! Ro'n i'n credu bo' ti i fod yn *ffrind* i *fi*! Ti'n cwrdd â merch ar y stryd ac ar ôl wythnos neu ddwy, ti'n cymryd 'i hochr hi? Pa fath o "ffrind" sy'n gwneud 'ny, Penny?'

Gwgaf. 'Beth? Dwi yn ffrind i ti. Neu o leia ... *ro'n* i'n ffrind i ti. Ond ti wedi mynd yn rhy bell y tro 'ma, Megan.'

'Beth yn union wyt ti isie, Penny? Os nad oes ots 'da ti, dwi isie paratoi ar gyfer y sioe.'

'Rho'r rhan 'nôl i Posey.'

Mae Megan yn chwerthin, ac yna'n stopio'n sydyn. 'Ti'n *jocan*? Na, Penny. Dwi wedi gweithio'n rhy galed am hon a dwyt ti ddim am dynnu'r rhan oddi wrtha i nawr.'

'Mae 'da fi'r fideo CCTV ohonot ti'n recordio'r gân. Fe ddweda i wrth bawb mai ti wnaeth.'

Mae Megan ar 'i thraed nawr, yn ysgwyd 'i gwallt y tu ôl iddi.

'Wir, Penny? Oes ots? Dim ond cân yw hi. Ces i damed bach o arian. Cafodd Leah sylw gwych ... mae popeth yn iawn. Dwi'n credu y dylet ti fynd nawr. A ta beth, dwi'n gwbod na wnei di byth ryddhau'r fideo. Byddai hynny'n dy wneud di gyn waethed â fi. Ti'n ferch fach rhy dda i wneud unrhyw beth fel 'na.'

Dwi'n sylweddoli bod 'y nghynllun yn dechrau dadfeilio. Mae Megan yn iawn – allwn i ddim rhyddhau'r fideo i roi loes iddi hi. Ond mae'n rhaid i fi roi cynnig arall ar wneud iddi adael y rhan – er mwyn Posey.

'Ti'n gwbod,' meddaf, 'dwi ddim yn siŵr pryd dechreuodd hyn i gyd fynd o chwith i ti, Megan. Dwi wedi trio meddwl y gorau ohonot ti o'r blaen, ond ti wedi newid. Er gwaeth. Dim ti yw'r ferch ro'n i'n meddwl 'mod i'n 'i nabod. Ro'dd y Megan ro'n i'n arfer 'i nabod yn garedig ac yn feddylgar. Ro'dd hi wir yn hoffi gwneud pobl yn hapus. Doedd hi ddim yn ferch galed, hunanol, oedd yn damsgen ar bobl eraill i gael beth o'dd hi'n moyn. Dwi'n credu mai'r peth lleia alli di wneud yw rhoi'r rhan 'nôl i Posey.'

'Na,' medd, a'i llais yn caledu.

'Ti'n siŵr am hynny?' Clywaf lais tawel dros fy'ysgwydd. Mae wyneb Megan fel y galchen nawr.

Trof.

'Madame Laplage?' ebycha Megan yn syn.

Y tu ôl i fi mae menyw dal a llym 'i gwedd, yn dal tusw mawr o flodau melyn a gwyn. Yna, mae hi'n gollwng y blodau ar fwrdd jyst y tu fas i'r stafell wisgo. Mae'n rhaid mai dyma bennaeth enwog yr ysgol. Mae hi'n plethu 'i breichiau ar draws 'i brest.

'Wnewch chi esbonio beth sy'n digwydd 'ma?' medd wrtha i.

'Dyw hi ddim hyd yn oed yn ddisgybl 'ma!' medd Megan, gan dorri ar 'i thraws. 'Mae hi'n tresmasu.'

Yna, gwelaf drosof fy hunan y Madame Laplage frawychus dwi wedi clywed cymaint amdani. Gydag un edrychiad, gall dawelu Megan. Yna, mae hi'n troi ata i. Yn ffodus, mae'i llygaid wedi meddalu nawr, ac yn f'annog i siarad.

Agoraf 'y ngheg, ond does dim geiriau'n dod mas. Dwi ddim yn gwybod os galla i gario clecs am Megan – a dweud wrth rywun mor bwysig â Madame Laplage. Yna sylweddolaf fod rhaid i fi ddweud wrthi, petai hynny ond er mwyn Posey. Wedi'r cyfan, Posey ddylai fod yn y stafell wisgo 'ma.

'Cymrodd Megan arian am rannu un o ganeuon Leah Brown,' mentraf yn frysiog, 'a rhoi'r bai ar Posey Chang, a adawodd y cynhyrchiad oherwydd hynny.'

Mae Madame Laplage yn ysgwyd 'i phen yn araf. 'Odi hyn yn wir, Megan?'

Rhytha Megan ar 'i sgidiau, yn hollol fud.

'Dy'n ni ddim yn hoffi lladron yn yr ysgol hon.'

'Lladron?' medd Megan yn wichlyd.

'Ie, mae'n flin 'da fi ddweud. R'n ni'n ysgol uchel 'i pharch ym myd y celfyddydau. I ni, mae lladrad hawlfraint yn drosedd ddifrifol. Ac mae'r ffaith i ti wedyn gyhuddo myfyrwraig arall a manteisio ar 'i diffyg hyder i dwyn 'i rhan – wel, dwi wedi clywed am eilyddion eraill yn cynllwynio i gael prif ran, ond dyma'r enghraifft waetha o ymddygiad fel hyn, o *bell ffordd*!'

Mae hi'n tynnu'i hunan 'n ôl i'w thaldra llawn, a Megan a finnau'n crymu'n is. 'Rwyt ti wedi peryglu dy hawl am le yn f'ysgol i. Am y tro, mae dy le wedi'i ddiddymu.'

'Na ... plis!' Mae Megan yn crynu nawr. 'Dwi'n addo 'mod i wedi dysgu 'ngwers! Madame Laplage, do'n i ddim yn 'i feddwl e ... mae Penny'n iawn, nid dyna pwy ydw i ... ddim yn y bôn ... ro'n i jyst isie'r rhan gymaint. Feddylies i ddim am neb arall ...'

Ond mae ceg Madame Laplage yn llinell galed, lem bellach. 'Os wyt ti isie ail gyfle, bydd rhaid i ti aros tan *ar ôl* y cynhyrchiad, pan fyddwn ni'n gallu adolygu'r sefyllfa i gyd yn iawn. Am y tro, does dim croeso i ti yma a dwi isie i ti adael y stafell wisgo yma nawr.'

Mae Megan yn ymwthio heibio i fi, gan edrych arna i â dirmyg llwyr. Dwi'n syfrdan. Ond dwedodd Megan yn ddigon clir nad oedd hi am ymddiheuro am yr hyn wnaeth hi. Doedd hi ddim am hyd yn oed geisio gwneud iawn trwy roi'r rhan 'nôl i Posey. Mae hi'n haeddu colli'i lle.

Mae Madame Laplage yn troi'i hedrychiad llym ata i, fel tase hi'n 'y ngweld i am y tro cynta. 'Dwed wrtha i, wyt ti'n fyfyrwraig yma?'

Siglaf 'y mhen. Yn sydyn, teimlaf yn ofnadwy o lletchwith, yn sefyll gefn llwyfan.

'Ond rwyt ti'n nabod Posey Chang?'

Nodiaf.

'Felly dwi'n awgrymu y dylet ti ddod o hyd iddi hi'n glou, a rhoi gwbod iddi bod angen iddi baratoi ar gyfer y perfformiad heno. Ry'n ni i gyd yn edrych 'mlaen at hyn.'

Nodiaf unwaith eto cyn rhuthro mas drwy'r drws, gan gofio dweud jyst mewn pryd, 'Diolch, Madame,' wrth fynd heibio.

Mae hi *mor* frawychus! Fyddwn i *wir* ddim eisiau bod yn sgidiau Megan nawr.

Y tro hwn, wrth guro ar y drws, dwi mewn hwyliau gwahanol iawn. Mae gwên enfawr ar fy wyneb i, ac mae bysedd 'y nhraed yn dawnsio'n gyffro i gyd.

'Helô?' medd Posey wrth agor y drws.

'Heia, fi sy 'ma,' meddaf.

Dwi'n hanner disgwyl i Posey gau'r drws yn glep yn fy wyneb, ond yn lle hynny, mae hi'n gwenu o 'ngweld i. Yna, mae hi'n cofio beth ddigwyddodd, a'i gwên yn diflannu. Yn sydyn, mae golwg ofnus arni.

Mae euogrwydd yn cnoi fy stumog. Alla i ddim credu 'mod i wedi gwneud y fath beth i'r ferch yma, y ferch ro'n i i fod yn ffrind iddi. Rhoddaf fy llaw ar y drws. 'Posey,' meddaf yn gyflym, 'ro'n i isie dweud 'mod i *mor* flin am beidio gwrando arnat ti.'

'O?' Mae hi'n agor tipyn o gil y drws.

'Dwi'n gwbod nad ti wnaeth. A ddylwn i byth fod wedi credu hynny yn y lle cynta. Falle nad ydw i'n dy nabod di ers sbel, ond dwi'n credu 'mod i'n dy nabod di'n dda.'

Mae dagrau disglair yn cronni yn llygaid Posey. 'Diolch, Penny. Dwyt ti ddim yn gwbod faint mae hynny'n 'i olygu i fi. Dwi wedi bod *mor* drist wrth feddwl bod ein cyfeillgarwch ni wedi'i sarnu gan rywbeth oedd ddim yn wir.'

Anadlaf yn ddwfn. 'Ac mae 'da fi newyddion i ti. Fydd Megan ddim yn gallu chwarae Maria heno.'

Mae llygaid Posey'n agor led y pen. 'Beth? Pam?'

'Cafodd hi'i thowlu mas am dorri'r rheolau.'

'Ti'n jocan! All hynny ddim bod yn wir.'

'Cyhuddodd Megan ti ar gam o ddwyn cân Leah a d'orfodi di i adael dy ran yn y sioe – mae Madame Laplage yn gandryll. A hi oedd yn gyfrifol drwy gydol yr amser.'

'Ti'n dweud ... mai Megan o'dd yr un wnaeth rannu cân Leah?'

'Ydw! Ddylwn i byth fod wedi ymddiried ynddi. Dylwn i fod wedi gweld yr arwyddion. Ro'n i'n hollol dwp.'

'O iyffach!' Aiff Posey 'nôl i mewn i'w stafell, a chwympo i lawr ar 'i gwely fel tase'i choesau hi'n ffaelu'i chynnal bellach. Dwi'n teimlo'n sigledig hefyd, felly af i mewn i eistedd ar 'i phwys hi. 'Ond mae cymaint o bobl yn dod i'w gweld hi,' medd Posey. 'Ac mae sôn am y sioe wedi bod dros 'i blog i gyd ac ar Twitter a Facebook ... beth ddwedith hi wrth bobl nawr?'

Codaf f'ysgwyddau. 'Ei phroblem hi yw hynny. Dylai hi fod wedi meddwl am hynny *cyn* dwgyd y gân 'na.'

'Waw! Alla i ddim credu mai hi wnaeth. Ond, iyffach, sut wyt ti'n teimlo am y peth, Penny? Ti'n iawn?' Mae pryder yn 'i llygaid.

'Dwi'n iawn. Wedi cael siglad, ond... dwi'n falch fod popeth yn gweithio mas. Ta beth – *y* newyddion pwysig yw fod Madame Laplage, ar ôl clywed sut cafodd Megan ran Maria, a sut wedodd hi gelwydd amdanat ti'n recordio'r gân a phopeth, wedi mynnu bod rhaid i *ti* chwarae Maria heno. Ofynnodd hi i fi ddod yma'n arbennig i dy ffeindio di ac i ddweud wrthot ti am baratoi.'

Mae llygaid Posey'n suddo i'r llawr. 'Ond Penny, dwi'n dal ddim yn credu y galla i wneud y rhan. Dwi wedi dod i arfer â'r syniad o gael rhan fach yn y sioe ...' Mae'i dwylo'n dechrau crynu. 'Ti'n gweld? Dwi ddim yn credu y galla i hyd yn oed feddwl amdano fe heb i'r panig ddechrau dod 'nôl. Dwi'n siŵr y gallai aelod arall o'r cast wneud y rhan. Dwi ddim yn credu 'mod i'n cofio'r llinellau i gyd ... na'r ciws ... dwi wedi bod yn brysur yn dysgu holl rannau'r corws. Beth ddigwyddith os gwna i gawlach o bethe 'to? Fe gaf i farciau ofnadwy, a chael 'y nhowlu mas hefyd.' Mae'i geiriau'n un llifeiriant mawr carlamus.

'Posey,' meddaf, gan afael ynddi gerfydd 'i hysgwyddau. 'Caea dy lygaid. Anadla.'

Mae hi'n cau'i llygaid ac yn anadlu'n herciog, cyn dechrau anadlu'n gyson eto.

'Galli di wneud hyn,' af yn 'y mlaen. 'Cest ti d'eni i wneud hyn. Ti'n gwbod y rôl tu fewn tu fas. Jyst derbynia'r nerfau. Rhaid i ti gydnabod yr ofn. Dychmyga fe ...' Meddyliaf 'nôl am y trosiad o goeden a ddefnyddiodd Leah. 'Meddylia am y peth fel cawod o law. Mae'r rhan fwya o bobl isie heulwen bob amser, ond ti'n gwbod bod rhaid cael glaw. Rhaid i'r goeden gael glaw er mwyn byw. Galli di ddefnyddio'r ofn i d'yrru di 'mlaen, er mwyn i ti roi perfformiad gorau dy fywyd. Paid ag esgus bod yr ofn ddim yno. Cofia na fydd unrhyw beth gwirioneddol wael yn digwydd i ti – fe wnei di oroesi, bydd dy ffrindiau a dy deulu'n dal i dy garu di. Rhaid i ti ddangos parch at d'ofn a symud 'mlaen. Falle bydd hyn yn ormod ambell noson. Ond fydd heno ddim yn un ohonyn nhw. *Galli* di wneud hyn, ti ISIE gwneud hyn. Dwi'n credu ynot ti, Posey.' Estynnaf i lawr i 'mag. Tynnaf gwdyn papur brown ohono, a'i roi iddi hi. 'Drycha,' meddaf, 'des i â hwn i ti.'

Mae hi'n 'i ddal ac yn edrych y tu mewn iddo. 'O!' ebycha, cyn tynnu coeden bonsai fechan allan o'r cwdyn. Er bod y goeden yn bitw fach, mae'i boncyff yn drwychus, gyda chap o ddail gwyrdd llachar, a phob deilen yr un maint ag ewin 'y mys bach.

'Meddyliais i fod angen rhywbeth bach i d'atgoffa di o'r hyn sy tu mewn i ti – y goeden o hyder sy'n rhoi'r dewrder i ti i fynd 'mlaen. Dyw hi ddim yn anodd edrych ar 'i hôl hi chwaith!'

'Penny, dwi'n dwlu arni hi!' Mae hi'n gosod y goeden i lawr ar 'i desg ac yn syllu arni am rai munudau.

Wrth edrych 'nôl arna i, mae rhywbeth gwahanol yn 'i llygaid. Fflach benderfynol nad ydw i wedi'i gweld o'r blaen. Yna, mae hi'n edrych i lawr ar 'i wats ac yn sgrechian mewn braw.

'Reit, mae 'da fi hanner awr ... well i fi hastu!'

'Ie!' gwaeddaf. Dwi eisiau neidio a sgrechian yr un pryd. Mae hi am wneud hyn! Mae hi wir am wneud hyn!

Mae Posey'n llamu i roi cwtsh i fi ac ry'n ni'n neidio o gwmpas yn llawn cyffro. Yna, bant â hi i bob cyfeiriad gan dowlu dillad a cholur i mewn i fag.

Wrth i ni adael 'i stafell, mae hi'n fy stopio wrth ffrâm y drws. Am eiliad, meddyliaf 'i bod hi wedi newid 'i meddwl. Ond yn lle hynny, mae hi'n gwenu arna i. 'Ti'n gwbod, Penny, ti'n dda iawn yn gwneud hyn.'

'Gwneud beth?'

'Helpu pobl.'

Dwi'n gwrido'n ofnadwy wrth glywed 'i geiriau. 'Beth ti'n feddwl?'

'Does neb arall erioed wedi cymryd fy ofn o fod ar lwyfan o ddifri. Ro'dd pawb yn credu 'mod i am dyfu mas ohono fe.'

'Ond y peth yw, ro'n i'n deall sut roeddet ti'n teimlo, achos 'y ngorbryder i. Weithiau, mae pethe y tu hwnt i dy reolaeth di'n sbarduno pryder. Dim dy fai di yw e.' Meddyliaf am y ddamwain car – a oedd bron yn un gas. Dyna sbardunodd 'y ngorbryder i. 'Rhaid i ni beidio â gadael i brofiadau gwael sarnu'n bywydau ni. Ac i ti, mae hynny'n golygu gwneud yn siŵr nad y'n nhw'n dy rwystro di rhag gwireddu dy freuddwydion. Reit, rhaid i fi fynd. Wela i di wedyn?'

Mae hi'n cydio yn fy llaw. 'Dere gefn llwyfan 'da fi. Falle caf i bwl bach arall. Ond os byddi di yno ... dwi'n *gwbod* y galla i wneud e.'

Gwenaf. 'Â phleser!'

Pennod Pedwar deg

Allai'r ardal gefn llwyfan ddim bod yn fwy gwahanol i sut roedd hi gynnau. Mae'n wallgo yma. Mae pobl yn rhedeg o gwmpas yn wyllt, yn taflu gwisgoedd dros eu pennau, a goleuadau'r llwyfan yn fflachio wrth i'r technegwyr ymarfer y gwahanol setiau. Sgipiaf mas o'r ffordd i osgoi llond troli o beisiau mawr trwchus.

'O, da iawn, dest ti o hyd i'n seren ni!' medd llais unigryw Madame Laplage wrth i ni frysio i stafell wisgo Posey.

'Madame Laplage! Ry'ch chi mor garedig.' Mae Posey ar fin moesymgrymu fel tase hi'n cwrdd â brenhines, ond yn stopio'i hun ar y funud olaf.

'Ddim o gwbl, cariad. Dwi wedi cael adroddiadau gan lawer o dy athrawon yn sôn am y clyweliad gwych wnest ti, ac rwyt ti wedi cael ymarferion da hefyd. Paid â phoeni, mae pawb yn cael o leia un ymarfer gwisg sy'n mynd o chwith,' medd gyda winc. 'Mae hynny fwy neu lai'n sicrhau perfformiad agoriadol da. Nawr, cer i baratoi.' Brysia Posey i'w stafell wisgo a chaf 'y ngadael ar 'y mhen fy hunan gyda'r enwog Madame Laplage.

'Plis, Madame, fyddai hi'n iawn i fi aros gefn llwyfan? Mae Posey'n credu y byddai hynny'n 'i helpu hi.'

Edrycha i lawr arnaf dros 'i thrwyn syth, pigog, a chau 'i cheg yn dynn. 'Wel, mae'n gas 'da fi bobl yn diogi gefn llwyfan. Oes 'na rywbeth y gallet ti'i wneud? Coluro? Neu helpu'r actorion i wisgo?'

'Galla i dynnu lluniau ...' meddaf mewn llais bach tawel.

'Wel, dyna ni, 'te. Mae ffotograffydd wedi'i drefnu eisoes ar gyfer y cynhyrchiad, ond wnaiff hi ddim drwg i ni gael dau bersbectif. Oes gyda ti dy offer dy hunan?'

Trof y rycsac ar f'ysgwydd i ddangos y camera sydd ynddo.

'Ffantastig.' Mae hi'n curo'i dwylo'n fodlon. 'Ewch ati, felly!' Ac yna, gan ysgwyd 'i ffrog yn ddramatig, i ffwrdd â hi i godi ofn ar fyfyrwyr eraill. Gollyngaf anadl ddofn; do'n i ddim yn sylweddoli 'mod i wedi bod yn dal f'anadl. Rywsut, er eu bod nhw ar ddau begwn cyferbyniol y sbectrwm drama, dwi'n siŵr y byddai Madame Laplage a Mam yn cyd-dynnu'n dda iawn.

Tynnaf 'y nghamera mas o 'mag, ac anfon neges arall at Mam, Elliot ac Alex i ddweud wrthyn nhw y gwnaf i gwrdd â nhw ar ôl y perfformiad. Yna, rhaid diffodd sŵn y ffôn, yn barod i ddechrau ar fy "swydd newydd".

Dyma'r rhan dwi'n dwlu arni fwya. Pan fydd y camera yn 'y nwylo, mae fel taswn i'n troi'n berson gwahanol – person sy ddim yn ofni tynnu lluniau'r gwrthrych cywir o unrhyw ongl, a pherson a wnaiff unrhyw beth, bron, i roi ennyd arbennig ar gof a chadw. Gwelaf grŵp o'r corws yn cwtsho at 'i gilydd, yn gwneud ymarferion i dwymo eu lleisiau, a thynnaf lun. Wedi hynny, mae pethau'n symud yn awtomatig – pwyntio, saethu, ailffocysu.

Daliaf ati'n frwd, nes i gamera arall ymddangos o 'mlaen. Camera yn nwylo bachgen tal â gwallt melyn tonnog.

Mae e'n symud 'i gamera i lawr i ddechrau, cyn gwenu'n swil arna i. *Wrth gwrs* mai Callum yw'r ffotograffydd swyddogol y soniodd Madame Laplage amdano!

'Helô, ffrind.'

'Helô,' atebaf, gan deimlo'n swil yn sydyn iawn.

'Alli di fy helpu i? Dwi'n cael tipyn o drafferth i roi'r gosodiadau cywir ar y camera gefn llwyfan – mae hi mor dywyll yno!'

Ac yna, o fewn chwinciad, ry'n ni'n ymddwyn fel dau gîc yn trafod camerâu unwaith eto, a sylweddolaf gymaint o hwyl yw nabod rhywun arall fel fi, sy'n dwlu ar ffotograffiaeth – hyd yn oed os mai dim ond hoffter o gamerâu, a dim mwy, yw sail ein perthynas.

'Pum munud cyn codi'r llen!'

'Gwell i fi gymryd fy lle,' medd Callum. 'Wela i di o gwmpas?'

'Wela i di wedyn. Paid ag anghofio am gyflymder y caead!'

'Wna i ddim,' medd, cyn anelu am flaen y llwyfan i dynnu lluniau o'r gerddorfa. Clywaf gerddorion yn twymo nawr, yn barod i chwarae bariau agoriadol y gân gynta. Tynnaf luniau o'r bobl o'm cwmpas – pob un yn arddangos nerfusrwydd o wahanol raddau – yn paratoi'n feddyliol at ddechrau'r perfformiad. Yna clywaf sŵn siffrwd yn yr awditoriwm wrth i'r gynulleidfa ddod i'w seddau, ac mae tensiwn rhyfedd i'w deimlo hefyd, sef disgwyliadau'r gynulleidfa ar gyfer y perfformiad. Maen nhw'n disgwyl gwledd i'r llygaid a'r clustiau.

'Penny?'

Gwelaf Posey'n dod mas o'i stafell wisgo yn edrych yn hollol brydferth. Mae'i gwallt du gloyw wedi'i gyrlio yn steil y pumdegau, a cholur trwchus ar 'i hwyneb i amlygu'i llygaid a'i gwefusau pan fydd ar y llwyfan. Uwchben 'i thalcen, ynghudd yn 'i gwallt, mae microffon pitw bach. Mae hi'n edrych fel seren go iawn.

'Posey – neu, a ddylwn i ddweud, *Maria* – ti'n edrych yn anhygoel!'

Mae hi'n cnoi'i gwefus, sydd dan drwch o lipstic coch. 'Dwi ddim wedi dweud wrth Mam eto 'mod i 'nôl yn chwarae Maria.'

'Falle bod hynny'n beth da,' meddaf yn garedig. 'Ti'n barod?'

'Mor barod ag y bydda i byth.'

Dyw Posey ddim ar y llwyfan yn syth – rhaid iddi aros ar yr ochr drwy'r golygfeydd cynta. Galla i 'i gweld hi'n crynu wrth f'ochr, yn belen o nerfau, sy'n dynn fel tannau piano. Daliaf 'i llaw a sibrwd, 'Cofia'r goeden.'

'Siŵr o wneud.'

Yna, yn gynt na'r disgwyl, daw'r foment fawr. Mae hi'n gollwng fy llaw, yn rhoi gwên fawr ar 'i hwyneb, ac yn camu ar y llwyfan. Mae nodau cynta'r gerddorfa fel tasen nhw'n hofran yn yr aer am oesoedd, ond yna, mae hi'n morio canu, fel tase hi wedi gwneud hynny erioed.

Mae dagrau'n cronni yn fy llygaid.

Ar ôl iddi orffen 'i hunawd cynta, mae'r gymeradwyaeth yn fyddarol.

Teimlaf bwysau llaw ar f'ysgwydd, ac edrychaf lan i weld Madam Laplage yn rhythu i lawr arna i. 'Falle byddai'n well i ti ymuno â'r gynulleidfa. Does dim byd i ti wneud nawr, ac fe gei di olygfa lawer gwell lawr fan 'na.'

Nodiaf 'y mhen.

Does unman yr hoffwn i fod nawr yn fwy na chanol y gynulleidfa 'na, yn curo 'nwylo nes eu bod nhw'n fflamgoch. Yr unig sŵn a glywaf i yw cymeradwyaeth wresog i Posey.

Pennod Pedwar deg un

Mae'r gynulleidfa ar 'i thraed.

Cododd pawb fel un, i roi cymeradwyaeth wresog i'r actorion ar y llwyfan. Doedd dim un camsyniad yn y sioe, ac fe berfformiodd yr holl gast yn ardderchog. Mae Posey'n rhyfeddol fel Maria, a phob nodyn yn berffaith. Daeth 'i llais â dagrau i lygaid sawl aelod o'r gynulleidfa. I'r myfyrwyr, falle bod y perfformiad yn rhan orfodol o'u cwrs, ond ro'n nhw i gyd yn amlwg yn mwynhau pob eiliad o'r sioe. Falle mai dyna'r gwahaniaeth rhwng caru rhywbeth yn llwyr a gwneud rhywbeth trwy orfodaeth. Galla i ddychmygu pob un ohonyn nhw'n mynd 'mlaen i gael gyrfaoedd llwyddiannus yn y West End neu ar Broadway rhyw ddydd – a taswn i'n Madame Laplage, byddwn *i'n* rhoi marciau llawn iddyn nhw i *gyd*.

Pan ddaw Posey i'r llwyfan i ddiolch i'r gynulleidfa, chwibanaf yn uchel trwy 'mysedd a gweiddi 'Ie, Posey!' heb sylweddoli 'mod i'n edrych yn hollol hurt. Mae Mam wrth f'ymyl i, yn gwasgu 'mraich, ac Elliot ac Alex yn wên o glust i glust.

'Am sioe!' ebycha Elliot, wrth i'r sŵn ddistewi digon i ni allu sgwrsio eto. Hyd yn oed wedyn, mae hymian tawel yn llenwi'r theatr, sef sŵn cynulleidfa fodlon yn trafod y sioe.

Mae dagrau'n pefrio yn llygaid Mam. 'Mae hyn fel cael 'y nhowlu'n ôl i ddyddiau fy ieuenctid. Ro'n i wedi anghofio cymaint dwi'n dwlu ar y sioe yma. Ac ro'dd Posey'n hollol anhygoel. Alla i ddim credu'i bod hi wedi penderfynu gadael y brif ran! Ond beth ddigwyddodd i Megan?' Mae hi'n edrych i lawr ar y rhaglen, a golwg ddryslyd ar 'i hwyneb. Dim ond enw Megan sydd yn y rhaglen ar bwys rhan Maria; dim ond tamaid o bapur wedi'i argraffu'n frysiog sy'n cyhoeddi'r newid o Megan i Posey.

'Ie, beth ddigwyddodd i hoff neidr pawb?' hola Elliot. 'Do'dd hi ddim hyd yn oed yn y corws, nag oedd hi?'

'Daethon nhw i wbod 'i bod hi wedi twyllo Posey i adael y rôl – ac mai hi oedd yr un wnaeth rannu cân Leah. Allen nhw ddim gadael iddi hi chwarae rhan Maria, a hithau wedi troseddu – wedi dwyn hawlfraint. Felly ar y funud olaf, cafodd hi'i chicio mas.'

'O, Megan!' medd Mam. 'Ond mae'n swnio fel tase hi'n haeddu popeth ddigwyddodd iddi hi.'

Mae Elliot a finnau'n rhythu'n syn ar Mam – hi sy'n amddiffyn Megan fel arfer. Mae hi'n codi'i hysgwyddau. 'Beth? Does neb yn cael trin Penny fach ni fel 'na!'

Allan â ni i'r cyntedd. Gwelaf Kira ac Amara'n sefyll gyda rhai o'r myfyrwyr eraill o Brighton a ddaeth yma i weld perfformiad mawr cynta Megan. Maen nhw i gyd yn craffu'n ddryslyd ar eu rhaglenni. Wrth i'r efeilliaid 'y ngweld i, maen nhw'n amneidio arna i ymuno â nhw, felly dwi'n esgusodi fy hunan oddi wrth Mam ac Alexiot ac yn cerdded draw atyn nhw.

'Beth oeddet ti'n feddwl?' holaf Kira, gan geisio cadw fy llais mor ddidaro â phosib.

'Ro'dd y sioe yn wych, ond ... ro'n i'n meddwl mai dod i weld

Megan o'n ni. Siaradaist ti â hi gynnau? Beth ddigwyddodd?'

Codaf f'ysgwyddau. 'Caiff Megan esbonio.'

'O, plis? Dwed wrthon ni,' ymbilia Amara.

Caf 'y nhemtio, ond wna i ddim dweud wrthyn nhw beth ddigwyddodd. Wna i ddim cario clecs. Mae hynny wedi achosi llawer o loes i fi yn y gorffennol, pan wnaeth pobl sgrifennu fy naratif ac ystumio stori wir nes 'i thrawsnewid yn llwyr. Fydda i byth yn rhan o hynny. Ddim hyd yn oed wrth ddelio â 'ngelyn pennaf.

Ta beth, fydd dim angen i Kira, Amara a'r lleill aros yn hir. Mae myfyrwyr drama ysgol Madame Laplage – y rheiny oedd yn y sioe – yn rhuthro trwy ddrws y llwyfan, i freichiau eu rhieni a'u ffrindiau. Ond, fel y dwedodd Megan 'i hun, un o nwyddau mwyaf gwerthfawr yr ysgol hon – fel unrhyw ysgol arall – yw clecs. Mae newyddion yn teithio'n glou. Dyna sydd ar wefusau pawb – fwy neu lai – yr olygfa ddramatig rhwng Madame Laplage a Megan Barker. Mae pawb yn gwybod 'i bod hi wedi gwneud rhywbeth gwael iawn i gael 'i chicio mas o'r ysgol.

Mae tap ar f'ysgwydd. 'Penny?'

Trof a gweld Posey'n sefyll ar bwys menyw dal, denau â'r un gwallt du gloyw a llygaid tywyll â Posey. 'Dyma fy mam, Christine.'

'O, hyfryd cwrdd â chi, Mrs Chang,' meddaf gan estyn fy llaw.

Yn hytrach nag estyn 'i llaw 'nôl, mae hi'n rhoi tipyn o syndod i fi trwy 'nhynnu ati am gwtsh. 'Diolch am bopeth wnest ti i helpu'n Posey fach ni. Dwedodd hi na fyddai hi byth lan ar y llwyfan 'na heno oni bai amdanat ti.'

Gwridaf. 'Wir, hi wnaeth y cyfan.'

'Dwi ddim yn credu hynny. *Ti* ddaeth â'r dewrder mas

ohoni. Ro'n i'n gwbod 'i fod e ynddi hi drwy'r amser.'

'Mae'r *ddwy* ohonoch chi'n arbennig,' medd Mrs Chang. 'A dwi'n falch fod gyda hi ffrind fel ti.'

Gwenaf yn garedig ar Posey. 'Dwi'n credu 'mod i'n *bendant* yn teimlo'r un peth.'

Pennod Pedwar deg dau

Wrth i gloch yr ysgol ganu ar ddiwedd y prynhawn drannoeth, alla i ddim aros i adael, felly dwi'n rasio drwy'r drysau. Dwi wedi treulio'r diwrnod yn rhyfeddu at y ffordd y gall y llanw droi yn erbyn rhywun – sef Megan yn yr achos yma – a dwi hyd yn oed wedi teimlo rhywfaint o drueni drosti. Er nad oes neb yn gwybod y manylion llawn, mae llawer o ddyfalu'n digwydd, a hwnnw'n ddrwg i gyd. Mae pawb yn cwyno wrtha i drwy'r amser, yn ysu am atebion, ond dwi ddim yn rhannu unrhyw fanylion.

Ond nid dyna'r unig reswm dwi'n edrych 'mlaen at ddiwedd y diwrnod ysgol. Dyma'r diwrnod cynta y galla i ddod i lawr grisiau'r ysgol a gwybod y galla i decstio Noah, a'i weld.

Hei – ti isie cwrdd? Xxx

Ac wrth anfon f'ateb, gwenaf. Mae'n swnio fel peth hollol hurt i fod yn hapus amdano, ond dyw Noah a finnau erioed wedi gallu cael y math yna o berthynas. Perthynas lle ry'ch chi'n gwybod nad yw'r person arall filiwn o filltiroedd bant. Perthynas sydd ddim yn ddibynnol ar friwsion o sgyrsiau dros Skype, croesi parthau amser, na chwilota am docynnau awyren rhad.

Dyma'n cyfle i weld a allwn ni wneud i hyn weithio. Ac mae hynny'n cynnwys ymdopi â'r pethau bach bob dydd.

Daw 'i ateb o fewn ychydig eiliadau.

Dwi gyda E ac A yn y Crêperie.
Beth am ymuno â ni? N x

Nawr dwi'n teimlo hyd yn oed yn fwy cyffrous. Mae fy hoff bobl i gyd mewn un man gyda'i gilydd, a dwi mor gyffrous!

Mae f'ysgol braidd yn bell o'r Lanes, felly neidiaf ar fws sy'n mynd yr holl ffordd i lawr at y môr. Mae llwythi o bobl ar y bws, gan gynnwys plant o f'ysgol i, a phawb yn eu plyg dros eu ffonau. Hoffwn i dynnu llun, ond does dim modd gwneud hynny heb iddyn nhw sylwi. Yn lle hynny, eisteddaf ar 'y nwylo a dymuno'n daer i'r gyrrwr fynd hyd yn oed yn gynt.

Mae'r *crêperie* i lawr ar hyd heol fach garegog, droellog, reit ar bwys y môr. Pan gerddaf i mewn, mae'r weinyddes yn gwenu arna i ac yn pwyntio i lawr y staer.

'Diolch,' meddaf, gan ymlwybro heibio llond bwrdd o dwristiaid. Clywaf enw seren enwog sy'n byw yn Brighton – os ydyn nhw'n gobeithio'i weld e, dwi'n credu y byddan nhw braidd yn siomedig. Tybed beth fydden nhw'n 'i feddwl tasen nhw'n gwybod bod canwr enwog o America lawr staer ...?

Bordydd a chadeiriau sydd dros y llawr gwaelod i gyd, a

gwelaf fy ffrindiau wrth ford yn y cefn. Elliot sy'n sylwi arna i gynta, ac mae'n amneidio'n orffwyll arna i i fynd draw atyn nhw. Llithraf i mewn i'r sedd ar bwys Noah, gan estyn draw i gael llymaid o'i Coke.

'Hei!' medd, gan esgus bod yn grac. Wedyn, mae'n 'y nghusanu ar 'y moch.

'Beth? Ro'n i'n sychedig!' gwenaf.

'Oeddech chi'n gwbod mai o Lydaw mae *crêpes* yn dod, lle maen nhw hefyd yn eu galw'n *krampouezh*?' esbonia Elliot, gan gladdu *crêpe* enfawr sy'n llawn mefus a hufen.

'Beth hoffech chi, Miss?' gofynna'r weinyddes y tu ôl i fi.

'O, dim ond lemonêd, os gwelwch yn dda,' meddaf.

Pan ddaw'r ddiod, mae Elliot yn codi'i wydryn. 'Hoffwn i gynnig llwncdestun. I'r criw *i gyd*, 'nôl gyda'n gilydd – ac i Noah am ddod ato'i hunan o'r diwedd.'

'Iechyd da!' medd pawb, gan godi gwydrau a'u clecian yn erbyn 'i gilydd.

'A ...' daw gwên slei i wyneb Elliot, 'iechyd da i Mega Ast, am gael 'i haeddiant, o'r diwedd.'

'Hei, dwi'n credu y dylet ti siarad yn dawelach,' medd Alex.

'Beth ti'n feddwl? Mae honna'n haeddu popeth ddaw!'

Mae Alex yn rhoi ergyd i Elliot yn 'i asennau nawr, ac Elliot yn ebychu, 'Ow, rho'r gore iddi!' gyda gwg. Ond yna mae e'n edrych lan, dros f'ysgwydd, a'i geg yn troi'n "O" syfrdanol.

Blinciaf ar y ddau ohonyn nhw, fel tasen nhw'n wallgo, ond yna mae ias yn rhedeg i lawr f'asgwrn cefn, fel tase rhywun yn 'y ngwylio. Trof, yn teimlo fel tase'r byd i gyd wedi arafu, fel taswn i'n symud trwy surop gludiog. Pan edrychaf y tu ôl i fi, dyna le mae Megan. Mae'i gwallt wedi'i dynnu'n ôl o'i thalcen a does dim tamaid o golur ar 'i hwyneb hi. Mae ymylon 'i llygaid yn goch ac ôl llefain arnyn nhw, a'i gwefus isaf yn crynu. Yn awtomatig, edrychaf o 'nghwmpas – ond does dim milcshêcs yn unman.

A does ryfedd, gan fod 'i mam yn 'i dilyn i lawr y grisiau. Os oes unrhyw un yn fwy brawychus na Megan 'i hunan, Mrs Barker yw honno. Aiff i eistedd wrth un o'r bordydd gwag wrth y grisiau wrth i Megan ddod draw yn betrusgar tuag atom ni.

'Heia Penny,' medd yn dawel.

'Heia, Megan,' atebaf, gan lyncu 'mhoer. Dan y ford, mae Noah yn cydio yn 'y nghoes, i roi hwb bach i fy hyder i. Dim ond rhythu arni hi mae Elliot.

'Dwedodd Kira mai fan hyn y byddet ti. Dwi'n gwbod nad wyt ti isie siarad â fi eto, fwy na thebyg, a dwi'n gwbod, falle, nad wyt ti isie bod yn ffrind i fi byth eto, ond ro'n i isie ymddiheuro i ti am y pethe wedes i ddoe, ac am bopeth wnes i i ti, Posey a Leah. Dwi'n gwbod mai fi sy ar fai, ac alla i ddim credu 'mod i wedi gadael i'r cyfan fynd mas o reolaeth fel gwnaethon nhw.'

'Ym ... iawn,' meddaf, braidd yn ansicr.

'Dwi'n gwbod bod hi'n anodd i ti ddeall,' aiff yn 'i blaen, gan ddarllen fy meddwl. 'A dwi ddim yn disgwyl i ti faddau i fi. Ond sgrifennais i fwy o'm meddyliau i, a'u cyhoeddi nhw ar 'y mlog. Dim ond i ti wbod 'mod i ddim yn cuddio rhagor.'

Mae f'aeliau'n saethu lan mewn syndod. Ro'n i'n credu y byddai Megan eisiau amddiffyn 'i henw da, doed a ddelo, ac na fyddai hi eisiau ymddiheuro i'w ffrindiau a'i theulu i gyd – a'i gyhoeddi i'r byd a'r betws.

'Ar ôl i ti ddarllen hwnnw, wnei di roi gwbod i Leah Brown? Does 'da fi ddim ffordd o gysylltu â hi, i ymddiheuro'n bersonol.'

'Iawn, fe ddweda i wrthi hi,' atebaf.

'Diolch,' medd wrtha i wedyn, cyn troi'n ôl at 'i mam.

'Aros, Megan,' galwaf.

'Ie?'

'Beth wnei di nawr? O ran yr ysgol a phopeth?'

'Mae Madame Laplage wedi 'niarddel i am y tro, ond caf i fy lle 'nôl yn y pen draw. Awgrymodd hi y dylwn i gymryd blwyddyn bant i wneud yn siŵr mai dyma dwi wir isie'i wneud cyn mynd 'nôl. Ac achos 'mod i wedi colli prif berfformiad drama y tymor yma, chaf i ddim credydau o gwbl am eleni.'

'Mae cymryd amser bant yn swnio'n syniad da,' meddaf.

'Wel, wela i di o gwmpas,' medd, gan godi'i llaw yn wan.

'Iawn, hwyl,' meddaf, yn methu meddwl beth arall i'w ddweud, a bant â hi.

Mae Mrs Barker yn rhoi'i llaw ar ysgwydd Megan ac yn 'i harwain 'nôl lan lofft. Tybed faint o bobl eraill mae'n rhaid iddi siarad â nhw i ymddiheruo? Dwi'n gobeithio'i bod hi wedi ymddiheuro i Posey'n barod.

'Iyffach,' medd Elliot.

'Dwi'n gwybod! Alla i ddim credu bod Megan wedi dod yr holl ffordd yma ...' meddaf, gan eistedd 'nôl i lawr yn fy sedd gyda bwmp.

'Na, dim 'ny – wel ie, 'ny – ond dwi'n darllen blogbost Megan. Licet ti weld?' Mae e'n troi'i ffôn i ddangos y cyfan.

Sori

Helô ddarllenwyr,

Dwi'n gwybod 'mod i fel arfer yn defnyddio'r gofod yma i ddangos y pethau dwi'n dwlu arnyn nhw, ond mae llawer o bethau eraill gyda fi i sgrifennu amdanyn nhw heddiw.

Dwi wedi gwneud rhywbeth twp iawn. Bydd y rhan fwyaf ohonoch chi'n gwybod am hynny'n barod. Dwi jyst eisiau dweud 'mod i wir yn sori am yr holl boen achosais i. Do'n i ddim yn meddwl am neb ond fi fy hunan.

Ro'n i eisiau'r rhan yn sioe'r ysgol yn fwy nag unrhyw beth – ond dylai hynny fod wedi gwneud i fi weithio'n galetach, i wella fy hunan, yn hytrach na sarnu llwyddiant rhywun arall a sathru arni hi i gyrraedd y brig. Do, fe ges i arian oddi wrth *Starry Eyes* am rannu'r gân, ond dwi wedi penderfynu rhoi'r arian hwnnw i Ysbyty Great Ormond Street.

Fydda i ddim yn dychwelyd i ysgol Madame Laplage am sbel. Mae angen tipyn o amser arna i i ailystyried yr hyn dwi eisiau. Yn ddiweddar, fe ges i gyngor da iawn gan ffrind, sef bod angen dod o hyd i dy drywydd dy hunan a pheidio â dibynnu ar unrhyw un arall. Am unwaith, dwi'n credu bod angen i fi dderbyn 'i chyngor hi. Dwi'n ferch ofnadwy o styfnig a dwi'n gwybod 'mod i'n tueddu i wthio yn 'y mlaen o hyd, gan fynnu cael unrhyw beth dwi eisiau. Mae cywilydd arna i fod rhaid i fi gael 'y niarddel o f'ysgol ddelfrydol cyn i fi sylweddoli hyn. Dwi wedi peryglu 'nghyfeillgarwch gyda phobl arbennig iawn, yn ogystal â pheryglu 'ngyrfa, achos un weithred hunanol.

Eto, os wyt ti'n darllen hwn a dy fod ti'n un o'r bobl y gwnes i eu brifo, dwi wir yn sori.

Mae'r adran sylwadau ar gau.

Pennod Pedwar deg tri

Mae Elliot yn chwibanu'n hir. 'Wel, chwarae teg, all neb ddweud 'i bod hi'n gachgi.'

Rywsut, mae darllen blogbost Megan wedi rhyddhau'r belen o densiwn oedd wedi cronni yn fy stumog. Fydd 'y nghyfeillgarwch â Megan byth yr un peth eto, ond wnaeth e erioed deimlo fel cyfeillgarwch go iawn, ta beth. O leia nawr dwi'n gwybod ble dwi'n sefyll gyda hi.

Ac mewn ffordd eitha rhyfedd, mae hynny'n iawn.

Falle nad yw'r busnes tyfu lan 'ma cynddrwg â 'ny, wedi'r cyfan.

Mae ffôn Elliot yn suo, ac mae e'n gwgu i lawr arno.

'Beth sy'n bod?' holaf.

'Dy fam ...'

'Mam? Beth mae hi isie?'

'Dim syniad. Mae hi jyst yn dweud bod angen i ti a fi fynd adre nawr. Dim ond y ddau ohonon ni, os yn bosib.'

'Y?' Gwgaf ar Noah, fel mae Elliot yn gwgu ar Alex. Pam fyddai hi'n gofyn hynny?

'Chi'ch dau heb drefnu rhyw syrpréis od, gobeithio?'

Mae Noah yn codi'i ddwylo. 'Dim byd i'w wneud â fi.'

Dechreuaf deimlo pryder yn cnoi 'mola. Mae'n beth rhyfedd i Mam hala tecst yn hollol annisgwyl, yn mynnu 'mod i'n dod adre. Nawr 'mod i wedi dechrau'r chweched dosbarth, mae Mam a Dad yn hapus i roi rhagor o annibyniaeth i fi.

'Well i ni fynd,' meddaf. 'Falle bod 'na argyfwng.' Cusanaf Noah a rhoi gwybod y bydda i'n cysylltu ag e'n nes 'mlaen.

'Iawn,' medd Elliot, yn anarferol o ddifywyd.

'Ffonia fi?' hola Alex, gan roi cusan ysgafn ar 'i foch. Mae golwg bryderus yn gysgod dros 'i wyneb, sydd fel arfer mor llonydd a digyffro. Mae'n siŵr bod Alex yn teimlo'r un anesmwythyd â fi.

'Wrth gwrs,' cytuna Elliot. Yn nodweddiadol ohono fe, mae e wedi newid goslef 'i lais fel 'i fod e'n swnio'n ysgafn a didaro, fel tase dim yn y byd yn 'i boeni e. Mae e'n gwenu ac yn wincio arna i, ac – alla i ddim peidio – dwi'n teimlo'n well hefyd. Mae e'n llithro mas o'i ochr e o'r fainc, ac yna'n rhoi 'i fraich trwy 'mraich i. 'Dere, mae hi siŵr o fod isie 'marn *arbenigol* ar y ffasiwn priodasol diweddara.' Fraich ym mraich, ry'n ni bron â bod yn sgipio 'nôl lan lofft a mas drwy'r drws.

Erbyn i ni gyrraedd gartre, mae Elliot a finnau'n teimlo'n hapus eto, yn canu *'We Are Family'* ac *'Ain't No Mountain High Enough'* nerth ein pennau ac yn ymddwyn yn gyffredinol fel dau berson dwlali.

Ond newidia'r naws cyn gynted ag yr awn ni i mewn i'r lolfa, lle mae Mam a Dad yn eistedd gyferbyn â dau berson llym a thrwsiadus yr olwg (cyfreithwyr, yn amlwg), sef rhieni Elliot.

Yn syth, estynnaf am law Elliot a chydio ynddi hi. Mae'n teimlo'n llipa yn fy llaw i. Mae e'n dechrau camu 'nôl tuag at y drws, a theimlaf 'i law yn anesmwytho, fel tase ar fin sgrialu trwy'r drws.

Mae'n rhaid bod Mam wedi sylwi hefyd, gan 'i bod hithau'n

codi ar 'i thraed. 'Plis, Elliot. Mae dy rieni isie trafod rhywbeth pwysig gyda ti.'

'Des ... des i yma achos 'mod i'n eich trysto chi!' llefa Elliot, gan dynnu'i law o fy llaw a'i gwasgu yn erbyn 'i frest fel tase hi ar dân. At Mam mae e'n cyfeirio'i eiriau, ond dwi'n synhwyro'i fod e'n eu poeri ata i hefyd. 'Ro'n i isie dianc oddi wrthyn nhw. Dwi ddim isie nhw 'ma hefyd.'

'Ry'n ni'n gwbod, Elliot,' medd 'i fam.

'Ro'dd dy rieni – '

'Nage fy rhieni i sy'n penderfynu pryd maen nhw'n cael dod 'nôl i sarnu 'mywyd i!'

'Elliot, paid â siarad â Mrs Porter fel 'na,' medd 'i dad.

'Chei di ddim siarad â fi o gwbl, Dad.'

'Ti'n gweld?' medd tad Elliot wrth 'i fam. 'Ddwedes i fod dim pwynt.'

'Ydw, dwi'n *ddibwynt*, fel arfer.' Gyda hynny, mae Elliot yn troi ar 'i sodlau ac yn sgrialu lan lofft.

Dwi'n dal i sefyll yn y lolfa, a 'mhen yn fwrlwm o emosiwn. Alla i ddim credu bod tad Elliot yn siarad ag e fel 'na – ond alla i ddim credu chwaith bod Mam wedi'i dwyllo fe i ddod yma i ddechrau.

Mae Mam yn edrych lan arna i, a'i hwyneb yn llawn rhychau gofidus.

'Penny, ti'n credu y gelli di siarad ag e? Mae'n bwysig iawn 'i fod e'n gwrando ar 'i rieni. Dwi'n gwbod bod hyn yn anodd.'

Nodiaf 'y mhen, gan deimlo'n hollol ddideimlad. Dringaf y staer yn araf, gan geisio meddwl beth dwi am 'i ddweud wrth fy ffrind gorau. Wrth agosáu at stafell Tom – stafell Elliot – mae Elliot wrthi'n ffyrnig yn taflu'i holl eiddo i mewn i gês. Dyw'r math yma o ddicter ddim yn gweddu iddo fe. Mae'i wyneb yn goch ac mae e'n gryndod i gyd.

Heb ddweud gair, cerddaf ato a rhoi cwtsh enfawr iddo. Mae e'n brwydro yn f'erbyn i ddechrau, a'i ddicter yn 'i atal rhag ymollwng, ond yn y diwedd teimlaf 'i gorff yn llacio, a'i ben yn pwyso ar f'ysgwydd. 'Bydd rhaid i fi siarad â nhw, bydd?'

Nodiaf arno fe. 'Hyd yn oed os nad yw dy rieni di'n ymddwyn yn arbennig o aeddfed ar hyn o bryd, mae'n rhaid i ti fod yn aeddfed.'

'Mae tyfu lan yn uffernol, on'd yw e?'

Tynnaf fy hunan oddi wrtho, a sychu deigryn o'i foch. 'Odi, mae e. Ond mae Mam yn gynghorydd da, ti'n gwbod. Wnaiff hi ddim gadael i bethe fynd yn draed moch. Fe wnaiff hi d'amddiffyn di rhag dy dad.'

Mae e'n nodio'i ben yn ddigalon. 'Dwi'n credu y bydd angen 'i hamddiffyniad hi arna i. Welaist ti mor grac o'dd e?'

'Maen nhw'n mynd trwy amser anodd hefyd. Felly beth bynnag wnei di, paid â gadael iddyn nhw roi'r bai arnat ti. Ti yw'r dioddefwr fan hyn. Dim dy frwydr di yw hon.'

'Diolch Pen-Pen.' Mae e'n plygu i lawr i edrych yn y drych ar y dresel, gan sychu'r dagrau dan 'i lygaid, cyn ymsythu a siglo'i ysgwyddau. 'Dymuna bob lwc i fi.'

'Ti'n moyn i fi ddod lawr gyda ti?'

Mae e'n ysgwyd 'i ben, ac yna'n rhoi dwy gusan ar 'y moch. 'Na'dw, byddai'n well 'da fi wneud hyn ar 'y mhen fy hunan. Ond os bydd isie unrhyw beth arna i, byddi di 'ma, fyddi di?'

'Byddaf, wrth gwrs.'

Treuliaf yr awr nesa yn rhythu ar nenfwd fy stafell, yn methu canolbwyntio ar 'y ngwaith cartref, sylwadau 'mlog, na hyd yn oed yr e-bost oddi wrth Melissa sy'n eistedd yn fy mewnflwch. Llwyddaf i lunio neges destun i Noah sy'n esbonio'n weddol glir pam y gwnaeth Mam ein galw ni yma, ac mae e'n ateb trwy anfon emoji wyneb crac ac addewid i alw heibio os bydd angen unrhyw beth arnon ni.

Daw sŵn tair cnoc i darfu ar fy meddyliau. Dyna'r unig beth a allai fod wedi chwalu fy synfyfyrio rhyfedd. Rholiaf oddi ar y gwely ac agor y drws.

Yn sefyll yno, a'i lygaid yn goch ond yn syndod o ddiemosiwn, mae Elliot. 'Mae'n digwydd,' medd, a'i lais yn dawel ac ysgafn. 'Mae fy rhieni i'n ysgaru.'

4 Tachwedd

Beth i'w wneud pan fydd eich ffrind gorau'n dioddef

Helô bawb,

Mae'n amser cyngor eto. Hynny yw, mae'n amser i fi ofyn i chi am ychydig o gyngor.

Mae ffrind i fi'n mynd trwy rywbeth anodd iawn ar hyn o bryd.

Rhywbeth dwi ddim yn siŵr y galla i helpu ag e.

Ond dwi'n gwybod 'i fod e'n rhywbeth y bydd llawer ohonoch chi wedi delio ag e, neu falle eich bod chi'n delio ag e nawr. Felly dyma fe:

Sut y'ch chi'n ymdopi pan fydd eich rhieni chi'n gwahanu?

Dwi'n gwybod y byddwn i'n cael trafferth ofnadwy ymdopi â hynny. Dwi'n credu, yn achos fy ffrind, fod awyrgylch y cartref wedi bod yn wenwynllyd ers sbel hir gan nad oedd 'i rieni e'n hapus gyda'i gilydd. Felly os gwnaiff hyn helpu'i rieni i fod yn hapusach, falle bydd gwahanu'n beth da iddyn nhw.

Ond i fy ffrind, mae'n dorcalonnus. Dwi'n ysu i helpu, ond sut? Dim ond hyn a hyn o siocled poeth a chaneuon hapus y galla i eu gorfodi ar y bachgen, druan. Mae angen mwy na hynny nawr. Dwi'n gwybod bod ysgariad yn digwydd yn aml y dyddiau hyn, felly ro'n i'n gobeithio y gallai rhai ohonoch chi fy helpu i trwy rannu'r pethau wnaeth eich helpu chi pan oedd eich rhieni chi'n gwahanu.

Byddwn i'n falch iawn o gael eich cyngor.

Diolch ymlaen llaw.

Merch Ar-lein, yn mynd oddi ar-lein xxx

Pennod Pedwar deg pedwar

'Ti wir yn gweud wrtha i fod hwn yn draddodiad *go iawn*, a ddim jyst yn rhywbeth ti wedi'i greu? Ti ddim yn tynnu 'nghoes i?' Mae Noah yn JB's Diner gyda fi yn sipian siocled poeth, a dwi'n trio esbonio wrtho fe beth yn union yw Noson Tân Gwyllt.

Chwarddaf wrth weld 'i amheuaeth. 'Noah, mae e i gyd yn wir!'

'Beth yw'r hen hwiangerdd Saesneg 'na 'to?'

'Remember, remember, the fifth of November ...' adroddaf.

'Ac ydyn nhw wir yn llosgi rhywun ar goelcerth?'

'Weithiau maen nhw'n llosgi *delw* o rywun – "Guto" – sef dyn wedi'i wneud mas o hen ddillad ac wedi'i stwffio â phapurau newydd. Ond dy'n ni ddim fel arfer yn gwneud hynny yn Brighton. Ry'n ni jyst yn cynnau coelcerth fawr ac yn gwylio tân gwyllt.'

'Mae e'n dal i swnio'n eitha cŵl. O le daeth e?'

'I gael gwers hanes, bydd rhaid i ti aros i weld Wiki!' meddaf gan chwerthin. 'Eleni, wedodd Dad 'i fod e am adeiladu coelcerth yn yr ardd. Dyw e ddim wedi gwneud hynny ers sbel, ond achos bo' ti yma, mae e isie iddo fe fod yn sbesial.'

‘Mae dy rieni di’n wych,’ medd Noah gyda gwên.

Llithraf ’y mysedd dros ymylon metel y ford. Mae llwyth o ddisgyblion f’ysgol o gwmpas y lle, ond dyw’r rhan fwyaf ohonyn nhw’n sylwi dim ar Noah a finnau. Mae e jyst yn rhan o fywyd bob dydd Brighton nawr. ‘Oeddet ti’n gwbod mai fan hyn ces i ’mhwl mawr cynta o banig?’ holaf.

Mae Noah yn codi un ael. ‘Wir?’ Mae e’n rhoi’i fraich o ’nghwmpas i’n amddiffynnol, a dwi’n gwenu arno fe. Er hynny, rhaid i fi wirio’r holl arwyddion: mae curiad ’y nghalon yn normal, dwi’n gweld yn glir ac mae ’nwylo’n llonydd. Dwi ddim mewn perygl o gael pwl arall ar hyn o bryd.

‘Ie. Ro’dd Megan ’ma pan ges i’r pwl ’na hefyd. A dweud y gwir, hi achosodd e.’

‘I fi, mae’n beth da ’i bod hi mas o dy fywyd di,’ medd. ‘Do’dd hi wir ddim yn ddylanwad da.’

‘Ti siŵr o fod yn iawn am hynny.’ Gwgaf. ‘Ro’n i’n credu bod y pyliau’n gysylltiedig ag ofn, achos dyna ddigwyddodd yn ystod y ddamwain car.’ Hyd yn oed nawr, os caeaf i fy llygaid, galla i weld y foment honno. Alla i ddim cofio’r manylion rhagor – alla i ddim cofio i ble ro’n ni’n gyrru – ond yr hyn sy’n ffurfio f’atgof ohono fe nawr yw’r fflachiadau a’r teimladau. Goleuadau’r car yn troelli ar yr heol. Ymladd am anadl wrth i ni droi drosodd. A ’nwylo i, wedi’u gwasgu yn erbyn ochr y car, a finne’n methu dianc. Ond dwi’n credu’i fod e’n fwy na theimlo ofn. Y teimlad o fod yn *gaeth* yw e: yn y car ’na, yn y lle ’na, mewn ... cyfeillgarwch anhapus.’

‘Penny, mae’n rhaid i ti addo i fi, os byddi di byth yn teimlo’n gaeth gyda fi, mae’n rhaid i ti ddweud wrtha i.’

‘Fe wna i. Ond mae’n rhyfedd – pan fydda i gyda ti ... ti fel dihangfa i fi. Dwi’n edrych i mewn i dy lygaid di a ...’ dwi’n gwrido, wrth synhwyro ’mod i’n swnio’n hurt.

Mae bysedd Noah yn llithro dan 'y ngên, gan wneud i fi edrych lan, i fyw'i lygaid. 'Dwi'n gwbod. Dwi'n teimlo'r un peth.' Wedyn mae e'n chwerthin. 'Cred ti fi, pan glywi di 'nghân newydd, byddi di'n gwbod beth dwi'n feddwl.'

'A phryd bydd hynny, Mr Dirgel?'

'Cyn hir! A phaid ti â meiddio 'ngalw i'n Mr Dirgel a tithe'n gwrthod gweud wrtha i beth wyt ti wedi bod yn 'i neud!'

'Fe ddaw'r amser ...'

Mae sŵn tipyn o gythrwfl o flaen y caffi, a galla i glywed rhywun yn galw f'enw. Trof, a gweld Alex. Mae'i wallt yn wyllt a'i wyneb yn welw a difywyd. Mae'n rhaid bod rhywbeth wedi digwydd ...

'Alex, ydy popeth yn iawn?'

Mae'i lygaid yn agor led y pen ac yn llawn rhyddhad wrth iddo 'ngweld i. 'O, diolch byth bo' ti'n dal 'ma!'

Ces i decst oddi wrth Alex ryw awr 'nôl yn gofyn ble ro'n i a Noah yn cwrdd ar ôl ysgol. Ro'n i'n meddwl 'i fod e ac Elliot eisiau cwrdd â ni eto. Ond dyw Elliot ddim gyda fe'r tro 'ma.

Mae'n rhuthro draw at ein ford. 'Ti'n digwydd bod wedi gweld Elliot?'

Gwgaf. 'Na'dw, ond ro'n i'n cymryd 'i fod e 'da ti.'

'Felly dyw e ddim wedi hala tecst atat ti? Na ffonio?'

Siglaf 'y mhen.

'O na. Ro'n i'n gobeithio ...' Dechreua frasgamu lan a lawr wrth ein ford, wedi cynhyrfu gormod i eistedd.

Mae Noah yn estyn 'i fraich i'w stopio. 'Alex, boi, beth sy'n bod?' hola.

'Mae hyn i gyd mor hurt! Cwympon ni mas neithiwr, ar ôl popeth sy wedi digwydd gyda'i rieni ...'

Llyncaf 'y mhoer. Doedd Elliot ddim yn rhy dda yn emosiynol neithiwr, a'r peth diwetha oedd 'i angen arno fe oedd cweryl gyda'i gariad. 'Beth wedodd e?' holaf.

'Taw 'y mai i yw e i gyd! Dwi ... dwi'n gallu bod mor oeraidd weithie. Wedes i wrtho fe fod ysgariad yn rhywbeth mae rhai pobl yn mynd trwyddo, ac na fydde pethe'n rhy wael. Nid dyna'r peth iawn i'w ddweud – ro'dd hi'n rhy gynnar iddo fe glywed y fath beth, a dylwn i fod wedi sylweddoli hynny. Wedodd e wrtha i am adael dy dŷ di, felly dyna wnes i. Ond dy'n ni erioed wedi cwympo mas am fwy nag awr neu ddwy o'r blaen. Ar ôl y sioc a phopeth, ro'n i'n credu bod angen i fi roi amser iddo fe gysgu – mae popeth yn well yn y bore, on'd yw e? – ac y bydde fe'n iawn wedyn. Ond, Penny, dyw e ddim wedi ateb unrhyw negeseuon, ac yn ôl rhai o'i ffrindie ysgol, aeth e ddim i'r ysgol heddi!'

Ro'n i wedi sylwi nad oedd e wedi ateb fy negeseuon heddi, nac wedi hala'i ffeithiau bach random arferol, ond feddylies i ddim bod hynny'n od achos popeth mae e'n mynd trwyddo ar hyn o bryd.

'Ti wedi tseco'i stafell yn 'y nhŷ i?'

Mae Elliot yn gwgu, ac yna'n troi'i lygaid i edrych ar y llawr, gan adael i'w ysgwyddau suddo. 'Wrth gwrs 'mod i. Dyw e ddim 'na, ond welodd neb mohono fe'n gadael bore 'ma chwaith. Dyw hi ddim yn edrych fel tase fe wedi cysgu yn 'i wely neithiwr ... ac mae'i fag e wedi mynd.'

Teimlaf 'y ngwaed yn oeri yn 'y ngwythiennau. 'Ti'n jocan?'

'Na'dw, yn anffodus.' Mae deigryn yn llifo i lawr 'i foch, a galla i weld 'i fod e'n pryderu'n ofnadwy. 'Dyw'i rieni e ddim yn gwbod ble mae e chwaith. Nid bod ots 'da nhw, ta beth.'

'Dwi ddim yn credu y bydde fe wedi mynd yn bell heb ddweud wrthon ni,' meddaf, gan geisio swnio'n fwy hyderus nag ydw i mewn gwirionedd. 'Mae e yn un o'i lefydd arferol, siŵr o fod. Dere. Wna i a Noah dy helpu di i chwilio.'

'Diolch. Dwi jyst am fynd 'nôl i fy fflat i gasglu dillad twymach a *charger* fy ffôn – y peth dwetha dwi isie yw batri fflat, a'i fod e'n trio cael gafael arna i. Wnei di decstio ar ôl i ti glywed unrhyw beth?'

'Wrth gwrs.' Dwi eisoes wedi cydio yn fy sgarff, ac yn 'i lapio o gwmpas 'y ngwddf.

Tra 'mod i'n gwneud hynny, mae Noah yn estyn 'i got. 'Ti wir yn credu bod Elliot wedi rhedeg bant?' hola.

Cnoaf 'y ngwefus. 'Falle'i fod e,' atebaf.

Mae Elliot *wastad* yn rhedeg bant – p'un ai bod hynny ar ôl cweryla gyda'i rieni, neu ar ôl diwrnod gwael yn yr ysgol. Pan orffennodd e ac Alex, fe wnaeth e hyd yn oed redeg bant i Baris i fy ffeindio i. Dyna mae e'n 'i wneud. Dwi'n grac â fi fy hunan am beidio â sylweddoli mewn pryd y byddai hyn yn digwydd ar ôl y newyddion drwg neithiwr. Ond dyw e erioed wedi rhedeg oddi wrtha i. Dyw e erioed wedi mynd i unman heb ddweud wrtha i, neu heb 'y ngwahodd i fynd gydag e.

Y tro yma, mae'n teimlo'n wahanol.

Yn fwy parhaol.

'Dewn ni o hyd iddo fe,' medd Noah, yn llawn hyder. 'Fydde fe ddim wedi gwneud unrhyw beth heb weud wrthot ti.'

'Dyna o'n i'n feddwl. Ond mae diwrnod cyfan wedi mynd heibio'n barod ...' Rhythaf ar fy ffôn, yn edrych arno fel taswn i ddim yn gwybod beth yw 'i bwynt e, gan nad ydw i wedi cael unrhyw negeseuon oddi wrth Elliot. Rhof gynnig arall arni.

Hei, ble wyt ti? Pxxxx

Mae hi'n dywyll pan awn ni mas. Mae hi'n nosi'n gynnar nawr 'i bod hi'n fis Tachwedd, a'r oerfel yn brathu. Ond ry'n ni wedi lapio'n gynnes, a fy sgarff aur a gwyn wedi'i thynnu lan mor uchel fel bod y gwlân yn goglais blew f'amrannau. Prin y galla i deimlo 'mysedd yn fy menig gwlanog.

'Ble awn ni gynta?' hola Noah.

Mae goleuadau llachar y pier yn dala fy llygaid. Meddyliaf am yr holl adegau y bues i ac Elliot yno i chwarae ar y peiriannau dwy geiniog pan o'n ni eisiau dianc rhag unrhyw bryderon. Mewn ffordd ryfedd iawn, o ystyried sŵn byddarol peiriannau'r ffair, byddai hynny'n tawelu ein nerfau.

'Y pier,' meddaf, gan ddechrau rhedeg nerth fy nhraed. Diolch byth, dyw e ddim yn bell. Mae llawer o bobl ar hyd y lle, wedi oedi yn y dref ar ôl gorffen eu gwaith er mwyn gweld y tân gwyllt. Gwibiwn heibio grwpiau sy'n sipian diodydd poeth ac yn bwyta *churros* wedi'u trochi mewn siocled. Clywaf y rollercoaster yn chwyrlïo a gweld fflach 'i oleuadau llachar, a'i gylch fel tase'n gollwng 'i reidwyr bendramwnagl i'r môr.

Ar ôl cyrraedd yr arcêd gynta, pwyntiaf i'r chwith. 'Cer di ffordd 'na, af i 'mlaen y ffordd hyn. Ac ar ôl yr arcêd 'ma, cer yn syth yn dy flaen nes i ti gyrraedd y diwedd. Gwrdda i â ti wrth y ceir clatsho?'

'Iawn,' galwa Noah yn ôl, gan ddiosg 'i het *beanie*.

Nawr ein bod ni tu fewn ac wedi'n hamgylchynu gan bobl, mae'r awyrgylch yn cau amdanon ni. Dwi'n chwys domen ar ôl rhedeg yn y gwynt oer ac mae 'nghalon yn bwrw'n galed yn 'y mrest, ond mae angen i fi ganolbwyntio.

Elliot – ble wyt ti?

Bob tro dwi'n pasio un o'n hoff beiriannau dwi'n dal f'anadl. Ond does dim sôn o Elliot. Mae 'nghalon yn cyflymu pan welaf rywun yn gwisgo het trilby a sgarff streipiog vintage, tebyg i rai Elliot – ond nid fe yw e.

Mae'r pier, yn bendant, yn ddi-Elliot Wentworth.

'Unrhyw beth?' holaf Noah ar ôl dala lan 'da fe wrth y ceir clatshio.

Mae e'n siglo'i ben. 'Na, dim lwc.'

Tynnaf fy ffôn mas a rhoi diweddariad clou i Alex.

Ddim ar y pier. Fe wnaf i tsecio ambell le yn y Lanes – wedyn gallwn ni ddod at ein gilydd yn 'y nhŷ i? P x

Tŷ ni yw'r lle olaf i unrhyw un 'i weld e, ac os na fydda i'n ôl mewn pryd i gael malws melys Dad – rhai arbennig ar gyfer Noson Tân Gwyllt – bydd Mam a Dad yn dechrau poeni amdana i hefyd. A ta beth, yn ein tŷ ni gallwn ni siarad â Mam a Dad a meddwl am gasglu criw go iawn i chwilio amdano fe.

Hefyd, mae rhywbeth wedodd Elliot wrtha i unwaith yng nghefn 'y meddwl. Carden Dihangfa Fawr Elliot. Os yw honna wedi mynd ... dyna pryd y bydda i wir yn dechrau poeni.

Soniaf wrth Noah am fy sgwrs i ag Elliot sawl wythnos 'nôl, ac mae e'n nodio'n ddifrifol. 'Mae'n swnio fel tase fe wedi cynllunio ar gyfer rhywbeth fel hyn.'

Yn annisgwyl, daw dagrau i'm llygaid, ac mae Noah yn 'y nhynnu i mewn i gwtsh enfawr. 'Fydde fe ddim yn gwneud hyn heb ddweud wrtha i!' meddaf gan lefain yn dawel. 'Dyna gytunon ni. Ry'n ni'n dweud *popeth* wrth ein gilydd!'

'Mae e bron yn ddwy ar bymtheg ... bydd e'n iawn.'

'Does dim ots 'da fi,' atebais. 'Does dim ots 'da fi faint yw'i oedran e, mae angen 'i ffrindiau arno fe o hyd. All e ddim jyst towlu'i fywyd bant ...'

Ond dyna'n union wnaeth Noah – am sbel fach, ta beth. Alla i ddim meddwl am hynny.

Rhuthrwn o gwmpas y Lanes, gan edrych yn holl lefydd Elliot a finnau; y *crêperie*, y caffi yn Waterstones ar y gornel, Choccywoccydoodah; byddwn i'n mynd i'r llyfrgell hefyd taswn i'n gallu, ond mae hi ar gau yr adeg hon o'r nos. Mae'r strydoedd yn prysur lenwi â phobl sy'n heidio at y goelcerth a'r arddangosfa dân gwyllt.

'Dere,' medd Noah. 'Mae'n bryd i ni fynd 'nôl i dy dŷ di. Pwy a ŵyr – falle'i fod e 'nôl yn barod ac yn aros amdanon ni fan 'na?'

'Falle,' meddaf, ond mae fy llais crynedig yn adlewyrchu 'ngwir deimladau. *Na, Penny. Paid ag anobeithio nes y byddi di'n gwybod yn bendant.*

Awn adre mewn tacsi gan mai dyna'r ffordd gyflymaf i fynd, ac ry'n ni'n rhy oer i aros am fws ta beth. Cyrhaeddwn ymhen munud neu ddwy. Cerddaf i mewn a gweld wyneb Mam, sy'n llawn tensiwn a phryder. 'Ti wedi clywed wrtho fe?' hola, wrth i fi gerdded trwy'r drws.

Siglaf 'y mhen gan adael i Noah ateb. Alla i ddim aros rhagor. Gwibiaf lan y staer i stafell Elliot. Roedd Alex yn iawn: mae'n teimlo'n wag ac mae'i wely wedi'i wneud yn deidi. Yr unig lygedyn o obaith yw'r llyfr mae Elliot yn 'i ddarllen ar hyn o bryd, sydd wedi'i adael ben i waered ar y bwrdd bach, a'r marc llyfr yn cadw'i le. Dwi'n siŵr y bydde fe wedi mynd â'i lyfr tase fe'n bwriadu mynd am byth. Fydd e byth yn gadael unrhyw beth yn anorffenedig – byddai hynny'n 'i hala fe'n benwan.

Edrychaf i mewn i'w gwpwrdd dillad ac ymbalfalu trwy'i siacedi a'i jîns, sydd wedi'u smwddio'n berffaith, nes i fi ddod o hyd i'r hyn dwi'n chwilio amdano. Blwch bach du, wedi'i gloi â chod arbennig. Dwi'n gwybod beth yw'r cod gan ein bod ni'n dau'n defnyddio'r un un, sef cymysgedd o ben-blwyddi'r ddau ohonon ni. Agoraf e.

Codaf y caead.

Mae'n wag. Mae Carden Dihangfa Fawr Elliot wedi mynd.

Gwyliaf y blwch yn llithro o'm dwylo, cyn glanio'n swnllyd ar y llawr.

Mae e wedi mynd, go iawn.

Pennod Pedwar deg pump

'Penny, ti'n iawn?' Mae Noah yn carlamu lan y staer. Yn stafell Elliot, dwi wedi cwympo ar 'y ngliniau, a dyna le daw Noah o hyd i fi, yn bentwr bach crynedig ar y llawr.

'Mae e wedi mynd â'i Garden Dihangfa Fawr,' meddaf, rhwng ochneidiau. 'Mae hynny'n golygu 'i fod e'n gwbl o ddifri ynglŷn â'r peth. Alla i ddim credu ...'

'Dere,' medd Noah, gan fy helpu ar 'y nhraed. 'Bydd Alex yma unrhyw funud a bydd rhaid i ti ddweud wrth dy rieni beth sy wedi digwydd.'

Pan af lawr staer, mae breichiau Mam o gwmpas Alex, tra bod Mrs Wentworth, mam Elliot, yn brasgamu'n wyllt o gwmpas y stafell. Mae'n rhaid bod fy llygaid yn gofyn y cwestiwn dwi'n rhy ofnus i'w ofyn iddi, gan 'i bod hi'n sydyn yn cuddio'i hwyneb â'i dwylo, ac yn dweud, 'Dwi ddim yn gwbod i ble aeth e – do'n i ddim wedi bwriadu i hyn ddigwydd.'

'Ble mae tad Elliot?' holaf.

'Mae e wedi mynd hefyd!' Chwardda'n chwerw. 'Ond dyw hynny *ddim* yn syrpréis. Mae e wedi mynd i fyw gyda'i sgrifenyddes. Maen nhw wedi bod yn gweld 'i gilydd y tu ôl i 'nghefn i drwy hyn i gyd!'

‘Sori,’ meddaf, mewn llais sy’n swnio’n fach iawn.

‘Meddylies i y gallwn i ac Elliot ddechre eto. Mae’n swnio mor hurt nawr, ond es i mas i brynu cacen lindysyn siocled iddo fe, y math o gacen ro’dd e’n lico pan oedd e’n grwt bach.’ Mae hi’n amneidio at flwch ar y bwrdd bwyd, sy’n edrych fel tase rhywun wedi’i wasgu. ‘Jyst trio dweud sori. Ond pan ddes i adre, ffindies i hwn.’

Mae hi’n rhoi nodyn i fi, mewn sgrifen traed brain ar ddarn o bapur wedi’i rwygo o lyfr nodiadau ysgol.

Neithiwr, fe ddangosoch chi'n gwbl glir bod dim croeso i fi fan hyn rhagor. Felly dwi'n gadael. Hwyl fawr. Elliot

Mae ’nghalon i’n teimlo fel tase’n cywasgu yn ’y mrest. ‘Ble ffeindioch chi hwn?’ holaf.

‘Ro’dd e ar y ford yn y cyntedd.’ Mae golwg gwbl ddigalon ar Mrs Wentworth, a chysgod gofid ar ’i hwyneb. ‘Mewn dim ond un noson, dwi wedi colli ’nheulu i gyd.’

‘Wel, falle dylech chi ddim bod wedi’i wthio fe bant!’ medd Alex, gan daro’i ddwrn yn galed ar gefn y soffa. ‘Tasech chi wedi meddwl am eiliad am effaith hyn arno fe!’ Mae Mam yn mwytho’i fraich, i geisio’i dawelu.

Symudaf draw at fwrdd y stafell fwyta ac agor y blwch sy’n dal y gacen. Yn sydyn, teimlaf fel taswn i’n dechrau hofran mas o’nghorff; mae fy meddwl i’n crwydro’n bell. *Dyw nawr ddim yn amser da i fwyta siocled, Penny,* meddaf yn dawel bach. Llun cartŵn o lindysyn bach sydd ar y blwch.

Mae’r llun fel gwreichionen yn tanio rhywbeth yn ’y nghalon, a lwmp yn ymddangos yn fy llwnc. Mae un lle ar ôl i’w archwilio.

Fyddai neb ond fi’n meddwl edrych yn y lle hwn.

'Mrs Wentworth,' meddaf, 'ydy drws eich tŷ chi ar agor?'

'Na'dy, ond galla i roi'r allweddi i ti,' ateba.

'Dwi newydd feddwl am rywle y gallai Elliot fod, ond mae angen i fi gael rhywbeth o'i stafell.'

Mae hi'n nodio, ac yn estyn 'i hallweddi i fi. Teimlaf law Noah yn estyn am fy llaw ac yn 'i gwasgu'n gariadus, a synhwyraf lygaid ymholgar Alex ar 'y nghefn. Ceisiaf beidio ag edrych yn rhy obeithiol, rhag ofn bod hyn yn gam gwag.

Ar ôl mynd i mewn i dŷ Elliot, rhedaf lan lofft, yr holl ffordd i'w stafell yn yr atig. Y stafell sy'n efaill i f'un i. Dwi'n gwybod, taswn i'n gallu gweld trwy'r wal chwith, y byddwn i'n edrych yn syth i mewn i fy stafell i.

Mae'i stafell wedi'i throi ben i waered a thu fewn tu fas – gan fam Elliot ac Alex. Ond dy'n nhw ddim yn gwybod popeth am y stafell yma, yn wahanol i fi. Dwi'n gwybod bod rhywbeth arbennig y tu ôl i'w ddrych, sef drws cudd sy'n arwain i mewn i fargodion isel y tŷ – fel sydd yn fy stafell i hefyd. Yn y lle bach hwnnw, byddwn i ac Elliot yn arfer cuddio'n trysorau mwyaf gwerthfawr – nid pethau drud, ond y pethau hurt a oedd yn bwysig i neb ond ni ac yn golygu popeth i ni pan o'n ni'n iau. Ein hatgofion – pethau y dylen ni fod wedi tyfu'n rhy hen iddyn nhw, pethau y gofynnodd ein rhieni i ni gael gwared arnyn nhw. Ro'n i'n cadw hen ddyddiaduron yno, yn ogystal â phecynnau di-ri o ffotograffau, wedi'u datblygu o hen gamerâu tafladwy. Dyna le byddai Elliot yn cadw'i lyfrau mwyaf gwerthfawr, ac eitemau oedd yn siŵr o ddod 'nôl i'r ffasiwn, yn 'i farn e. Roedd e hefyd wedi hongian 'i ddarlun o eirinen wlanog enfawr yno (*James a'r Eirinen Wlanog Enfawr* oedd 'i hoff lyfr pan oedd e'n blentyn), ag un o sêr aur 'i fam wedi'i gludo arno, sef 'i ffordd fach hi o ddweud "da iawn" a dangos 'i bod hi'n 'i garu.

Symudaf 'nôl i gefn y stafell a mynd i lawr ar 'y nghwrcwd wrth y paneli. Cymeraf funud fach i ddod o hyd i'r glicied, ond o'r diwedd, dyma fi'n llwyddo i'w hagor. Mae'r drws yn bitw bach, ond yn ddigon llydan i fi, felly rhoddaf 'y mhen i mewn a dechrau cropian.

Gwelaf Elliot wedi cwtsho lan yn y gornel, a'i wallt golau'n anniben a thrwch o we corynnod drosto. Mae hen flanced wedi'i lapio o'i amgylch ac mae e'n rhythu ar lyfr sgrap dwi erioed wedi'i weld o'r blaen.

'Heia,' meddaf yn dawel, heb fod yn hollol siŵr beth arall i'w ddweud.

'Heia.' Mae'n edrych lan arna i, a'r tu ôl i'w sbectol cragen crwban, gwelaf fod amlinell 'i lygaid yn goch. 'Sut dest ti o hyd i fi?'

'Dwi'n dy nabod di, y twpsyn.'

Mae e'n gwenu, ond dyw'r wên ddim yn goleuo'i lygaid. 'Ro'n i'n mynd i redeg bant, ti'n gwbod.'

'Dwi'n gwbod,' meddaf yn dawel. Mae e'n codi cornel 'i flanced ac yn 'y ngwahodd i ddod i mewn. Cwtshaf wrth 'i ymyl, gan lapio'i ddwylo yn 'y nwylo i.

'Ro'n i'n o ddifri hefyd,' aiff yn 'i flaen. 'Ro'n i am redeg bant am byth. Des i 'nôl 'ma yn hwyr neithiwr dim ond i gasglu rhai o 'mhethe i – fel fy llyfr.' Mae e'n codi'r copi o'i drysor Roald Dahl, a'i orchudd plastig clir yn dal arno. 'Ond yna ffeindiais i hwn. Ro'n i wedi anghofio'n llwyr am y llyfr sgrap yma.' Mae'n agor y clawr, i adael i fi ddarllen hyn:

Fy Nheulu gan Elliot Wentworth, 8, 9, 9¾, 10

Chwarddaf wrth weld hyd yn oed yr Elliot ifanc iawn yn mynnu cael cywirdeb ffeithiol.

'Dechreuais i hwn fel prosiect ysgol, ond cadwais i'r peth i fynd am sbel.' Mae'n troi'r tudalennau. Coeden deuluol sydd i ddechrau, gyda lluniau bychain (wedi'u torri mas yn berffaith daclus) o'i ddwy fam-gu a'i ddau dad-cu, 'i rieni a fe 'i hunan, cyn i'r llyfr droi'n drysorfa o atgofion: ysgallen wedi'i gwasgu o'u taith gynta i'r Alban, taflenni o amgueddfeydd amrywiol, stybiau tocynnau sinema, a'r gorau oll, lluniau o Elliot a'i rieni gyda'i gilydd. Yn hapus.

'Drycha, 'co ti!' Mae Elliot yn pwyntio at ffotograff yn y gornel. Ac yna, yn ddigon gwir, mae llun o Penny yn chwech oed, gyda choesau bach tew, yn gwisgo ffrog smotiog bert. Mae'i braich o amgylch Elliot, sy'n slingyn main saith oed. Mae Penny fach yn gwisgo sbectol Elliot, ac yntau'n gwisgo un o sgarffiau pluog fy mam o gwmpas 'i wddf. Ry'n ni'n edrych yn hollol wallgo. Ry'n ni'n edrych fel ffrindiau gorau.

'O iyffach, drycha ar 'y ngwallt i!' ochneidiaf, gan syllu'n anghrediniol ar y mop powlen-pwdin ar 'y mhen.

'Ti'n edrych yn *très chic*, cariad.'

'Celwyddgi,' meddaf, gan roi pwniad i'w asennau.

Mae e'n dal fy llygaid ac yna'n ochneidio. Wrth siarad, mae e'n mwytho ymyl y llyfr sgrap yn freuddwydiol. 'Ro'n i'n credu, y tro hwn, y gallwn i 'i wneud e. Dwi'n ddigon hen nawr, neu bron yn ddigon hen. Gallwn i fod wedi'i wneud e. Do'n i ddim eisiau gorfod dibynnu ar unrhyw un. Do'n i ddim eisiau caru unrhyw un. Dyw cariad yn arwain at ddim ond loes, nag yw e?'

Gwasgaf 'i law.

'Ond wedyn des i i mewn i fan hyn a gweld yr holl bethe bach dwi wedi'u casglu wrth dyfu lan. Ocê, falle bod ein teulu ni'n bell o fod yn berffaith – drycha ar y ffordd mae Dad yn 'y nhrin i nawr! – ond *ro'dd* 'na gariad yn ein tŷ ni. Ro'n i'n lwcus i gael hynny, hyd yn oed os yw e wedi mynd nawr. Dyw'r ffaith 'i fod e wedi mynd nawr ddim yn golygu nad oedd e'n sbesial bryd hynny, nad yw e?'

'Nag yw,' sibrydaf.

'Ife dyma beth yw tyfu lan?' hola, gyda chwerthiniad bach.

'Os mai cymysgedd hafal o bethe poenus, hapus, trist, brawychus a chyffrous yw tyfu lan, dwi'n credu bo' ti'n iawn,' atebaf.

'Sut y'n ni'n gwbod ein bod ni'n barod i dyfu lan?'

'Dwi ddim yn credu y byddwn ni byth yn gwbod. Dwi ddim yn credu bod hyd yn oed ein rhieni ni'n gwbod eu bod nhw'n barod.'

'Ha! Falle bod hynny'n wir am dy rieni di – ond drycha ar fy rhai i. Maen nhw mor ddeddfol, yn dilyn yr un drefn o hyd; maen nhw fel delwau.'

'Odi hynny'n wir? Drycha ar y newidiadau maen nhw'n mynd trwyddyn nhw nawr. Maen nhw'n tyfu hefyd.'

Ochneidia Elliot. 'Mae pethe wir yn newid nawr, on'd y'n nhw, Penny?' medd, cyn pwyso'i ben ar f'ysgwydd.

'Ydyn, maen nhw.'

'Ond wnawn ni byth newid, wnawn ni? Wnawn ni byth golli gafael ar beth sy gyda ni?'

Cydiaf yn 'i law yn dynn. 'Byth,' meddaf yn gadarn.

Dwi'n gwbod na allwn ni aros fan hyn am byth, felly ar ôl munud neu ddwy, meddaf yn dawel, 'Elliot, wnest ti wir godi ofan arnon ni. Pam na wnest ti ateb unrhyw negeseuon wrthon ni? Mae Alex wedi mynd yn hollol benwan yn poeni amdanat ti!'

Mae Elliot yn gwingo dan y flanced. 'Pan ddes i lan fan hyn ro'n i'n defnyddio fy ffôn fel golau ac mae'n rhaid 'mod i wedi cwympo i gysgu. Doedd dim batri ar ôl yn y ffôn wedyn, dyna i gyd. Sori am roi ofan i bawb, ond ro'n i jyst isie llonydd.'

'Iawn. Ti'n barod i ailymuno â'r byd?'

'Oes rhaid i fi?' Mae Elliot yn edrych lan arna i'n ymbilgar.

Nodiaf 'y mhen. 'Alli di ddim byw lan fan hyn am weddill d'oes. Beth am y tŷ pedwar llawr prydferth 'na ti'n breuddwydio amdano fe? Dwi ddim yn credu bod fan hyn yn dy siwtio di ...'

'Ti'n hollol iawn. Dyw fan hyn ddim yn *chic* iawn.' Mae'n rhoi'r llyfr sgrap yn ôl yn 'i le, ac yn ailosod y flanced dros 'i rycsac.

Ymlusgaf mas o'r gwagle bach, cyn helpu Ellliot wedyn. Brwsiaf y gweoedd o'i wallt a'r llwch oddi ar 'i ysgwyddau.

'Pen?' hola, wrth gydio yn fy llaw.

'Ie?'

'Dwi mor falch bo' ti wedi dod o hyd i fi.'

'Wiki, fyddwn i ddim wedi stopio chwilio, byth.'

'Dwi'n gwbod.'

'Ti yw fy ffrind gorau yn y byd i gyd. Nage, ti'n fwy na hynny. Ti yw 'y mywyd i. Allwn i ddim byw hebddot ti. Felly chei di ddim 'y ngadael i fel 'na 'to. Iawn?'

'Byth 'to,' medd. 'Dwi'n addo.'

Pennod Pedwar deg chwech

Pan awn ni 'nôl i 'nhŷ i, does dim gweiddi a chega – dim ond rhyddhad. Mae Alex yn rhedeg i freichiau Elliot ac yn 'i gusanu'n ddi-baid. Ar ôl iddyn nhw sylweddoli, o'r diwedd, eu bod nhw mewn stafell gyda phobl eraill, maen nhw'n gwahanu'n lletchwith ac anfoddog – ond mae llaw Alex yn dal i gydio'n dynn yn llaw Elliot. Yna, mae Elliot yn troi at 'i fam, ac yn gwenu'n drist arni. 'Sori am y nodyn.'

'Sori am bopeth,' ateba hi. 'Allwn ni ... fyddai ots 'da ti tasen ni'n dechre 'to? Y ddau ohonon ni?'

Mae Elliot yn nodio'i ben. 'Dim ond os caf i fy stafell 'nôl.'

Mae wyneb 'i fam yn goleuo fel coeden Nadolig. 'Wir? Ti isie dod adre?'

'Os yw hynny'n iawn.'

'Wrth gwrs!' Wedyn, mae'r ddau ohonyn nhw'n rhannu'r gwtsh fwyaf lletchwith ac anghyfforddus dwi erioed wedi'i gweld, ond mae'n ddechrau.

Rhyddhad pur sydd i'w weld ar wyneb Mam.

'Ble ffeindiest ti fe, Penny?'

Gwridaf. 'Y gacen lindysyn wnaeth f'atgoffa i o'r lle bach 'na ry'n ni'n 'i rannu rhwng ein stafelloedd gwely. Dyna le mae

Elliot yn cadw holl atgofion 'i blentyndod. Dyna oedd ein hoff guddfan pan o'n ni'n fach.'

'Dwi'n cofio hynny,' medd Mam. 'Fe gollais i ti am ddiwrnod cyfan pan oeddet ti'n ferch fach. Ro'n i wedi anghofio am y lle 'na.' Wedyn, mae'i llygaid yn pefrio. 'Falle galla i storio rhai o ddillad sbâr y siop yno!'

'Mam!'

'Felly, pwy sy'n moyn malws melys?' hola Dad, gan ddod mas o'r gegin gydag amseru perffaith.

'Ond nag yw hi braidd yn hwyr ar gyfer Noson Tân Gwyllt?' hola Noah.

'O, dyw hi byth yn rhy hwyr i'r teulu Porter gael Noson Tân Gwyllt!'

'Dyna ni, 'te,' medd Noah, mewn acen Seisnig ryfedd.

'Noah, ro'dd yr acen 'na'n *warthus*,' chwardda Elliot.

'Beth?' mae golwg dorcalonnus ar wyneb Noah. 'Ond dwi wedi bod yn gwylio *My Fair Lady* yn ddi-baid!' medd, gyda gwên ddrygionus.

'Nid Eliza Doolittle wyt ti,' medd Mam yn bendant.

Gwenaf hefyd, gan estyn pentwr o sbarclyrs o'r cwtsh dan staer. Yna, cerddwn drwy'r gegin i'r ardd, lle mae Dad wedi gosod pentwr o goed tân yn barod i'w tanio. Dyw hi ddim yn goelcerth fawr, ond gan na fyddwn ni'n mynd i lawr i'r dref, bydd yn berffaith i grasu ein malws melys.

Mae Dad yn ein helpu i danio ein sbarclyrs, ac mae Elliot, Alex a finnau'n dawnsio o gwmpas ac yn sgrifennu'n henwau mewn gwreichion. Yna, ar ôl sbarclyrs dirifedi, rhedaf 'nôl i mewn, estyn 'y nghamera a thynnu llwyth o luniau ffrâm hir o Alex, sy'n sefyll yn stond tra bod Elliot yn rhedeg o'i gwmpas gyda sbarclyr. Mae Alex yn edrych fel tase cannoedd o belydrau disglair, euraid yn 'i amgylchynu. Mae'n syfrdanol o cŵl.

Mae Noah yn helpu Dad gyda'r goelcerth trwy osod darnau bach o bren a phapur ynddi fel bod y fflamau'n cydio ac yn cynnau'r darnau mawr o goed tân. Ar ôl ychydig funudau o brocio a chymell, daw'r tân yn fyw, gan ein lliwio ni i gyd â goleuni melyngoch braf.

Mae Dad yn towlu parseli bychain o ffoil ar y tân, ac ar ôl ychydig funudau, mae 'da ni falws melys meddal mewn briwsion bisgedi a siocled. Iym!

'Wel, dy'n nhw ddim cweit fel y rhai bydden ni'n eu cael gartre,' medd Noah. Ry'n ni i gyd yn edrych arno fe'n ddisgwylgar, yn barod am 'i farn. 'Ond maen nhw *mooor* dda!'

Mae Dad yn edrych fel tase fe newydd ennill *Pryd o Sêr*, a Noah fel y Dudley newydd. 'Falle mai dyna'r ganmoliaeth orau erioed!' medd, yn wên o glust i glust.

'Alla i eich helpu chi, Rob?' hola Alex.

'Wrth gwrs – dere!' medd Dad.

Aiff Dad ac Alex 'nôl i waelod yr ardd, lle maen nhw'n dechrau paratoi'r tân gwyllt. Daw mam Elliot mas â llond hambwrdd o win twym a siocled poeth, a Mam yn dynn ar 'i sodlau â phentwr o flancedi. Ry'n ni'n cwtsho lan yn y cadeiriau gwersylla, yn gynnes ac yn glyd wrth y tân.

'Noah, oes 'da ti unrhyw gerddoriaeth galli di'i chwarae i ni?' hola Mam.

'I chi, Dahlia, wrth gwrs!' Mae e'n neidio ar 'i draed ac yn brysio i'r tŷ. Pan ddaw e'n ôl, mae 'i gitâr yn 'i law.

Mae Noah yn mwytho gwddf y gitâr yn dyner, ac yn llithro'i fysedd i lawr y tannau. Mae'n tynnu ambell dant, ac yna – ac yntau'n fodlon 'i bod mewn tiwn – mae'n rhoi'r strap o gwmpas 'i wddf.

Mae'n cerdded 'nôl aton ni, a ninnau'n aros yn eiddgar amdano o gwmpas y tân. Mae Elliot a finnau'n gwneud lle iddo fe rhyngom ni.

Mae'i fysedd yn plycio'r tannau'n freuddwydiol, a dwi'n rhyfeddu o weld mor dda y gall rhywun chwarae offeryn a chreu sain mor brydferth yn gwbl ddiymdrech. Ar gais Elliot, mae'n chwarae rhai o'i hen ganeuon yn gynta, fel 'Merch yr Hydref' ac 'Elfennau'. Gofynna Mam am *Brown Eyed Girl*, ac mae e'n chwarae honna'n berffaith hefyd – heb nodyn o'i le.

Pan fydd egwyl rhwng y caneuon, clywn Dad yn gweiddi o waelod yr ardd: 'Dwi'n credu ein bod ni'n barod! *Tri* ...'

Pwysaf draw at Noah. 'Ro'dd honna'n anhygoel!' sibrydaf. 'Ro'n i wedi anghofio cymaint dwi'n dwlu gwrando arnat ti'n chwarae.

'Dau ...'

'Ac ro'n i wedi anghofio cymaint dwi'n mwynhau chwarae i ti.'

'Un!'

Wrth i Noah a finnau gusanu, mae tân gwyllt yn ffrwydro o'n cwmpas ym mhobman.

Ar ôl y tân gwyllt, aiff mam Elliot 'nôl i'w thŷ, ac mae Mam a Dad yn dweud nos da. Maen nhw i gyd wedi blino'n lân, medden nhw. Felly, cyn hir, dim ond fi, Noah, Elliot ac Alex sydd ar ôl.

'Ry'n ni wedi blino'n lân hefyd,' cytuna Elliot.

Mae wedi bod yn ddiwrnod hir ac emosiynol i bawb. Codaf ar 'y nhraed a rhoi cwtsh mawr i Elliot. 'Dwi'n dy garu di.'

'Caru ti hefyd, Pendigedig.'

'Diolch am eich holl help chi heddi, Penny a Noah,' medd Alex. 'Dwi ddim yn gwbod beth fyddwn i wedi'i wneud hebddoch chi.'

Gwenaf. 'Jyst drycha ar 'i ôl e, ocê? Mae e'n arbennig iawn.'

'Gyda fy holl galon,' yw ateb Alex. Mae'n gwenu ar Elliot, a dwi'n 'i gredu e'n llwyr.

Bellach, dim ond Noah a minnau sydd yma dan y sêr, a does dim dwi eisiau'n fwy yn y byd na chwtsho yn 'i freichiau. Ond er syndod i fi, mae e'n cadw 'i bellter. Wrth 'y ngweld i'n edrych yn drist, mae'n gwenu. 'Mae 'da fi un peth arall i'w chwarae i ti.'

'O?' Pwysaf 'mlaen a symud yn anniddig dan 'y mlanced, yn llawn chwilfrydedd.

'Un ... un o'r caneuon newydd sgrifennais i.' Mae'n tynnu ar edefyn rhydd yn 'i flanced, ac yn llithro'r llaw arall lan a lawr y gitâr.

'Noah, ti'n edrych mor nerfus!' meddaf gan chwerthin.

'Dwi yn nerfus,' ateba, a'i lygaid yn pefrio. 'Dwi wastad yn nerfus wrth chwarae stwff newydd i rywun. Ond dwi'n fwy nerfus achos 'mod i'n gobeithio y gwnei di'i hoffi hi. Enw'r gân yw "Cariad Byth Bythoedd".'

Mae'n anadlu'n ddwfn, ac yna clywaf 'i lais swynol, teimladwy'n llenwi awyr y nos.

Mae 'da ti dy fywyd, mae 'da fi f'un i,
Digon o resymau i gelu a gwadu,
Teimladau sy'n troelli'n ddi-baid yn 'y mhen
Ond fel dwi ... wastad ... wedi ... dweud ...
Falle nad y'n ni'n dda i'n gilydd
Ond dwi'n gwybod y byddwn ni'n wych 'da'n gilydd.

Alla i ddim treulio byth bythoedd fel hyn,
Alla i ddim treulio diwrnod arall fel hyn –
Mor bell oddi wrthot ti,
Ar ben fy hun hebddot ti,
Fy nghariad am byth bythoedd.

Troi a throi ar wib mae'r tymhorau ar eu hynt

O ddyddiau heulog braf i eira, rhew a gwynt –
Rhyfeddodau lu drwy'r flwyddyn gron,
Ond fel dwi ... wastad ... wedi ... dweud ...
Y peth dwi'n ysu amdano fwya yn y byd
Yw bod 'da Merch yr Hydref, a'i charu hi o hyd.

Falle, cariad, bod pethe'n gymhleth i ni'n dau
Ond sdim angen gwneud môr a mynydd o broblemau.

Alla i ddim treulio byth bythoedd fel hyn
Alla i ddim treulio diwrnod arall fel hyn –
Yn bell oddi wrthot ti
Ar ben fy hun hebddot ti,
Fy nghariad am byth bythoedd.

Yn bell oddi wrthot ti,
Yn hiraethu amdanat ti,
Fy nghariad am byth bythoedd.

Wrth i'r nodyn olaf ddiflannu i'r tywyllwch, dwi'n teimlo fel taswn i hefyd yn ymdoddi i ganol y sêr. 'Noah, ro'dd honna'n ...' ond does 'da fi ddim digon o eiriau i ddisgrifio'r gân, nac i esbonio sut dwi'n teimlo.

'Dyma sut dwi'n teimlo.' Mae'i lygaid yn syllu'n ddwfn i'm rhai i, ac mae e'n 'y nhynnu o nghadair ac yn 'y ngosod i eistedd ar 'i gôl. 'Ond Penny ... dwi ddim yn siŵr a fydd byth bythoedd yn ddigon hir.'

Fis yn ddiweddarach

7 Rhagfyr

Merch Ar-lein yn Mynd Mas i'r Byd

Helô bawb!

Mae'r blogbost yma wedi bod ar y gweill ers sbel, ond dwi hefyd wedi bod yn nerfus iawn ynglŷn â bwrw'r botwm 'cyhoeddi'. Ers dwy flynedd, ry'ch chi wedi bod yn gymuned, yn galon ac yn enaid ar-lein i fi ac ro'n i eisiau gwneud rhywbeth i ddiolch i chi. Ond yn fwy na dim, sylweddolais i'n ddiweddar 'mod i eisiau cwrdd â chi. Dwi eisiau cydio yn y gymuned fach 'ma a grëwyd ar y we, a gweld a fydde hi'n gweithio y tu fas i'r we.

Dwi wedi bod yn gweithio ar brosiect bach cyfrinachol. Dwi heb sôn wrth neb amdano fe – dim hyd yn oed Bachgen Brooklyn na fy ffrind gorau, Wiki, a dwi eisiau i chi – ddarllenwyr *Merch Ar-lein* – fod yn rhan ohono fe. Does dim rhaid i chi fyw ar bwys Brighton – na hyd yn oed ym Mhrydain – i gymryd rhan.

Y cyfan mae'n rhaid i chi'i wneud yw hala eich lluniau o'ch gofod ar-lein – eich lloches ar-lein. Dwi eisiau gwybod lle ry'ch chi wrth ddarllen hwn.

Falle eich bod chi ar eich cyfrifiadur yn eich stafell wely, ar eich ffôn wrth i chi fynd o le i le. Gall y lluniau fod yn hollol anhysbys (does dim hyd yn oed angen i chi fod ynddyn nhw!) a does dim ots am eu hansawdd nhw.

Dwi'n addo y gwnaf i roi gwybod i chi beth dwi'n wneud, cyn gynted ag y galla i.

Cariad mawr, bob amser,

Merch Ar-lein, yn mynd oddi ar-lein xxx

'Penny?' Clywaf lais Noah o'r lolfa. Camaf i mewn o'r gegin.

'Ie?'

'Dwi newydd ddarllen dy flog – am beth mae'r prosiect 'ma?'

Mae fy llygaid yn pefrio ac yn llawn dirgelwch. 'Bydd rhaid i ti aros i weld, fel pawb arall. Ti am hala llun i mewn?'

'Beth ti'n feddwl?'

'Dwi isie llunie o 'narllenwyr i wrthi'n darllen *Merch Ar-lein* yn y llefydd maen nhw'n hoffi'i ddarllen e.'

Mae Noah yn pwyso 'nôl i led-orwedd ar y soffa, a'i ffôn yn 'i law. 'Ti yw'r ffotograffydd fan hyn. Pam na wnei di dynnu llun ohona i?'

'Iawn, aros eiliad.'

Rhedaf mas i'r cyntedd, lle mae 'nghamera yn 'y mag, yn 'i le arferol. Pan fydd e yn 'y ngafael, dwi'n troi'n ôl at y lolfa. O'r ongl hon, prin y galla i weld wyneb Noah, ond mae sgrin 'i ffôn yn taflu goleuni sy'n adlewyrchu ar 'i wallt. Tynnaf y llun. Wrth edrych 'nôl ar y llun ar sgrin y camera, gwenaf. Mae'n berffaith.

Pennod Pedwar deg saith

'Beth yw hyn?' hola Noah. 'Ble ry'n ni'n mynd?'

'Gei di weld. Trysta fi.'

Camwn oddi ar y grisiau symud yn Waterloo, a gweld bod yr orsaf wedi'i haddurno'n barod ar gyfer y Nadolig. O dan yr hen gloc Fictoraidd saif coeden anferthol a'i changau'n drwm dan gannoedd o beli coch ac aur sgleiniog. Mae grŵp o garolwyr wedi ymgynnull o'i chwmpas, yn morio canu 'O Dawel Ddinas Bethlehem'.

Dyma un o fy hoff adegau o'r flwyddyn yn y brifddinas. Daw Llundain yn fyw adeg y Nadolig, pan fo siopwyr, twristiaid a Llundeinwyr yn heidio i'r strydoedd. Meddyliaf 'nôl i'r Nadolig diwethaf, a dreuliais i yn Efrog Newydd. Alla i ddim credu bod blwyddyn wedi mynd heibio ers i Noah a finnau gwrdd. Mae'n teimlo fel tasen ni'n nabod ein gilydd erioed, ac ar yr un pryd, fel tasen ni'n nabod ein gilydd ers dim ond chwinciad. Mae llawer 'da ni i'w ddysgu o hyd, ac alla i ddim aros i wybod pob manylyn bach amdano fe.

Torrwn drwy'r torfeydd yn yr orsaf, gan ymlwybro trwy'r llwybr tanddaearol i gyrraedd y Southbank Centre. Mae marchnad Nadolig Almaenig ar hyd glannau afon Tafwys.

Uwch ein pennau, gwelaf ganopi o oleuadau pitw bach, ac o'n cwmpas mae cabanau pren yn gwerthu gwin twym, bisgedi sinsir siâp sêr, ac addurniadau cerfiedig.

'Dyna nhw,' meddaf. Mam a Dad, Tom a Melanie, Sadie Lee a Bella, Elliot ac Alex, Posey, Miss Mills, Kira ac Amara – fy hoff bobl yn y byd, gyda'i gilydd mewn un lle. Maen nhw i gyd yn edrych yn smart yn eu dillad gorau ar gyfer yr achlysur. Wrth weld Noah a finnau'n agosáu, maen nhw'n ymgasglu o'n cwmpas, braidd yn annisgwyl. Yr un olwg ymholgar sydd ar wynebau pob un ohonyn nhw.

Anadlaf yn ddwfn. 'Dwi'n gwbod eich bod chi i gyd wedi bod yn pendroni pam 'mod i wedi gofyn i chi gwrdd â fi yma. Wel ... y gwir amdani yw, dwi wedi bod yn gweithio ar gyfres o ffotograffau. Enw'r gyfres yw *Merched (a Bechgyn) Ar-lein*. Ro'dd François-Pierre Nouveau yn dwlu cymaint ar y lluniau fel y gwnaeth e drefnu fy sioe gynta i mewn oriel yma ar y South Bank!'

Mae Mam yn sgrechian mewn hapusrwydd, ac mae'i brwdfrydedd yn heintus. Cyn hir, mae pawb yn 'y nghofleidio ac yn 'y nghusanu'n ddi-baid. Dwi'n siŵr mai fi yw'r ferch fwyaf lwcus yn y byd. Roedd cadw'r gyfrinach yma mor hir yn artaith i fi, ond mae gweld y wefr a'r llawenydd ar eu hwynebau nhw nawr yn werth y cyfan.

Ond mae mwy iddi na hyn. Dyma fydd cyfarfod cynta dilynwyr *Merch Ar-lein*. O'r diwedd, bydd cyfle i fi roi wynebau i'r enwau sydd wedi bod yn gwmni i fi am amser hir. Enwau fel Merch Pegasus, er enghraifft.

Mae teimlad rhyfedd yn 'y mochau – cymysgedd o gynnwrf ac oerfel, gan ein bod ni'n rhewllyd wrth sefyll tu fas.

'Gawn ni fynd i mewn i weld?' hola Elliot, gan daro'i draed ar y llawr yn ddiamynedd.

'Wrth gwrs! Ar eich ôl chi, bois.'

Mae pawb yn gwthio i mewn, ond cydiaf yn llaw Noah a'i ddal 'nôl nes bod neb ond i'n dau y tu fas.

'Dwi mor falch ohonot ti,' medd.

Gwasgaf 'i law yn dynn. 'Cymerodd hyn amser hir, ond o'r diwedd des i o hyd i rywbeth oedd yn *unigryw i Penny.* A dwi eisiau i ti'i rannu 'da fi.'

'A dwi isie rhannu'r holl adegau pwysig hyn gyda ti,' sibryda Noah, gan bwyso'i ben yn agosach ata i nes bod 'i anadl yn goglais 'y ngwefusau.

'Felly gad i ni wneud hynny,' meddaf. 'Un dydd ar y tro.'

Camwn i mewn i fynedfa'r Southbank Centre, sy'n enfawr a dan 'i sang. Mae cannoedd o bobl yn crwydro o gwmpas y cyntedd, yn aros i gyngerdd ddechrau neu'n mwynhau diod yn y caffi.

Draw mewn un gornel, mae ardal wedi'i hamgylchygu gan ruban melfed, a thorf fach o bobl yno eisoes: yn syth caf gip ar Melissa mewn ffrog ddu drawiadol. Gyda'i chlustdlysau llachar a'i phlethi hir, sy'n gwlwm cymhleth ar 'i chorun, mae'n amlwg mai hi yw rheolwraig yr oriel.

'Croeso i dy sioe unigol gynta, Penny Porter!' medd Melissa, gan gamu 'mlaen i gusanu 'nwy foch.

'Diolch, Mel! Dyma Noah,' meddaf, gan amneidio y tu ôl i fi.

Mae Mel yn gwenu'n ddireidus. 'Ie, ro'n i'n credu mai fe o'dd e. Helô. Mae llun da ohonot ti yma – ychwanegiad hwyr at y casgliad.'

'Alla i ddim aros i'w weld e,' medd.

Cyflwynaf Mam i Melissa, ac yna cymryd moment i edrych o gwmpas. Fy sioe fach fy hunan! Yn 'i chornel fach 'i hunan mewn lleoliad enfawr, cwbl eiconig. Yng nghanol yr arddangosfa, wedi'i chwyddo'n fawr ac yn sefyll ar 'i ben 'i hun, mae'r ffotograff a ysbrydolodd y casgliad. Yr hunanbortread ohona i'n gweithio ar flogbost a dynnais i'r diwrnod hwnnw gyda Leah. Dwi wedi ymgolli'n llwyr yn 'y ngwaith, ac mae 'ngliniadur yn edrych fel tase'n taflu cysgod – ond cysgod o oleuni. Fel y goleuni gobeithiol dwi'n ceisio'i hala mas i'r byd trwy *Merch Ar-lein*.

Dyna yw neges y casgliad. O 'nghwmpas, mae lluniau o bobl ifanc fel fi sy'n byw eu bywydau ar-lein gymaint ag y maen nhw oddi ar-lein. A thra bo rhai pobl yn cwyno ein bod ni'n gwastraffu'n hamser neu'n pryderu ein bod ni ddim yn cael digon o awyr iach, gobeithiaf fod fy ffotograffau'n cynnig persbectif gwahanol.

Dyna'r bachgen ar FaceTime, yn cysylltu â'i fam-gu a'i dad-cu 'nôl yn India.

Dyna griw o ferched yn tynnu hunlun ac yn 'i bostio ar Snapchat, gan rannu'r foment gyda'u holl ffrindiau.

Dyna'r criw o blant ysgol o Ffrainc yn y National Gallery, yn edrych fel tasen nhw'n sownd yn eu ffonau, ond mewn gwirionedd yn dysgu ffeithiau di-ri am y paentiadau o'u blaenau.

Dyna Noah ar 'i ffôn, yn darllen 'y mlog.

Ond nid dim ond llun ohono fe yw e, chwaith. Mae'i lun wedi'i chwyddo yng nghanol *collage* o luniau eraill – y lluniau a halodd darllenwyr 'y mlog ata i. Mae'n rhaid 'mod i wedi derbyn dros bum cant o ddelweddau i gyd, ac mae pob un ohonyn nhw ar y wal. Nhw yw fy llwyth i, fy nheulu i. #TîmRhyngrwyd Penny Porter.

'Penny, mae hyn i gyd mor cŵl!' medd Miss Mills, gan ruthro tuag ata i. 'Ond paid â disgwyl cael marciau uchel yn awtomatig. Bydd angen i ti weithio'n galed at dy lefel A, er hyn i gyd.'

'Peidiwch â phoeni, dwi'n gwbod,' meddaf gan wenu. 'Ta

beth, mae rhywbeth arall dwi isie'i wneud nawr.'

'O? Beth yw hynny?'

'Ro'n i'n meddwl falle gallen i helpu pobl fel fi. Pobl sy'n dioddef o orbryder.'

Mae Miss Mills yn gwenu'n garedig nawr. 'Dwi'n credu y byddet ti'n wych yn gwneud hynny, Penny. Cyn gynted ag y cyrhaeddwn ni'n ôl i'r ysgol, gallwn ni weld sut galli di gyrraedd y nod hwnnw hefyd.'

Ar ôl Miss Mills, daw'r person nesa ataf gan guro'i ddwylo'n uchel. 'Pénélope, *ma chérie!*'

Dim ond un person yn y byd sy'n 'y ngalw i'n 'Pénélope'. François-Pierre Nouveau yw hwnnw, y ffotograffydd byd-enwog a'r dyn a wnaeth i'r sioe 'ma ddigwydd – gyda llawer o help gan Melissa, wrth gwrs.

'Ddwedes i, on'd do fe? Ddwedes i y byddwn i'n rhoi sioe unigol i ti. Ar yr amod y byddet ti'n dod o hyd i d'arddull unigryw.' Mae'i lygaid yn pefrio wrth iddo edrych o gwmpas ar y ffotograffau. 'A dwi'n credu dy fod ti wedi'i wneud e. Llais dy genhedlaeth! Rhywbeth mor ... *unigryw i ti*.'

'Diolch, Mr Nouveau,' atebaf yn swil.

'Ddylet ti ddim diolch i fi – diolcha i d'ysbrydoliaeth! Mae rhai ohonyn nhw yma heddi, on'd y'n nhw?'

'Dim ond un,' meddaf. Hi yw'r person dwi'n edrych 'mlaen at gwrdd â hi'n fwy na neb arall.

'Wel bant â ti! A da iawn. Gobeithio wela i di'n ôl yn fy stiwdio haf nesa.' Mae e'n rhuthro i ffwrdd fel aderyn bach sionc, yn chwilio am bobl a allai fod yn awyddus i brynu fy ffotograffau. Mae'n rhyfedd meddwl am 'y nghelf yn cael 'i arddangos ar waliau cartrefi pobl eraill.

Gwelaf ferch yn syllu ar un o'r ffotograffau. Mae'i sgarff streipiog wedi'i lapio'n dynn o gwmpas 'i gwddf fel 'i bod hi'n edrych fel ffon *candy*. Mae hi'n gwisgo cot las tywyll dros 'i ffrog, ac o dan 'i ffrog mae haenau o beisiau lliwgar, llachar. O danyn nhw, mae teits du trwchus gyda phatrwm o sêr bach euraid, a Doc Martens clasurol am 'i thraed. Mae hi'n edrych yn anhygoel o cŵl, ond mae'i swildod yn amlwg yn 'i hosgo betrusgar, a'i ffrinj yn cwympo fel llen dros 'i hwyneb. Wedyn, mae hi'n troi a galla i weld 'i mwclis, sef pendant acrylig trwchus o geffyl gwyn hedegog. *Merch Pegasus*.

Mae hi'n edrych lan arna i yr un pryd ag yr ydw i'n edrych arni hi. Hi yw fy ffrind a 'nghynghorydd ar-lein ers dyddiau cynnar *Merch Ar-lein*, a dwi'n teimlo fel tase hi'n fy nabod i cystal â fy ffrindiau i gyd – hyd yn oed Elliot.

Cerddaf draw ati, gan deimlo fel taswn i'n hofran uwchben y llawr.

'Helô,' meddaf, sy'n swnio'n hurt ac annigonol.

'Helô.'

Gydag un symudiad rhwydd, taflwn ein breichiau o gwmpas ein gilydd, fel chwiorydd a wahanwyd – yn ffrindiau sydd, o'r diwedd, yn cael cwrdd â'i gilydd.

Mae *Merch Ar-lein* wedi dod oddi ar-lein o'r diwedd – a wnes i erioed ddychmygu y byddai bywyd cystal â hyn.

31 Rhagfyr

Nos Galan

Am flwyddyn! O reolwyr dan din i ffrindiau cenfigennus ac un bachgen na allwn i gael gwared arno. (Bachgen Brooklyn, os wyt ti'n darllen hwn – a dwi'n siŵr dy fod ti – dwi'n falch i ti aros o gwmpas fel hen ddarn o gwm cnoi ar fy sawdl – ha ha ☺.)

Pan fydd pobl yn dweud wrthoch chi fod bywyd fel llwybr, a bod y llwybr hwnnw weithiau'n anwastad ac yn droellog ac yn eich arwain i gyfeiriadau dirgel ac annisgwyl, gall hynny fod braidd yn frawychus. Ond dwi'n credu'n gryf fod pethau'n digwydd am reswm, felly er y bydd iselfannau ar y llwybr, bydd yr uchelfannau'n gwneud iawn amdanyn nhw – a phopeth yn dda yn y pen draw.

Tasech chi wedi dweud wrtha i flwyddyn yn ôl y byddwn i'n treulio Nos Galan arall gyda Bachgen Brooklyn, byddwn i wedi chwerthin (peidiwch ag anghofio mor anlwcus ydw i fel arfer). Mae'n teimlo'n hollol iawn – alla i wir ddim dychmygu bywyd hebddo fe ar hyn o bryd. Erbyn hyn, mae e mor barhaus â chlogwyni gwyn Dover, a dwi'n gwybod, heb os nac oni bai, y bydd hon yn berthynas hirhoedlog. Falle bod hyn yn swnio'n wallgo, ond ry'n ni'n ffitio'n berffaith gyda'n gilydd.

A dweud y gwir, mae popeth yn 'y mywyd yn teimlo'n dda ar hyn o bryd: Dwi wedi ymbellhau oddi wrth gyfeillgarwch negyddol, ac wedi ffurfio cyfeillgarwch newydd sy'n siŵr o ddod â dim ond hapusrwydd i fi. Mae 'da fi fy ffrind gorau o hyd, a fe yw 'nghefnogwr mwyaf. Dwi mor hapus o wybod 'i fod e hefyd mewn perthynas gariadus ac agored gydag un o'r bechgyn neisaf dwi'n 'i nabod.

Dwi'n credu mai'r prif beth helpodd fi i wneud popeth yn well oedd canolbwyntio arna i fy hunan cyn unrhyw un arall. Sut gallwch chi fod yn wirioneddol hapus gyda rhywun arall pan nad ydych chi'n gwbl hapus gyda chi'ch hunan? Felly dwi'n credu 'mod i wedi gwneud cynnydd mawr eleni wrth anelu at bob nod personol. Do, fe lwyddais i gael sioe ffotograffiaeth i F-P Nouveau, ond digwyddodd hynny achos 'mod i wedi dechrau meddwl mewn ffordd wahanol. Ro'n i'n fwy penderfynol nag erioed i brofi i fi fy hunan 'mod i'n GALLU gwneud unrhyw beth ro'n i eisiau, dim ond i fi roi fy meddwl ar waith. Doedd dim angen i unrhyw un arall 'i wneud e i fi; doedd dim angen y cyfryngau arna i, a doedd dim angen bachgen (gitarydd golygus neu beidio), ac yn sicr, do'n i ddim am adael i 'ngorbryder fy rhwystro i. Unwaith i fi ddechrau cyflawni rhagor o bethau, dechreuodd popeth arall gwympo i'w le.

Ar ôl yr ymateb syfrdanol i fy nghais am ffotograffau, dwi eisiau i 'ngofod bach yma ar *Merch Ar-lein* i barhau i fod yn hafan fach i ni, yn gymuned lle gall pawb helpu'i gilydd i ledaenu positifrwydd. Gallwn ni i gyd fod yn rhan o hyn, trwy gefnogi ein gilydd i gyrraedd pob nod bersonol yn ein bywydau; does neb yn teithio ar 'i ben 'i hunan ar hyd y llwybr.

Dwi'n gobeithio y cewch chi i gyd noson i'w chofio heno. Gadewch i ni fod yn obeithiol ac yn gadarnhaol wrth gynnig llwncdestun i'r flwyddyn a fu, ac i'r flwyddyn newydd sy'n prysur agosáu ar y gorwel. Ac, fel arfer, diolch o galon am eich holl gefnogaeth.

Dwi'n eich caru chi i gyd.

Merch Ar-lein ... wastad ar-lein xxx

Diolchiadau

Hoffwn i ddechrau fan hyn trwy ddiolch i 'ngolygydd a'm ffrind anhygoel, Amy Alward. Fyddai'r llyfr hwn ddim wedi'i lunio mor drefnus a hardd heb ei help hi. Mae *Merch Ar-lein* yn rhan enfawr o'n bywydau ers dwy flynedd nawr, a dwi'n hapus ei fod e wedi dod â ni at ein gilydd. Chwarddon ni wrth feddwl am awgrymiadau enwau gwirion, bwyton ni lawer gormod o fefus ac fe ddawnsion ni i sawl rhestr chwarae Spotify. Yn ogystal â f'arwain trwy'r broses ysgrifennu, bu hefyd yn ffrind ffyddlon a charedig, ac allwn i byth fod wedi gofyn am well golygydd. A dweud y gwir, dwi ddim yn credu bod y fath beth yn bodoli!

I weddill y tîm gwych yn Penguin a ddaeth â *Merch Ar-lein* yn fyw: Shannon Cullen (fy nghyhoeddwr ac un o'r menywod hyfrytaf dwi'n eu nabod), Tania Vian-Smith (sydd WASTAD yn gwybod sut i achub y dydd – hi yw tylwythen deg PR a theithiau hyrwyddo llyfrau), Clare Kelly (Brenhines PR), Natasha Collie (Guru Marchnata), Jaqui McDonough a Becky Morrison, sy'n creu delweddau clawr mor hardd, Wendy Shakespeare sy'n rhan o 'nhîm golygyddol, a phawb arall yn nhîm Penguin sy'n hwyluso pethau y tu ôl i'r llen. Diolch o galon am wneud y profiad hwn yn un mor bleserus ac esmwyth i fi, ac am adael i fi rannu fy stori a'm cymeriadau gyda'r byd.

I Dîm Gleam: Dom, Maddie, Phil, Meghan, Ange a fy nghynorthwyydd personol, Carrie. Diolch i chi am bopeth rydych chi'n ei wneud i sicrhau bod popeth yn digwydd yn rhwydd a didrafferth. Dwi'n ddiolchgar tu hwnt 'mod i'n gallu rhannu'r daith gyffrous hon gyda phob un ohonoch chi wrth fy ochr.

I 'nheulu a'm ffrindiau: rydych chi i gyd yn gwybod cymaint y mae eich cefnogaeth barhaus a'ch cariad yn fy annog i fentro bob dydd, ac i wneud pethau sy'n anodd i fi. Diolch am gredu ynof i bob amser ar y siwrne wallgo hon. Dwi'n siŵr mai fi yw'r ferch fwyaf lwcus yn y byd, gyda rhwydwaith mor gadarn a chefnogol o 'nghwmpas. Er nad yw'r rhan fwyaf ohonoch chi wedi gorffen *Merch Ar-lein: Ar Daith* eto, dwi'n maddau i chi. Ond bydda i'n disgwyl cael eich ymateb chi i'r llyfr hwn ymhen pedair blynedd, iawn?

Hoffwn i hefyd grybwyll fy ffrind Mark, a gwrddais am y tro cynta yn lansiad y llyfr *Merch Ar-lein: Ar Daith*. Ar adeg dywyll yn fy mywyd, pan oedd pethau braidd yn anodd i fi, fe oedd y goleuni ar ben draw'r twnnel. Doeddwn i ddim yn sylweddoli ar y pryd fod lle yn fy mywyd i ffrind arall tan i fi gwrdd ag e. Chwarddais i nes 'mod i'n sâl, dawnsiais yn fy nghegin a rhannais ormod o Wagamamas gyda rhywun oedd yn debyg iawn i fi; gallen ni fod yn efeilliaid. Yn ddiweddar, gofynnodd i fi tybed a oeddwn i'n sylweddoli cymaint dwi wedi newid ei fywyd. Ar ôl hynny, meddyliais am y ffordd y mae e wedi newid fy mywyd i.

Dwi'n fwy hyderus, yn llawer hapusach a chymaint yn fwy dibryder ers i ni gwrdd. Daliwch eich gafael ar y ffrindiau sy'n gwneud i chi deimlo rhywbeth; maen nhw mor brin ac arbennig.

Alfie Deyes. Y dyn pwysica yn fy mywyd. Fy nghraig, fy myd a fy ffan mwyaf. Dwi'n dy garu di xxx

Hefyd ar gael:

AIL NOFEL
Zoella
RILY
Merch
Ar-lein
AR DAITH
ZOE SUGG
Addasiad EIRY MILES

Ewch i
www.rily.co.uk
i weld rhagor
o lyfrau gwych!